KU-386-781

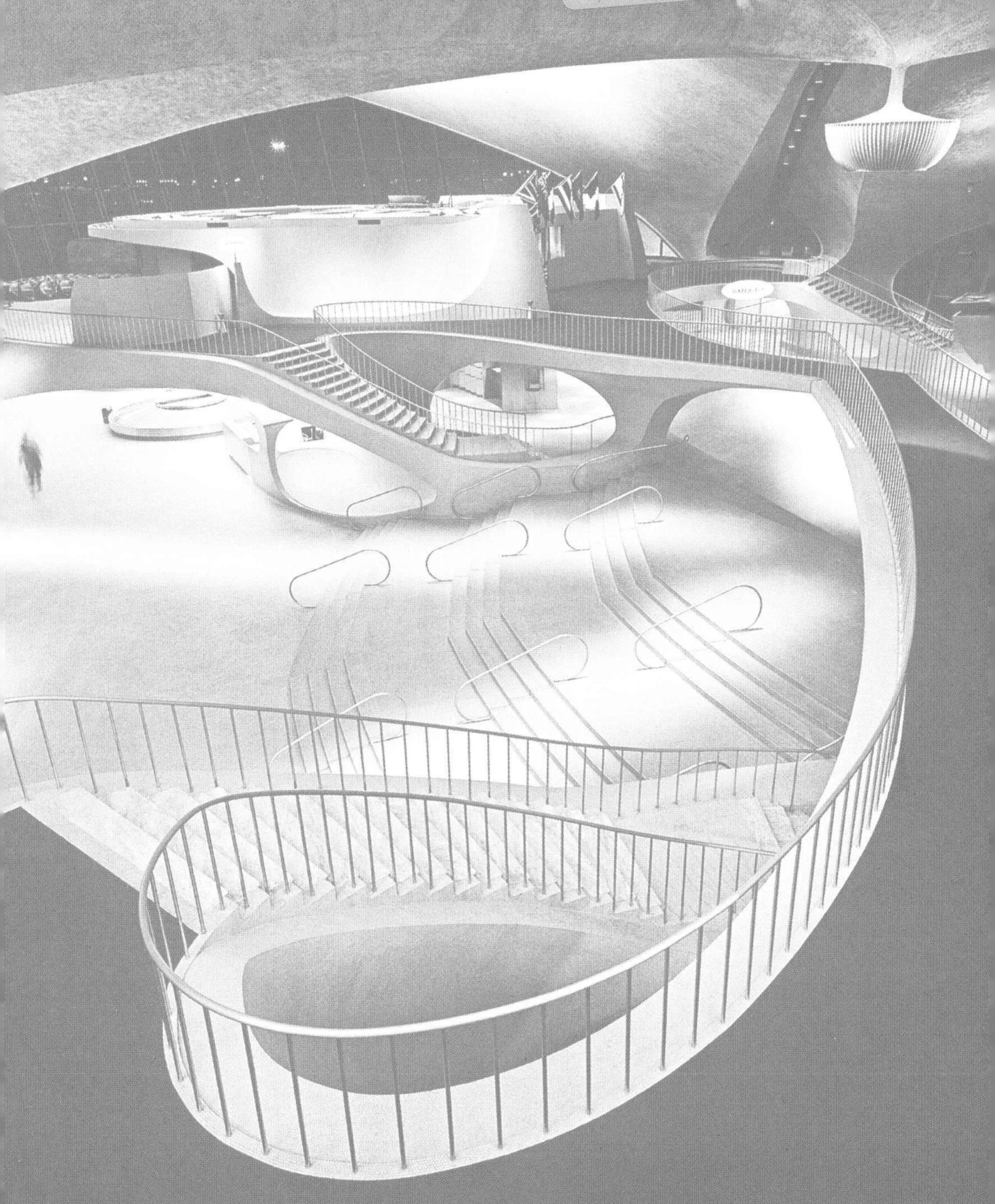

THE GREAT BUILDERS

伟大的建筑师

〔英〕肯尼思·鲍威尔 编

何可人 周宇舫 译

商务印书馆
创于1897
The Commercial Press

Published by arrangement with Thames and Hudson Ltd, London
The Great Builders © 2011 Thames and Hudson Ltd, London
This edition first published in China in 2020 by Commercial Press/Beijing Hanfenlou Culture Co., Ltd, Beijing
Chinese edition © 2020 Commercial Press/Beijing Hanfenlou Culture Co., Ltd
中译本根据伦敦泰晤士和赫德森出版有限公司2011年英文版翻译，由商务印书馆·涵芬楼文化出版。

涵芬楼文化 出品

目录

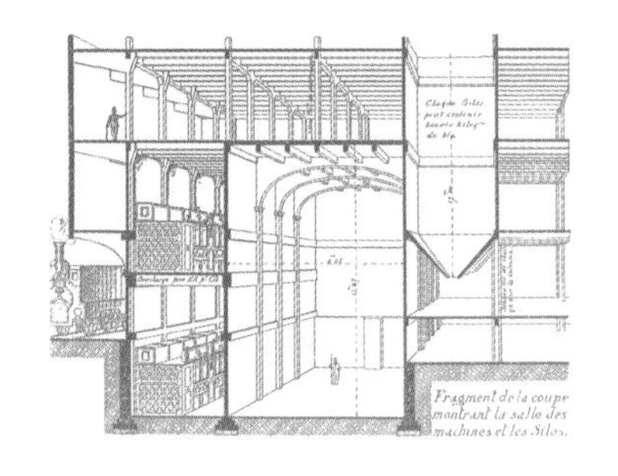
Fragment de la coupe
montrant la salle des
machines et les Silos.

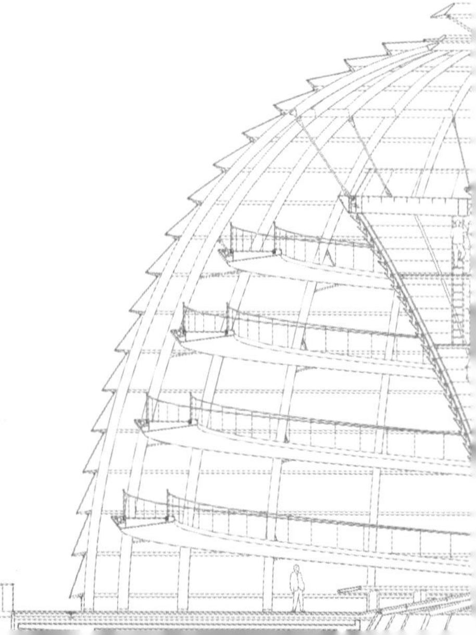

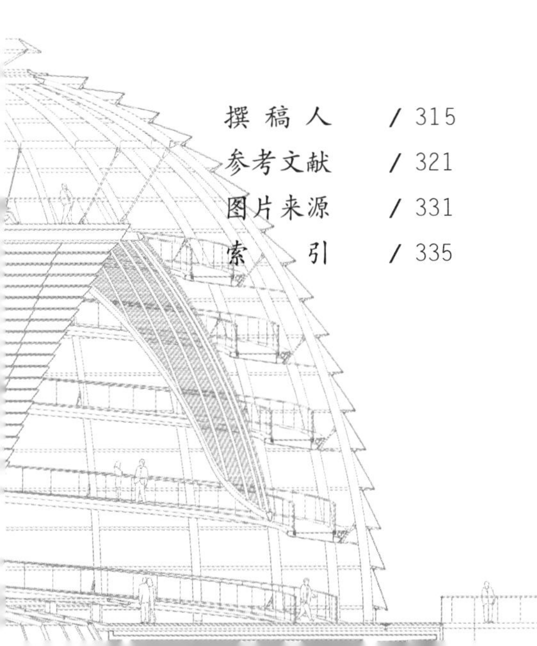

引　言

历史上伟大的建筑师都是独具创新和有独特视野的人。布鲁内莱斯基在佛罗伦萨建造的大穹顶在他的同辈人的作品中傲然而立，跃然成为佛罗伦萨的地标，正如同伍重设计的悉尼歌剧院作为澳大利亚的身份标识，埃菲尔铁塔成为众所周知的巴黎的象征，以及作为印度形象的泰姬陵等具象物。自人类文明起始，建造一直是人类最基本的活动：最早脱离了原始棚屋可称为建筑的房子大约是公元前9000年在近东地区出现的。文明则意味着始于城市的生活方式：世界历史上最早的城市起源于近东地区，即从今日土耳其的安纳托利亚横跨到尼罗河三角洲地域。在公元前2000年前后有着复杂、成熟的文明社会的中国已经开始出现自己独特的建造方式；这些技术、风格和形式成了后来的日本、印度、伊斯兰和地中海的建造发展的基础。也正是从这些遥远而古老的时代，我们第一次得知了建造者的名字，比如说，建造设计埃及金字塔的高级祭司伊姆霍特普(活动时期约为公元前2780年)，据称他是建筑用柱子的发明者，同时也是现代医学的鼻祖。

艺术家、科学家和管理者

最早的建造者并没有给自己冠以“建筑师”或是“工程师”的头衔，这些都是当代才出现的职业。他们有可能是艺术家（比如说焦托和布鲁内莱斯基）、科学家（例如雷恩），甚至是僧侣：大莫卧儿王朝的皇帝沙·贾汗不仅仅是委托人，他自身便是印度那个时代最伟大的建造者。这本书涵盖的时段从15世纪早期开始，这个时期的艺术家刚刚开始以个体的形式出现。在西方，格里盖利·瓦萨里的《艺术家的生活》（1550年出版）包括了布鲁内莱斯基等艺术家，在这个方面是个里程碑，建筑被视作一种艺术。与布鲁内莱斯基同时代的帖木儿建筑师谢拉兹具有很高的社会地位，然而他依然将自己视为一个石匠。相比之下，法国和英格兰大教堂的建造者们则大多数是

左页图：京都东寺，1491年重建：日本木屋顶构造的经典例子。

伊姆霍特普，埃及萨加拉阶梯金字塔的设计者，是世界上第一个大尺度石造结构。约公元前2780年完成。

默默无闻的，他们简单地被称为“石匠大师”。仅有极少数从影子中站出来，例如英国人亨利·耶维尔在1360年被授予国王的御用石匠头衔。1772年歌德在文字中赞颂了欧文·冯·施坦巴赫（卒于1318年），歌德认为他独立设计了斯特拉斯堡大教堂，是个超人般的天才。浪漫时期其他的作家都认为修道院都是修道士们设计的，例如伟大的14世纪英国威克姆大主教威廉，他既是牛津新学院和温切斯特学院的创始人，也是其建筑的设计者。

实际上，我们很难分清中世纪的石匠–建筑师和委托人的贡献。12世纪早期巴黎附近的圣德尼大教堂的主教阿布·叙热是实际上创立哥特建筑的先驱，还仅仅是一个有前瞻性视野的委托人？当然中世纪的建筑和其他时期一样不可避免地和权力相关联：例如威尔士的爱德华一世的城堡设计师是13世纪晚期来自圣乔治的萨伏依人詹姆斯,他被称为当时最具有“工程师”和石匠才能的人；塞巴斯蒂安·沃邦设计的城堡在当时则表达了法王路易十四对领土的野心：这位太阳王是个非比寻常的建造者，他于1671年创立的法国皇家建筑学院后来成为巴黎美术学院的一部分。

相比之下，雷恩的作品则反映了一个时代，即君主不再拥有绝对专制的君主政体（不是查理二世的凡尔赛）。雷恩实际上是一位绅士建筑师。实质上又是学者；而成为法兰西元帅的沃邦是位职业军人和军事工程师。这种绅士加业余人士的传统一直延续到18世纪：英国第三任伯林顿公爵理查德·博伊尔就是个经典的例子。直到19世纪，经过系统的学徒过程才开始出现正规的建筑师和工程师。1847年创立于伦敦的建筑联盟开始提供非全日制的课程，进而发展成一个全日制的学校。英国皇家建筑师协会建立于 1834 年，美国建筑师协会建立于 1857 年。美国的第一所建筑院校位于剑桥市麻省理工学院，于 1867 年开始招收学生。工程师也飞快地向专业化发展：第一家土木工程师协会于 1818 年在伦敦成立。

18 世纪中期以后，创新的火焰横扫西方世界，工业革命带来了运河、铁路、仓库和工厂，并由此创造了一个崭新的世界。托马斯·特尔福特、约翰·伦尼、约瑟夫·帕克斯顿、伊桑巴德·金德姆·布律内尔、维克多·巴尔塔特以及詹姆斯·博加德斯第一次大规模利用“新”材料——铁和玻璃，创造了新时代的象征。砖成品经过机械加工，经由运河和铁路的运输，成为一种新型的建筑材料，新的技术取代了当地传统的建筑材料（英国的砖产量从 1820 年到 1840 年翻了一番）。粗陶土和彩釉陶也开始被大量生产，广泛运用于结构构件和装饰。在“艺术”和“房屋”之间形成新的界限是对浪漫主义运动的反应（比如说约翰·拉斯金称 1851 年帕克斯顿的水晶宫为“水晶汉堡”）。这种被强调出来的差异性实质上是错误的：新古典主义建筑师，例如卡尔·弗里德里希·申克尔和哥特复兴倡议者乔治·吉尔伯特·斯科特都在他们设计的建筑中自由地运用了铸铁。20 世纪的现代主义评论家则将像水晶宫那样的工程结构称为 19 世纪“真正的建筑”。

与那些提倡哥特复兴的伟大的理论家同一时代的A.W.N.皮金和欧仁-埃马纽埃尔·维奥莱-勒迪克则建立了理性结构的理论，这些理论极大地影响了现代主义的先驱们。尽管皮金著名的《对比》（1836 年）一书展现了他对于工业化发展的疑虑，他的观点为工艺美术运动提供了滋养。（他本人狂热的职业生涯实际上依附于铁路系统——他称自己为一个“机动型的生物”，甚至曾设想将铁路结构设计成哥特风格。）对新材料和新技术持续不断的探寻充斥了整个 19 世纪：钢逐渐代替了铸模和锻造的铁，钢材的使用在全球范围内兴起了建摩天大楼的热潮（即使 1889 年建成的埃菲尔铁塔也仍然是用铸铁的形式）。19 世纪下半叶，建筑发展的火炬从欧洲传到美国，威廉·勒巴伦·詹尼、约翰·韦尔伯恩·鲁特和路易斯·沙利文在芝加哥发展了高层建筑的理论和实践。当代摩天大楼的建成同样要归功于电梯的运用，该设备在 19 世纪 50 年代由美国人伊莱沙·奥蒂斯发展并完善，很快被西方其他国家采用。19 世纪亦是一个建筑设备发展的时代——中央供暖、给排水和通风——这些同样是现代建筑方法演变的根基。19 世纪 80 年代英格兰的约瑟夫·威尔逊·斯旺和美国人托马斯·爱迪生发明了白炽灯泡之后，电子照明也开始被广泛地引进，并利用在建筑物和城市街道照明中。

上图：坎特伯雷主教堂的屋顶天花中心扣，上面刻画了教堂的设计师亨利·耶维尔（1320—1400年）的形象。
第4—5页图：皇帝建筑师沙·贾汗在德里红堡前，19世纪早期绘制。

现代社会的钢筋混凝土

加入了钢筋的混凝土材料成为现代社会的建造支柱。当然罗马人早就在万神庙建造中广泛运用混凝土，但是在随后的几个世纪中，这种材料一直甚少运用，这种情况一直延续到19世纪。英国和美国很早就对钢筋混凝土进行了实验，而后来比利时出生的工程师及企业家弗朗索瓦·埃内比克使钢筋混凝土成为一种能广泛设计和运用于桥梁、纺织厂和住宅等建筑的结构材料。与铁与钢一样，混凝土挑战着工程师和建筑师的创新能力。加泰罗尼亚的建筑师安东尼·高迪用混凝土并不多，但是他释放出了混凝土创造雕塑形式的潜力（这种美观的效果体现在巴黎蒙马特的圣-让妮教堂中，由阿纳托尔·德波多设计，1904年建成）。弗兰克·劳埃德·赖特在芝加哥橡树公园

约瑟夫·帕克斯顿的水晶宫，这个令人称奇的建筑是1851年伦敦博览会的展馆，也是铸铁和玻璃建筑发展的里程碑。

的联合教堂运用现场整体浇注混凝土（1908年），日本的帝国饭店也运用了混凝土的框架（1914—1922年），后来赖特将他喜欢的预制“肌理”混凝板块更多地用作外墙，和其他建筑师用黏土砖和陶土砖的做法没什么两样。与赖特基本同时代的奥古斯特·佩雷则是扎根于法国理性传统中，他利用混凝土结构发展出了一种新的、独特的表达方式并且广泛运用于从仓库、工厂到教堂和剧院等结构中。佩雷在第一次世界大战后继续工作，但是他的光环渐渐被他的瑞士出生的曾经的学生勒·柯布西耶所取代。

勒·柯布西耶的确可以称得上是20世纪全球最有影响力的建筑师，从他早期的理性主义作品到晚期带有诗学和雕塑感倾向的作品，例如,使他的一些跟随者感到迷惑的朗香教堂（1950—1955年）。和柯布西耶同时期在国际范围对现代建筑有影响力的建筑师还有密斯·凡德罗，他是在柏林受到进步的德国古典主义者彼得·贝伦斯训

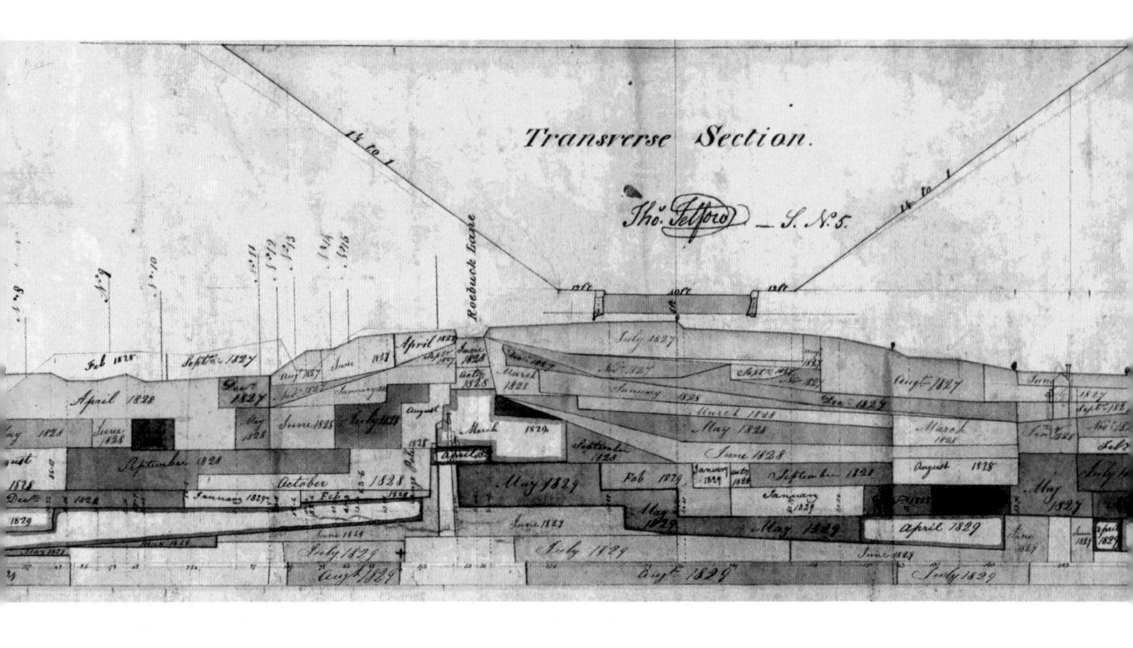

伯明翰运河的横剖面，托马斯·特尔福德于19世纪20年代重新设计。

练的人。密斯的作品很清晰地植根于古典主义，而在 1938 年移民美国后，他成为包豪斯倡导的国际风格的主要拥护者。他的极度理性倾向避开了柯布西耶晚期的浪漫主义，却正好和美国的钢结构高层建筑传统一致：他最精心的作品，纽约的西格拉姆大厦（1954—1958 年）启发了许多模仿者。伟大的美国SOM建筑设计事务所的作品就是在一个宽泛的密斯式模式下发展起来，并且以完美地结合建筑与工程为其特色：20世纪最伟大的结构工程师之一，1955 年加入SOM事务所的法兹勒·汗曾与建筑师布鲁斯·格雷厄姆合作设计了著名的芝加哥汉考克大厦（1969 年）。

勒·柯布西耶晚期的具有强烈表现性的设计在意大利建筑工程师皮埃尔·路易吉·奈尔维的作品中得到强有力的回应。奈尔维把钢筋混凝土运用到一个精细的高度，同样的是巴西建筑大师奥斯卡·尼迈耶利用具有雕塑感的混凝土技术给新首都巴西利亚带来了戏剧化的效果（巴西的现代建筑在战争期间开始迅速发展，勒·柯布西耶的影响非常强烈）。路易斯·康则用他充满诗意与和谐的作品为美国建筑界注入了

右页图：分解图展示了一个典型的13世纪拱券的起拱点，欧仁-埃马纽埃尔·维奥莱-勒迪克1859年出版。

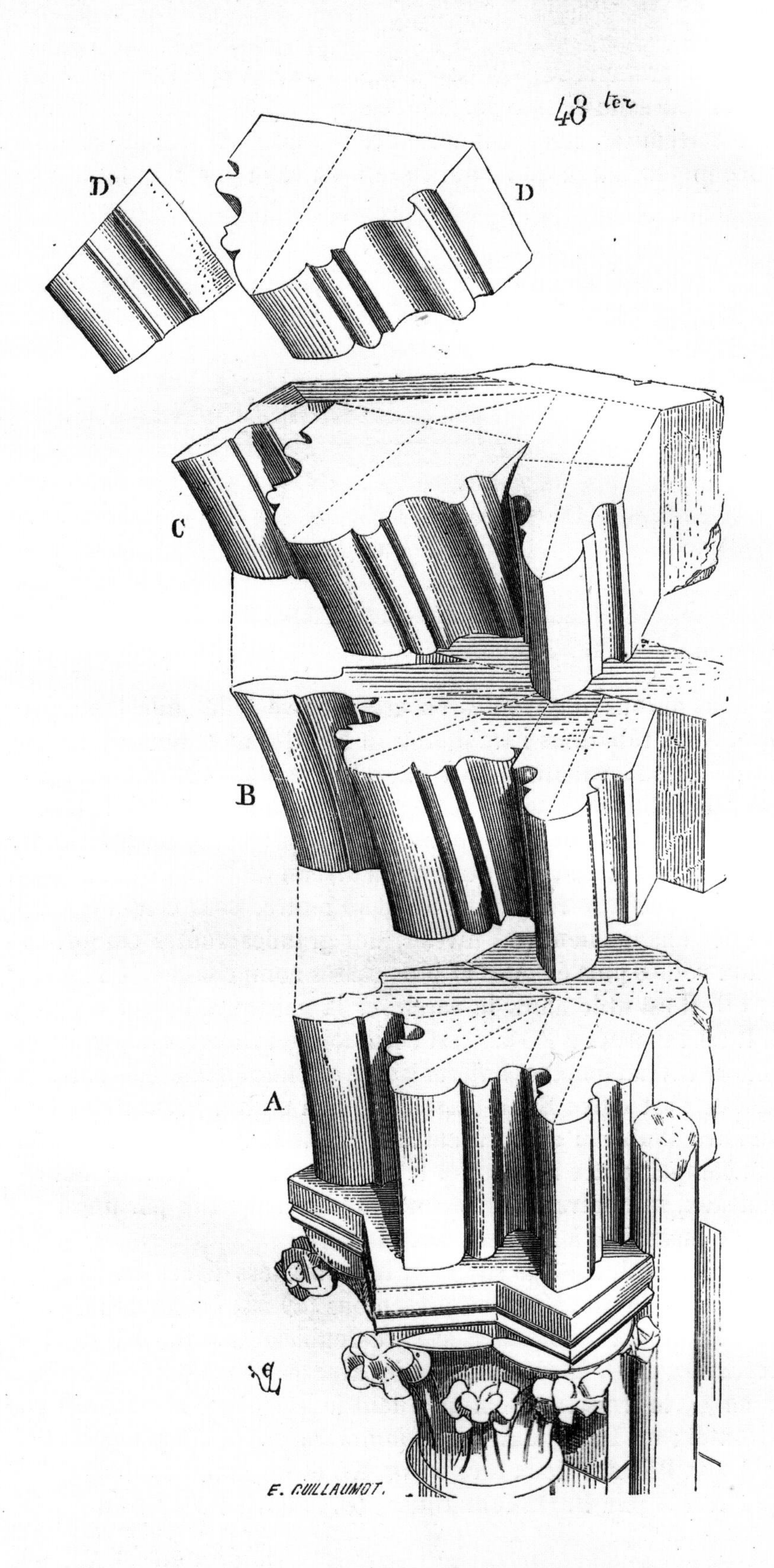
48 ter
D'
D
C
B
A
E. GUILLAUMOT.

一股新的力量，他20世纪50年代最早的作品，位于纽黑文的耶鲁大学美术馆即为此例。康的关于“伺服”与“被伺服”空间的定义影响了所谓的高技派建筑师，比如说理查德·罗杰斯、诺曼·福斯特和伦佐·皮亚诺（他曾在康的事务所里工作过）。罗杰斯和皮亚诺设计的巴黎蓬皮杜中心（1971—1977年）就反映了他的这种影响。

工程师和建筑师的重新联合

20世纪新建筑的推动力来自工程师与建筑师对工程技术表现的共同作用，然而

右页图：位于纽约第五大道上的西格拉姆大厦（1954—1958年）是一个伟大的国际风格的作品，以线条流畅的美学和结构创新而闻名。图中密斯·凡德罗（左）在视察幕墙的安装，1956年7月。

下图：芝加哥盖吉大厦，部分由罗许公司设计，右边装饰的立面部分由路易斯·沙利文设计（1898—1899年），紧邻的正立面依然在外观上保持严格的功能性。

弗兰克·劳埃德·赖特实验的“肌理混凝土块”，是他几个作品中的主要的材料，例如洛杉矶的斯托厄住宅（1923—1924年）。

有些人不那么容易明确区分：例如把自己定义为“建造师”的奈尔维和让·普鲁韦；以短程线穹隆闻名的巴克敏斯特·富勒实际上是个可持续性设计的超级预言家；弗雷·奥托通过对膜结构张力的探索将建筑带到一个新的领域。既是建筑师又是工程师的西班牙人桑迪亚哥·卡拉特拉瓦，则是通过自己的整个职业生涯来证明这种专业的分离是无谓的。奥韦·阿鲁普实现了工程师和建筑师的完美结合，展开了20世纪后期建筑新的篇章——例如诺曼·福斯特和弗兰克·盖里的作品，因为他们能够利用电脑创造出前一代人无法想象出来的形态。20世纪是全球化和一体化的时代，这个时代的

右页图：宝积寺站，高根泽，栃木县（2006年）。隈研吾运用木材、钢和玻璃创造了一个融合日本传统建筑主题的现代建筑。

一些伟大的建筑师如日本建筑师丹下健三和巴西建筑师奥斯卡·尼迈耶的作品则众所周知地带有强烈的本土文化特色。日本成为现代建筑进化的沃土，虽然丹下的作品到后来具有强烈的柯布西耶式倾向，当代执牛耳的日本建筑师隈研吾则明显地植根于对传统形式和材料的探索。几百年来的建筑历史都是关于男人（女性直到20世纪才被工程师和建筑师的职业接纳）试图征服自然，以及在地球上植入一种新的肌理。现在，世界突然变成一个脆弱的地方，当务之急变成确保人类能够在未来几个世纪里可持续地生存下去。在这种情况下建筑师和工程师的作为变得至关重要，他们建造的建筑物必须能够保护我们的地球环境免于不可逆转的破坏。

结构的先驱

早在建筑师和工程师的角色被职业规范和法律条款正式划分的几个世纪之前，历史上伟大的建筑师都不可避免地是博学家。菲利波·布鲁内莱斯基完全可以称得上是这方面的大师，他是15世纪佛罗伦萨伟大的创造性艺术世界中的一员，他与画家和雕塑家密切交往，同时又是个无与伦比的技术天才。他为佛罗伦萨大教堂创新性的穹顶设计，甚至被一些人认为是个疯狂的举动。布鲁内莱斯基早年受过金匠和雕塑家的训练，他的职业生涯包含林林总总许多方面，从设计剧场的机械装置，到建造轮船和城墙。在建造大教堂穹顶的时候，他极具创新的建造方式使脚手架的使用达到最小量，从而极大地降低了工程的造价。布鲁内莱斯基的天才和与他同时代的波斯建筑师，伊斯兰世界第一位著名的建筑师盖瓦姆尔丁·谢拉兹一样，都是用结构创新的手法开发了跨度巨大的穹顶空间。当代人赞扬盖瓦姆尔丁作为一位工程师、绘图师和建造者所拥有的广博的知识和技能，而他则简单地称自己为一名石匠，这是欧洲中世纪众多默默无闻的建造者的常规头衔。

伟大的建筑常常离不开有想法和决断力的委托人的支持。伟大的土耳其建筑师和工程师锡南曾连续效力于奥斯曼帝国的君主，并设计建造了将近500座建筑。曾经当过军人的锡南是设计防御堡垒的专家，他更以设计了伊斯兰世界很多大型的清真寺而闻名。作为石匠和木匠的儿子，锡南的成就使得他在苏丹宫廷中获得了一定的社会地位。朱利亚诺·达·圣加洛是受美第奇家族赞赏的设计师，当美第奇家族在佛罗伦萨没落后，他依然效力于教宗和教廷。圣加洛出生于知名的木工家庭，可以将他的才华运用于广泛的设计项目，从军事堡垒、教堂到墓碑。泰姬陵的建造者沙·贾汗的一生都在转变和影响着印度建筑的发展，他的案例证明了委托人对于一个伟大建筑的影响可以远远大于启发：就像法王路易十四和普鲁士大公弗里德里希一样，沙·贾汗认为最能展示皇室权力的表现形式就是建筑（他亲自管理自己的建筑师和工程师学会）。统治者自己本身就是建筑师的想法也是由来已久——这可以一直追溯到古代美索不达米亚，但是沙·贾汗确实也对此角色无比地热衷。路易十四自称为建筑师，在他的领导下法国进入了一个扩张的时代，不仅建起了凡尔赛宫，敦刻尔克、梅斯、里尔和其他边界城市的城堡也相继建立。沃邦设计军事堡垒的技术在战争中得到磨炼，他作为一名军人，在指挥围攻的过程中构想将城墙建造得坚不可摧的方式。沃邦的广博的兴趣还包括家畜繁殖、统计学和经济学，这些都使得他在法国黄金时期成为一个非比寻常的人物。

对比之下，克里斯托弗·雷恩则是个学者——一个效力于已经丧失绝对权力的皇室的数学家，他在建筑设计中运用了自己的几何专长。重建毁于1666年伦敦大火的圣保罗大教堂是雷恩杰作。虽然是亲手设计，但他还是组织了一个设计师团队来考虑这个重建项目，其中他的天才助手之一尼古拉斯·霍克斯莫尔是否比他的导师对项目设计贡献更多，一直是颇具争议的话题。雷恩是个经典的绅士建筑师，和皇室、英格兰教会和大学都有联系。他旅行的地点从未超出过巴黎，然而他谙熟罗马文化并能和谐地设计古典主义建筑（如牛津的基督教堂）。他的职业生涯打破了关于天才必须与时代格格不入的说法。18世纪晚期，建筑师作为一种独立的职业逐渐从纯粹的建造世界中脱离出来，并为欧洲浪漫主义的发展搭建了一个舞台。

弗兰西斯科・撒宁/撰

菲利波・布鲁内莱斯基

文艺复兴时期的建筑之父

（1377—1446年）

菲利波・迪塞尔・布鲁内莱斯科，即我们熟知的菲利波・布鲁内莱斯基生于佛罗伦萨，年轻的时候受过金工作坊的雕刻训练。他最伟大的作品——佛罗伦萨圣母百花大教堂的穹顶，无论是从建造技术的成就还是对艺术、文化和城市的影响，都是世界上最为重要的建筑之一。布鲁内莱斯基又被证实发明了直线透视法，这种表现手法极大地影响了西方艺术。他的同代人羡慕他在数学、科学、文学和古典建筑方面的广博知识，政府根据他的专长委托他修建堡垒、开发矿场、疏导河流，以及设计建造从舞台机械到两栖船舶等一系列项目。布鲁内莱斯基生活和工作的地方是一个认同感明确且又身份复杂的城市。在布鲁内莱斯基出生的1377年，人们依然热衷于打磨修饰一个世纪前建造的纪念碑和城市空间。多数的城市设计项目都是从属于总体城市规划的一部分，同时也属于年轻的共和政府的政绩。布鲁内莱斯基的不同凡响之处是能够利用形式和空间的介入，不但进一步发展了这种城市的视野，并且开启了佛罗伦萨的文化中建筑和艺术探索的新篇章。

技术和艺术的发展

布鲁内莱斯基最知名的作品是圣母百花大教堂的穹顶（1420—1436年）。由阿尔诺福・迪坎比奥1296年设计的教堂主体已经陆续建造了近一个世纪，而原计划中跨度达42米的穹顶却一直迟迟不能完工。穹顶的建造面临着一个巨大的挑战：当时欧洲没有一个如此有效且跨度巨大的穹顶的先例。为了解决这个技术难题，1418年展开了一项竞赛。现状的教堂结构已经设定，而早期的例子又并不适用，如罗马的万神庙需要

布鲁内莱斯基设计的佛罗伦萨大教堂的穹顶500多年来一直统领着城市的景观。这块设色的木刻被称为“Pianta della Catena”，可以回溯到1472年。

大体量墙面支撑，传统的哥特教堂又需凭借外部的扶壁来抵抗侧推力。这时需要的是创新的解决方法。穹顶顶部距地90米，通常人们考虑的做法是用脚手架,或是抬举建筑材料的机械等。而布鲁内莱斯基的方案既不需要一个骨架支撑穹顶，也不需要上述这些附加的技术发明。布鲁内莱斯基的独特灵感可能来自教堂旁双层顶的洗礼堂：一座内部的壳比外部的壳厚，两层壳中间的空隙大到可以架设梯子到达穹顶的顶部和顶端的亭子。这两层壳之间连接的是由八条主要的肋架、十六条次要的肋架共同构成主体的结构，平均分配了应力，最终形成不需要外部附加扶壁，而现有的墙体和柱子就可以支撑的效果。

虽然布鲁内莱斯基在竞赛中胜出，但由于不甚清楚的原因他必须和洛伦佐·吉贝尔蒂合作，后者曾在1401年赢得了设计洗礼堂大门的项目。在设计穹顶的同时，建筑师还须设计顶部的采光亭和穹顶基部的鼓座。根据布鲁内莱斯基的设计而建造的采光亭把穹顶结构的肋连在一起，起到了结构的作用；同时在穹顶几何形式逻辑中也非常重要，强调了垂直的推力。布鲁内莱斯基利用八角形的鼓座把穹顶提升到比阿尔诺福当年设想的还要高的高度，大穹顶在城市景观下显得更加震撼。后来阿尔贝蒂在下一个世纪中非常准确地表达了这个穹顶对城市和象征性的意义：他在自己的建筑文献中称这个穹顶是“用巨大的投影覆盖了全部的托斯卡纳人”。

布鲁内莱斯基关于模式化建造的构想

布鲁内莱斯基做的佛罗伦萨育婴院设计（1419—1424年）利用敞廊来定义立面及建筑与城市空间的关系。佛罗伦萨早在几百年前就有这类的公共敞廊，但是布鲁内莱斯基设计的敞廊考虑的是空间和结构元素，的确与之前有非常重要的区别。他的敞廊将纤细的古典主义柱式和宽阔的拱券，用一套浮台抬升起来，制造了一种瞬间既戏剧化又极度城市化的效果。建筑语言是基于一个独立的开间建构产生的：每个开间在平面上和立面上都是正方形，用半圆拱覆盖。这个单元定义了一个精确的模式系统，并用重复性作为主要原则——这种创新在布鲁内莱斯基后来的作品中也常常出现。一个世纪后，其他人模仿布鲁内莱斯基设计的敞廊，建造在同一个天使报喜广场的另外两侧，使得这个广场成为最吸引人的文艺复兴城市空间之一。

布鲁内莱斯基其他的作品也对佛罗伦萨城市有着很大的影响。圣洛伦佐教堂（1421年始建）和圣灵教堂（1436年接受委托）的设计，反映了他对建筑比例、重复性和透视概念的不断探索。两座教堂在尺度和平面上都和13世纪由托钵僧教会建造的教堂有关联，特别是圣十字教堂（阿尔诺福设计）和新圣玛利教堂。同样地，这两座教堂与他们前面的广场也紧密地连接着。圣洛伦佐教堂的老圣器室是1419年委托布鲁内莱斯基设计的，在1428年重修教堂主体前就建成了，这个圣器室的建成也证实了布鲁内莱斯基根据数学比例和使用古典形式的模式体系。在圣灵教堂的设计中，他的想法发展成了更加完整和完美的手法。教堂的平面遵照了传统的拉丁十字，而每个开间的尺寸则成为设计主题和整个建筑的组织原则，在传统的中堂、耳堂和半圆形后堂的等级中创造了一种隐含着无限空间的模糊效果。为完美地达成这种效果，布鲁内莱斯基直接将一系列半圆形的小礼拜室连续地围绕着中堂、耳堂和侧堂布置。事实上在设计中这些小礼拜堂一直连续到前门，产生了另一个建筑创新：正立面不再是传统的一个中心大门和两侧的两个次要门的设计，而是四扇门。很遗憾的是，他设想的开间形式和四扇门的方案没有建成，这个作品并不完整，而教堂本身也是在他去世后很久才

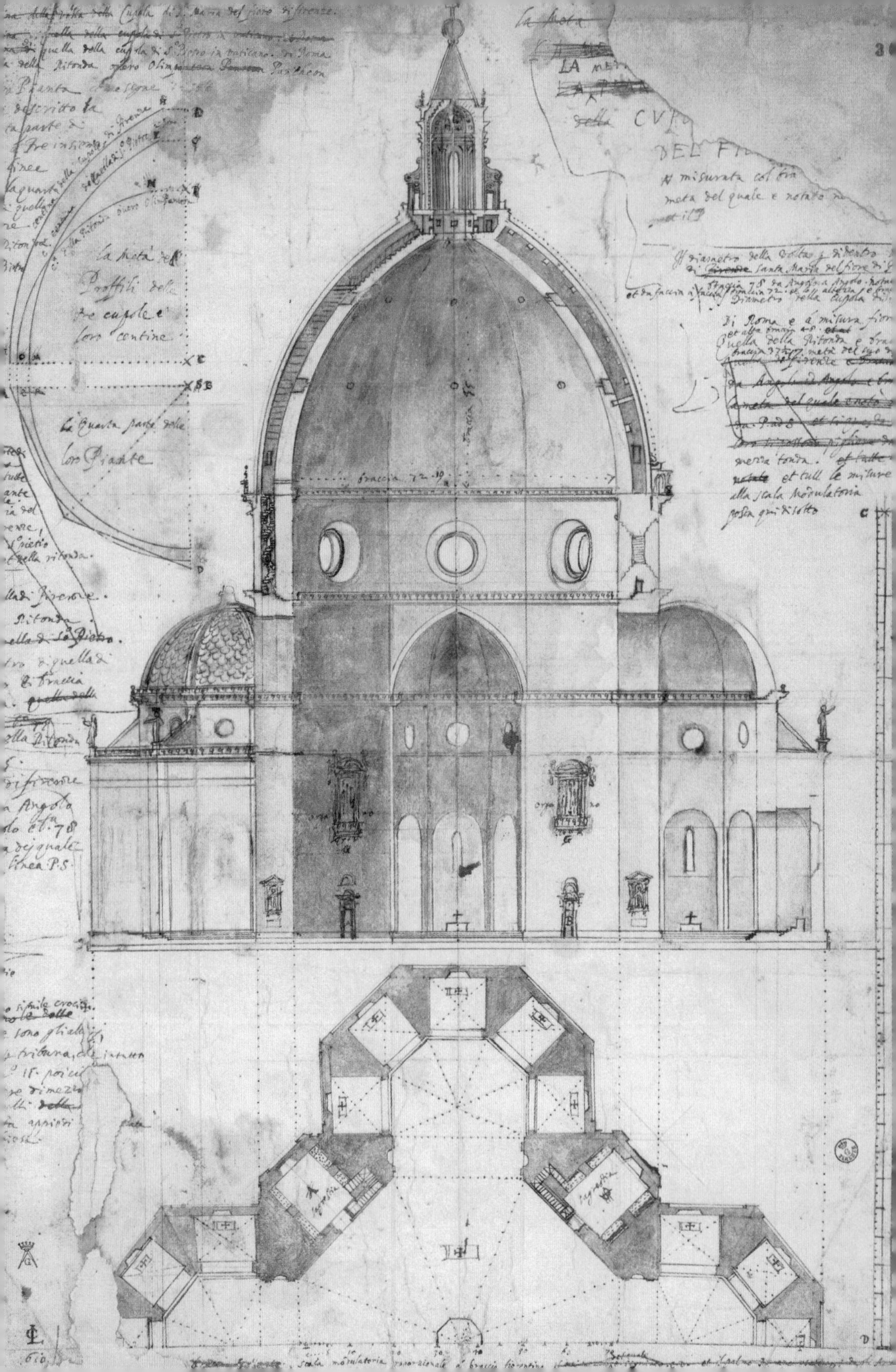

La metà de' Proffili delle tre cupole
La Quarta parte delle loro Piante
CVP
DEL FI
misurata col bra
metà del quale e notato
et tutt le misure alla scala modulatoria
Sagrestia
scala modulatoria proporzionale a braccia fiorentine

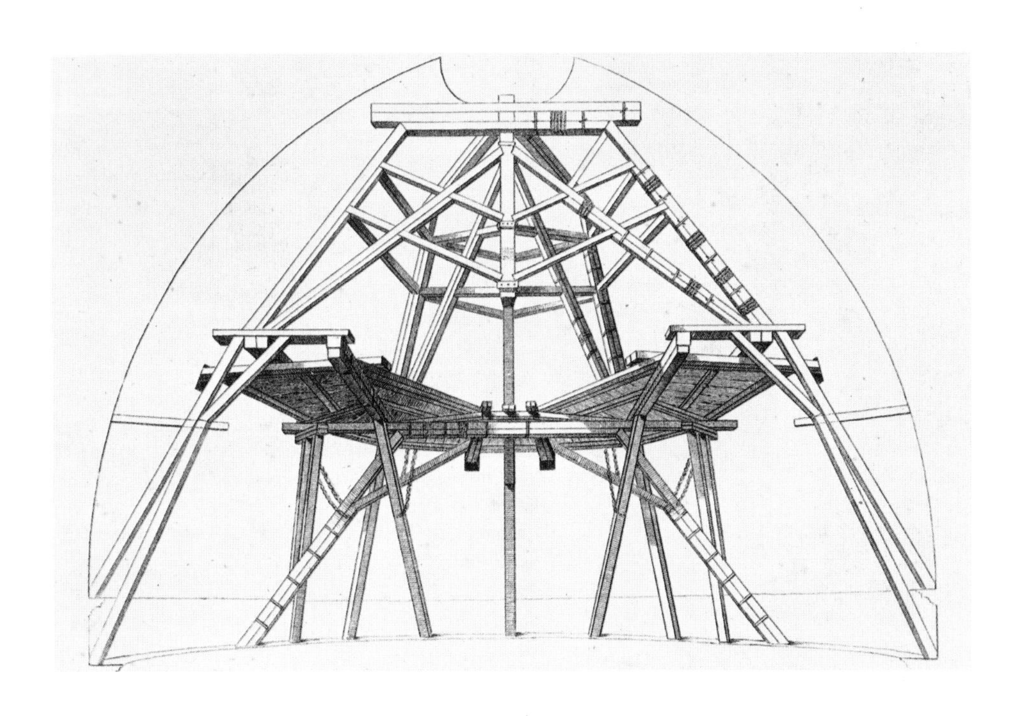

乔瓦尼·奈里重现布鲁内莱斯基设计的佛罗伦萨教堂穹顶的内部脚手架，1755年。

建成。

圣洛伦佐教堂和美第奇家族府邸一并成为名门望族聚居的中心。有资料显示布鲁内莱斯基曾经将美第奇府邸设计置于教堂的正对面，形成统一的城市设计。最终由于政治原因他的方案没有被采纳。对于圣灵教堂而言，他起初的方案是把教堂转180度正对着河，这是一个简单但强有力的构想，能够重新将教堂与河岸之间变成公共空间。尽管他将教堂转向的初衷没有实现，但是将河岸作为公共空间的想法在后来成为瓦萨里的灵感来源，影响了他于1560年开始设计的乌菲齐宫。

布鲁内莱斯基的设计，无论是建成的还是没有建成的，都对他的同时代的，以及后来的几代人都产生了深刻的影响，这些人除了建筑师和理论家如阿尔贝蒂，还包括他的朋友艺术家多纳泰罗和马萨乔。从当代的角度来看，布鲁内莱斯基的一生及其作品向我们展示了一些重要的问题。在他所有的作品中，我们只知道有两个项目是严

左页图：佛罗伦萨教堂的横剖面，卢德维科·西谷里绘制，展示了布鲁内莱斯基设计的双层穹顶，16世纪晚期。

佛罗伦萨天使报喜广场的育婴院的主立面（1419—1424年）。

格按照他的想法实施的：大教堂的穹顶和老圣器室。在他不再主持育婴院项目之后，最初的平面被扩大了，许多细部也被改换。他在世期间圣洛伦佐教堂只有部分完工，1446年他去世那年，圣灵教堂只有一根柱子被立起来。但是布鲁内莱斯基通过新的方式来定义建筑学，建立了一套崭新的原理、技术和工具系统，使剩下的工作可以完整地延续下去，其中的文化内涵可以独立于特定的动机和解决方式而存在。基于几何的理性空间，经过度量的组成部分，通过多样化的要素组合在一起，这些都表明着他的方式是和以前约定俗成的建造实践彻底分离的。这个系统的重要性也证明了布鲁内莱斯基可以称得上是第一位现代建筑师，而不是传统的集体意志系统下的工匠大师。事实上他创造的不仅仅是建筑师作为一个创作者的概念，同时也将设计思想融入了智慧的范畴。

推测是布鲁内莱斯基的画像（最右）。马萨乔的壁画《西奥费勒斯儿子的崛起》，佛罗伦萨圣玛利亚·卡尔米内教堂布兰卡奇礼拜堂，1427年。

直线透视

布鲁内莱斯基对建筑和艺术历史的主要贡献在于他发明了直线透视法。据说他制作了两块板，上面绘制了精确的透视图，一块上面画着从大教堂门口看到的洗礼堂，另一块是佛罗伦萨的领主广场，遗憾的是这两块板都没有保存下来。几个世纪以来的思想家，从托勒密和欧几里得，到中世纪的穆斯林和西方学者，都对在光学、数学和生理学基础上发展起来的透视学感兴趣，他们一直在探索将透视学作为知识结构的一种形式。在这种背景下，阿尔哈曾（公元965—1039年）的研究奠定了我们现代科学研究方法的基础，他的研究涉及了通过实验的方法来发现视觉的原理。在布鲁内莱斯基的时代，阿尔哈曾的原著被从阿拉伯文翻译成意大利文，并在佛罗伦萨流传。我们追溯15世纪初阿尔哈曾的研究对佛罗伦萨知识圈子的影响，不仅为研究布鲁内莱斯基作品的来龙去脉打开了一扇窗子，更是拓展到12世纪以来佛罗伦萨出现的人文主义文化范畴，直至后来发展到众所周知的文艺复兴。这个时期的思想在跨文化范围的传播是非常奇妙的。尽管因为1453年君士坦丁堡的陷落，有些传播的渠道被迫关闭，但是人文主义和古典主义依然通过伊斯兰文化保持联系。布鲁内莱斯基作为一个伟大的建造者，他的贡献不仅表现在令人称羡的建筑作品中，更是在于他在这个广泛的知识发展进程中所扮演的角色，他个人的贡献影响了未来几个世纪的建筑和艺术。

苏珊·巴贝尔/撰

盖瓦姆尔丁·谢拉兹

帖木儿的御用建筑师

（1410—1438年）

盖瓦姆尔丁·谢拉兹大概是第一个在伊斯兰世界赢得显著地位的伟大建筑师。尽管公开地将他的名字和tayyan（石膏石匠）联系在一起有一些不妥，他创造了一个截然不同的建筑与结构精巧的风格，他有生之年得到了极其广泛的实质性的赞誉。由于我们对16世纪之前的伊斯兰历史知之甚少，他的突出表现更加证实了他的伟大造诣。帖木儿（1370—1405年在位）的儿子沙哈鲁（1405—1447年在位）继承了帖木儿帝国（1370—1506年）王位，统治着包括今天的伊朗、阿富汗和中亚广阔的波斯文化地区。谢拉兹一直为沙哈鲁家族服务，他最令人称奇的发明都是从他与另一位皇家委托人，伟大的高哈尔·莎德（1377—1457年）和谐合作中获得的。能力过人的莎德是沙哈鲁的妻子，她以自己的方式成功地辅助着王国的统治，委托谢拉兹在马什哈德和赫拉特设计建造了尺度巨大的建筑。她在这方面远远超越了她同时代的男性，包括她的丈夫。

宫廷名士

盖瓦姆尔丁的别名“谢拉兹”，表明了他（或他的家人）是来自伊朗中南部地区谢拉兹的人。帖木儿在占领该地区的时候将有名的建筑师和其他建筑专业人士都遣送到首都撒马尔罕。根据帖木儿的历史学家道拉特沙·阿尔-撒马尔罕第的记载，盖瓦姆尔丁是宫廷中四个名士之一，精通工程学和几何学、设计或绘画以及建筑房屋。用16世纪历史学家赫万达米尔的话说：“来自谢拉兹的盖瓦姆尔丁大师是那个时代工程师的典范和建筑师的榜样”。

盖瓦姆尔丁设计建造的结构和建筑群确切可查的有五处（从1410年到1442年，包

上图：高哈尔·莎德清真寺：从伊玛目雷萨陵墓的金色穹顶后面，可以看到盖瓦姆尔丁设计建造的蓝色瓷砖穹顶和朝拜伊旺。
左页图：马什哈德的高哈尔·莎德清真寺，完成于1418年。建筑师的签名出现在朝拜伊旺的一块长方形板上（中间左侧），在皇家奠基题字的下方。

括他去世后完成的项目）。他最初设计的幸存建筑于1418年完成，是在伊玛目·雷萨（卒于公元818年）陵墓的高哈尔·莎德清真寺。伊玛目·雷萨是什叶派第八代传人，他的殉难地点是圣城马什哈德，位于伊朗东北部呼罗珊省。如何在这里将一个大型的聚众清真寺布置在已有的陵墓中，同时又不破坏原有场所的特色，盖瓦姆尔丁创造了一个完美的解决方案。清真寺位于陵墓的南侧，中心庭院很大，而两侧两层高的楼层则被一个纪念性的伊旺[1]隔断，这是一个两侧和后背都起拱的空间，面向着庭院敞开。在这样的清真寺中，南侧的伊旺通常引导朝拜者穿越一道屏障，然后进入一个带穹顶的祭祀房间，此房间中央的圣龛标记着朝向，即指示着穆斯林祷告时面向麦加的方向。而盖瓦姆尔丁改变了这种屏障和穹顶组合的方式，从南侧的伊旺延伸出来一个无障碍

1　编注：一种伊斯兰建筑特有的结构。

的空间，通过一个交织的内拱和一个带圆顶的转换空间，这个转换空间朝向圣龛墙，四角庞大的柱子上面充满了钟乳形帆拱。这是一种不寻常的开放视线的做法，与之相呼应的是在伊旺两侧用光塔相连，整个表面都用高质量的瓷砖和富有创意的设计镶嵌，这些都造成了非比寻常的效果。这使得南立面变成了一个具有纪念性的圣龛，而通过对穹顶的外轮廓的塑造，从庭院的有利地势看去，这个巨大的物体似乎消失了一样。就在视线平视的伊旺侧边，基础下方的面板上刻着盖瓦姆尔丁的名字。

建筑的新戏剧效果

盖瓦姆尔丁的天才是否得到认可，可以从他后续得到的项目以及允许他发展建筑想象力的资源中得到印证。他的下一个作品又是为高哈尔·莎德设计建造——历时20年，不惜工本的赫拉特清真寺－经学院（1417—1437年），也就是穆萨拉（在英国的煽动下大部分毁于1885年）。从唯一幸存的光塔面层的釉面砖上，可以看出当时设计的精致。在经学院废墟西侧带穹顶的房间中，盖瓦姆尔丁对于色阶贴面装饰主题的掌握更进一步展现出来，这是他最伟大的作品，也是伊斯兰建筑最伟大的作品之一。从外观上看，坐落在高起的鼓座上带肋架的球茎状穹顶，带有早期在撒马尔罕的帖木儿陵墓的痕迹。然而与之前的穹顶不同的是，这个穹顶是以四拱顶的结构为基础：一个中间的低一些的拱顶和外部的壳连在一起，将荷载通过中间的四拱顶传递到四边的拱墙上，这些拱墙界定着中心的空间。如此一来这个中间四拱顶的内部可以毫无阻碍地组织起一个由许多小拱券、肋架和帆拱构筑的网，从地面一直到拱顶的最高点。在每个帆拱的端点都以钟乳形状的浮雕或是彩绘为终结，共同形成了令人称奇的网状穹隆。这种拱券和肋架交织的形式不仅能稳固地抵御地震，更特别的是，穹隆中连续的帆拱网增加了视觉上的高度。这个建筑是高哈尔·莎德和她的儿子拜桑格赫王子的皇家陵墓，盖瓦姆尔丁将建造与建构的解决方法和功能达到了协调一致。

盖瓦姆尔丁的最后一个作品是同样震撼的位于呼罗珊省的希亚莎经学院，是在他去世后建成的。整个庭院表面都用极其精美的彩釉砖装饰得溢彩流光，平面由四个伊旺围合而成，严格双轴线对称，从入口经过一系列带拱顶的房间，通到朝向圣地的朝拜墙。在带穹顶的会堂里，相互交织的拱券和精心设计的帆拱网共同形成一个大拱，放置在内拱顶上面的八角形亭子使得整个大拱产生一种轻盈的感觉。盖瓦姆尔丁设计

呼罗珊省的希亚莎经学院的讲堂拱顶，展示了盖瓦姆尔丁设计的拱肋系统，向上指引向帆拱网和一个八边形采光亭。

成熟的建筑形式，以及起拱券的方式和表面装饰精微细致的处理，并不阻碍他对建筑各个层面的大胆尝试。他的作品特色是在塑造可度量的戏剧化效果的同时，也用双轴线对称的设计方式缔造了经典和永恒。他的作品是16世纪波斯建筑的先驱，相继影响了后来发展起来的伊朗萨法维王朝和南亚的莫卧儿王朝的建筑。

萨比娜·弗罗梅尔/撰

朱利亚诺·达·圣加洛

木雕家、建筑师和古典主义学徒

（1443—1516年）

朱利亚诺·达·圣加洛出生在佛罗伦萨，从小受到父亲佛朗切斯科和军事工程师弗朗切斯科·迪乔瓦尼（弗兰乔内）的训练，成了一个木雕家。大约在1465年的时候，他到罗马开始学习古典主义艺术，在那里或许受到了莱昂·巴蒂斯塔·阿尔贝蒂的指导。梵蒂冈图书馆保存着朱利亚诺书写的巴尔贝里尼手抄本，里面的《锡耶纳速写》和《小册子》中的一些绘图就是出自这个时期。他一生的创造都受到在罗马的学习和研究的影响，这些影响体现在他的丰富的绘图档案中。他的另一些建筑项目的图纸保存在佛罗伦萨的乌菲齐美术馆，这些绘图在一起展示了朱利亚诺的设计方法和他思想的发展进化。

洛伦佐·德·美第奇

在洛伦佐·德·美第奇的资助下，朱利亚诺利用古罗马建筑师的方式在佛罗伦萨设计教堂和民用建筑。他在巴尔托洛梅奥·斯卡拉（1472—1473年）府邸的小庭院中创造的“剧场主题”，结合了古罗马斗兽场运用的拱券和柱式，使得这个古老的罗马建筑焕发新生。1480年左右，朱利亚诺在设计寇齐府邸的过程中开始实验一些更为复杂的韵律，将拱券和成双成对的壁柱相结合。在大约1485年规划设计的佛罗伦萨附近波焦阿卡利诺的美第奇别墅中，他第一次试图大尺度地重现古典住宅：带柱廊的平台的想法来自罗马的平台敞廊，带山花的爱奥尼亚柱廊式入口则来自罗马的入口门廊，而带有筒拱的厅是根据维特鲁威关于中庭的描述而设计的。1488年他为那不勒斯国王宫殿的设计中运用了更为精确的建筑语言来进行古典的重建，同样也包括一个柱廊庭院、中庭和巴西利卡[1]。

朱利亚诺·达·圣加洛的肖像画，作者皮耶罗·迪科西莫，1485年。

1484年，朱利亚诺在普拉托设计的圣玛利亚·德尔·卡瑟利教堂中，将布鲁内莱斯基的建筑语言改革得更为标准。他将布鲁内莱斯基的带穹顶的圣灵教堂平面与希腊十字平面相结合，而柱式和外立面的护墙比佛罗伦萨的洗礼堂和阿尔贝蒂的新圣玛利亚·诺韦利亚教堂立面显得更加古典化。他在佛罗伦萨建造的贡迪府邸（1490—1501年）是在美第奇府邸基础上的技巧性的变奏。在1489年他为斯托奇府邸制作了木制模型。他深受佛罗伦萨洗礼堂、传说中的马尔斯神庙，还有他曾经测绘过的维泰博附近的罗马废墟的启发，和克罗纳卡合作设计了八角形的圣灵教堂的圣器室（1489—1495年）。这个门厅被一个筒形拱覆盖，用具有动态的组合柱式柱廊支撑。1492年他在皮斯托亚的谦卑圣母教堂建造中重复了这个系统。同一年，他在佛罗伦萨巴齐家族的圣玛利亚·马达莱娜教堂的爱奥尼亚中庭设计中沿用了修道院院落的原型，但是又受到布鲁内莱斯基的巴齐礼拜堂的影响。经瓦萨里证实，文艺复兴遗留下来的“理想城市”的壁画反映了朱利亚诺要求的透视：根据阿尔贝蒂的喜好，乌比诺的画作中央是一个圆形的教堂，而如今在巴尔的摩的另一块画板上中央部分是空的，面向一个凯旋门和一个斗兽场。

朱利亚诺·德·拉·罗韦雷

1492年洛伦佐·美第奇过世，两年后美第奇家族被驱逐出佛罗伦萨，朱利亚诺的黄金职业生涯戛然而止。但是他很快就找到另一个同样有魅力又对建筑有热情的朱利亚诺·德·拉·罗韦雷。然而罗韦雷红衣主教的政治身份不允许他完成大的建筑作品：

1　编注：巴西利卡是古罗马的一种公共建筑，平面为长方形，外侧有一圈柱廊。

狱中圣玛利亚教堂，普雷托，1484年：希腊十字的设计，上面建有穹顶。室内和圆顶设计反映了布鲁内莱斯基的影响，而外形则受到阿尔贝蒂的影响。

他曾是新任波吉亚教宗亚历山大六世的敌人，1494年到1503年都流放在外。1495年朱利亚诺开始为他的新委托人在他的家乡萨沃纳设计一个大型宫殿，但是只有底层立面的五个开间的梁以下的部分是根据他的设计建造的。1496年朱利亚诺跟着红衣主教一起去了法国，在里昂，他给查理八世国王展示了一个新的宫殿的模型，并在法国南部进行了古迹的调研。多亏了罗韦雷主教，他得到了建造洛雷托的圣玛利亚教堂穹顶的任务（1499—1500年），这个项目最初可能是朱利亚诺·达马亚诺开始建造的，没有太多更改的余地。他与亚历山大六世的建筑师，他的弟弟（老安东尼奥·圣加洛）合作，成功地在罗马设计了圣玛利亚·马焦雷教堂漂亮的木制天花板（1492年），完成了红衣主教拉斐尔·雷瑞欧府邸的中心庭院（1489年）。

朱利亚诺为斯托奇府邸设计的木质模型，佛罗伦萨，1489年。实际建造的府邸的上面两层要比模型中高得多。

他还可能为红衣主教奥利维罗·卡拉法设计了那不勒斯大教堂里的苏科普礼拜堂，其中的三个侧廊使人回忆起他为那不勒斯国王设计的宫殿。

罗韦雷主教1503年被选为教皇，称号为尤里乌斯二世。他任命布拉曼特为首席建筑师，并任命他重建圣彼得大教堂和梵蒂冈观景楼庭院。朱利亚诺也被要求为圣彼得教堂提供一些想法：朱利亚诺的方案增加了柱子的强度，并且指出了布拉曼特著名的“羊皮纸方案”的薄弱点。当布拉曼特革命性地改造欧洲建筑的时候，朱利亚诺只能满足于一些稳重的项目，例如为教廷小号手设计的天使城堡的多立克柱廊（1505年），他认真地运用了凯旋门母题。在设计重建教皇位于马里亚纳别墅内的狩猎屋时，他给原有建筑增加了三翼，不过最终完成的只有一翼，其中安置的教皇寓所带有剧场母题和托斯卡纳壁柱的宽敞柱廊。朱利亚诺可能还在1508年设计了瓦勒府邸，运用了在罗马主教府邸同样的庭院设计。在这个不规则且略有弧形的立面上，他设计的开窗类型结合了罗马的威尼斯府邸和爱奥尼柱式。

相对于布拉曼特超级塑性的墙面表达和动态的韵律，朱利亚诺最开始的做法可以体现在大约1507—1508年他为颂扬世俗品德设计的临时建筑项目，以及后来设计的两个教堂的立面中。1509年春天他失望地回到佛罗伦萨，开始专注于他的书和巴贝

贡迪礼拜堂，新圣玛利亚教堂，佛罗伦萨，1509年。圣龛墙用凯旋门拱表达，在朱利亚诺的巴尔贝尼手稿中有描述。

里尼手稿，将他早先在锡耶纳和其他地方的速写中记录的古典建筑的绘图抄录下来。由于他早先在波吉邦西的波乔皇帝山有过设计军事防御工事的经验，他曾在阿雷佐（1502—1503年）、圣墓（1502—1505年）和聂图诺（1501—1503年）跟他的弟弟安东尼奥合作，后来又被任命负责建造比萨的防御城堡（1509—1512年）。1509年他设计并建造了佛罗伦萨的新圣玛利亚教堂中的乔瓦尼·贡迪礼拜堂，他在这里用凯旋门母题来设计圣坛，和巴贝里尼手稿中的《拱券书》中记载相一致。当代的狱中圣玛利亚教堂的大理石圣坛则是受到万神庙壁龛的启发。

乔瓦尼·德·美第奇

1513年春天洛伦佐的儿子乔瓦尼·德·美第奇当选为教皇，朱利亚诺的事业随之又展开了新的一页，他依然被任命为圣彼得教堂项目的第二建筑师。不管怎么说，被保存下来的三张他的手绘平面图是该项目1513年到1515年初期规划时最重要的证据。1515年他回到佛罗伦萨之前，深受布拉曼特晚期作品和拉斐尔一些作品的影响。他绘

一个教堂的立面设计，1508—1509年，结合了部分的巴西利卡和凯旋门拱券，这个设计的三维质感显示出朱利亚诺受到了布拉曼特的影响。

制的一个很像是罗马的圣乔瓦尼教堂的集中式建筑，应该就是受到了布拉曼特的圆形礼拜堂的启发。他后期设计的最美丽的作品是佛罗伦萨的圣洛伦佐教堂的立面设计，他将不符合维特鲁威建筑原则的凯旋门门廊去除，在门厅上面加了栏杆。

1513年7月1日他为罗马纳沃纳广场设计的教皇寓所，以及后来设计的佛罗伦萨罗拉大街上的美第奇府邸，都表明了他忠实于15世纪早期文艺复兴的传统。他对于盛期文艺复兴原则和形式的纠结同样也在一些作品中表现出来，例如梵蒂冈的波吉亚城门：巨大的壁柱上放置了小型的双壁柱。大约在1513年，朱利亚诺为红衣主教埃吉迪奥·达维泰博设计维泰博三一教堂大庭院，是少数的纪念性庭院柱廊中有平直的柱上楣结构的例子。他在1514年到1515年开始为阿尔冯西那·奥西尼设计罗马附近圣欧斯塔基奥的美第奇–兰特府邸，三层高的立面上只包含壁龛和平直的线脚，这使人想起早期的瓦拉府邸，而庭院的转角则带有佛罗伦萨传统的影子。朱利亚诺设计语言的变化也表现在他在巴尔贝尼手稿中记录的巨大的古典纪念碑，以及他理性和精确的正统式表现方法。他对于古典主义的研究和他的建筑设计都是一个相辅相成、逐渐演变的过程。

里哈·居内依/撰

锡南

奥斯曼帝国的建筑师
（1494？—1588年）

锡南出生于安纳托利亚中部的开塞利省的一个基督教家庭。1512年他应征加入近卫军火枪兵团，成为军队的工程师，在战争期间研究了各种结构工事。1539年他被任命为奥斯曼宫廷的首席建筑师。锡南为苏丹苏莱曼夭折的王位继承人建造了一座清真寺，他的设计甚至超越了伟大的拜占庭杰作索菲亚大教堂，将一个巨大的穹顶架于正方形的鼓座上，四边环绕着附加的半穹顶。特别是当苏莱曼清真寺（1557年）建成之后，它的穹顶不仅仅是一个简单地放置在棱柱上的半球体，支持结构直接将荷载转移到地上，建筑空间像一个金字塔一样开放，变成一个整体，而穹顶的顶端成为表现该建筑有机性最强的元素。立面为了具有亲和力，依据住宅的形式和尺寸设计。带挑檐的门廊附加在带穹顶的入口之前，这是锡南独特的设计手法。

基础的重要性

在锡南的时代，建筑用地的组织需要一个系统的规划，要严格执行一些规定，例如苏丹要求完工的日期。每项工作必须根据理性的计划，不重要的事情需要规避。这些不成文的规定造成了结构构件变成标准化，装饰的空间被严格控制，结构的内部反映在外部，没有制造假穹顶或是矫揉造作的装饰的空间。功能和结构的要求指导了建造的方式，因此形成了一种纯粹和精简的建筑，并且这些建筑还需要历经几百年的考验。锡南利用他在战争时期修建桥梁使用的桩作为建筑的基础。在比于克切克梅奇区沿着欧洲征战的路途上，有一座罗马时代的桥梁因为洪水垮塌了，锡南视察了现场，放弃了原来过于松软的桥基地。他在给苏丹的报告中很清晰地展示了他对于基础结构

麦格勒瓦输水道（约1560年），锡南在设计中将承重和功能的结构构件转变成美学上的和谐与同一。

知识的掌握。一个他以前建造的输水道因为多年洪水垮塌后，他吸取教训建造了麦格勒瓦输水道（约1560年），这是一个非凡的结构与艺术的结合。他通过水力学的计算、实验和抬升，使伊斯坦布尔的用水得到满足，也同时得到了苏丹的信任，将所有的建造项目都交由他负责。锡南在他50年担任首席建筑师期间承担了大量建造项目，大约超过400座建筑，这意味着他永远处在设计中。他可能也收集了大量的设计笔记，以便需要的时候随时可用。

传统的启发

锡南持续不断地探索着建筑形式，根据在正方形上加穹顶和周围的半穹顶的经验，他开始关注在埃迪尔内80年前建造的六边形上放置穹顶的例子。这是不同于圣索菲亚大教堂的形式。他喜欢六边形的平面，尝试了几次后，终于在卡迪尔加·索科卢清真寺（1572年）实现了这样的设计，这是一座水晶般洁净的建筑。而当回到四边形设计

左页图：苏莱曼清真寺的主要侧廊，伊斯坦布尔，1557年。穹顶和两个半穹顶被四个宽大的拱券支撑着，创造了强烈的纪念性。

塞利米耶清真寺，埃迪尔内，1574年。从属性的元素，例如八个中央拱券巧妙地引入，使得穹顶巨大的跨度统领着整个室内空间。

的时候，他采用了完全不同的做法。支撑穹顶的四个拱券的柱子被移到室外，穹顶因此好像浮在空中。镶嵌在拱券中的窗户引入大量光线。埃迪尔内卡普·米里玛清真寺（约1570年）就采用了这种大胆的设计和结构形式。在锡南的作品中，结构不仅是一个用来支撑建筑的独立系统，更是一个定义空间的统一组件。锡南对于传统设计的关注造就了他伟大的作品。比如说多穹顶和多柱子的传统形式已经很多年没有出现过了，而锡南在为海军元帅设计的皮雅里帕沙清真寺（约1573年）中非常成功地运用了此手法。锡南十分擅长在传统的框架中，通过严肃认真的研究、实验和发展，创造出新的设计形式。他所有的作品无论大小都体现出这种一丝不苟的精神。

锡南漫长的一生设计建造了两位苏丹的陵墓——这两个建筑因为杰出的设计和结构形式在世界历史上占有一定地位。锡南效忠的第三位苏丹谢里姆二世委托他设计一座清真寺，锡南很有可能心里已经有了想要设计的建筑形象。这座清真寺不同寻常地

塞利米耶清真寺的外部轮廓类似金字塔。通过逐渐递减的体量：巨大的半圆顶、小圆顶和扶壁，从顶端一直到地面，不仅缓解了结构负荷，也使视线得以放松。

选址在旧首府埃迪尔内。锡南又一次找到与他一向钟情的圣索菲亚大教堂竞争的机会：他一直想从规模上超越圣索菲亚教堂。然而锡南多年的经验教会他要审慎行事，这座清真寺的中央穹顶直径为30米，和索菲亚教堂一样。支撑穹顶的是一个八边形，从结构上感觉更加稳固。由于没有其他突出的元素，中央的大穹顶几乎占据了整个空间。中间的空间由八边形周边的拱券围合，将建筑尺度与人体尺度拉近。塞利米耶清真寺建成（1574年）之后，圣索菲亚教堂不再是曾经的唯一象征。仆人已经超越了神，因此我们必须将锡南看作是一位文艺复兴的艺术家。

在这个了不起的成就之后直至去世，锡南一直坚持设计并不断有受委托的项目，他将想法画成图纸或是记在笔记中。他的长寿使他可以满足自己的热情，进行无止境的研究工作，世界上没有哪个建筑师像他那样创造出如此多的作品。尽管很出名，但他在政府里一直没有官衔，因此官方历史中从未提到过他。他将自己积累的作品和体验如实记录下来，丝毫没有夸大和炫耀。当他即将到百岁的时候，他在最钟爱的塞利米耶清真寺对面的府邸里安静地过世了。他最后的愿望是那些看着他的建筑的人能理解到他努力背后的严肃性和技术性，并用祈祷来纪念他。

埃巴·科克/撰

沙·贾汗

莫卧儿皇帝及建筑师

（1592—1666年）

沙·贾汗（1628—1658年在位），印度莫卧儿王朝的第五位统治者，是统治者和建筑师的完美结合。这种传统可以追溯到古代美索不达米亚。沙·贾汗探索和完善建筑，将其作为皇家统治的象征，他雇用了一个建筑师和顾问团队，亲自带领他们建造建筑项目，制定设计原则。他甚至压制他的建筑师们的名分，将成就都归功于自己。沙·贾汗将自己打造成莫卧儿王朝的伟大建筑师：他雇用的任何一名建筑师都只是实现他的设计的工具。他最伟大的建造就是赢得他不朽声望的泰姬陵。

“世界之王”

沙·贾汗（“世界之王”）1592年1月15日生于拉合尔，当时他的祖父阿克巴在位（1556—1605年在位）；他是阿克巴的儿子萨利姆，即后来的皇帝贾汉吉尔（1605—1627年在位）的第三个儿子。他被命名为库兰姆（意思是“快乐”），1617年他成功地替他父亲征服了德干，被赋予称号沙·贾汗。他父亲称他为“巴巴胡拉姆”，在他4岁依据传统割礼以后一直受到严格的教育。他的老师都是优秀的学者、诗人、苏非神秘主义者，正如优秀的学者和物理学家哈基姆·阿里·吉拉尼。教育沙·贾汗王子的不仅有用莫卧儿用语所称的“笔之大师”，还有“剑之大师”，而他似乎更加钟情于后者。他成了一名剑客、狩猎爱好者和神枪手。沙·贾汗能说莫卧儿的官方语言波斯语，还会印度北方的欣达维语。1612年他与在莫卧儿王宫有重要影响力的伊朗家族的女儿艾珠曼德·巴奴·贝加姆结婚，他极其钟爱自己的妻子，封她为蒙塔兹·玛哈尔（意为“天堂的选择”）。当她1631年因难产去世，沙·贾汗建造了泰姬陵作为她的陵墓，为

沙·贾汗的隐喻性肖像，象征着作为一位宇宙的统治者，他的权力来自上天。哈新绘制，1629年。

《可兰经》里描述的天堂花园的现实版本。

沙·贾汗很早就展示出了自己对建筑的兴趣。一个历史学家坎伯曾描写沙·贾汗在即位之前就“对造园和建筑有着超乎寻常的热爱”。15岁时，他就在喀布尔的皇家花园乌尔塔巴格建造了一座娱乐宫，因此得到父亲贾汉吉尔的赞扬。这个花园是沙·贾汗的祖先，创立莫卧儿王朝的巴布尔国王建造的，他自己也是个园林建造师。他在自己阿格尔的住所的水边建造了一座行宫花园，在征战的时候也没有忘记在印度中部建造一座娱乐宫和寓所。贾汉吉尔认识到儿子的建筑才能，将皇家的建筑项目都托付给他，并在1620年命令他在克什米尔的达尔湖畔建造夏利玛尔花园。

沙·贾汗1628年继位时，莫卧儿王朝处于最繁荣和最稳定的阶段。这是莫卧儿王朝的经典时期，后来18世纪的历史学家哈菲汗称之为黄金年代。沙·贾汗将中央集权的统治发展到高峰，用朝廷生活和艺术系统化来宣扬皇家的荣耀。讲究排场和炫耀的建筑和艺术成为强化统治必不可少的工具。这亦符合伊斯兰世界长久以来普遍的关于艺术的观念，即建筑和艺术是统治者最直接的表述。

严密的宫廷管制

沙·贾汗在宫廷中树立了自己最高管理者的角色，同时将政治元素用于艺术来强调他的权威性。他对自己的宫廷、管

右页图：皇家塔楼里的宝瓶形柱子，德里红堡，1648年。莫卧儿的“柏树形”是沙·贾汗的新有机建筑的特色。

理阶层和艺术家都采取严密的管制方式。在他的管理下，莫卧儿艺术达到从未有过的规范化。所有历史学家都承认，沙·贾汗把亲自监督艺术家的工作当作自己的一项日常事务。这样一来，追求完美的他便成为自己的艺术指导，最重要的是和自己的建筑师每天在一起策划方案，而这些建筑师都必须保持默默无闻，只在偶尔的情况下某些人的名字会出现。阿布杜勒·卡里姆·穆汗（“建筑大师”）是贾汉吉尔时期的首席建筑师，仅仅和高级管理人马克拉马特汗一起被记载为泰姬陵的监理而提到，其他出现的名字还包括乌斯塔德·艾哈迈德·拉霍里和乌斯塔德·哈米德，他们是国王在德里新建的沙·贾汗禁城奠基人。这里我们只能猜测他们所做出的贡献。

沙·贾汗对建筑创作全身心地投入，一方面是自己的兴趣，另一方面他把建筑看作表现一个最合适统治者的艺术表达形式。建筑作为最具有声誉和实用性的艺术，能够在广大民众眼中展现一个统治者和他的国家，并能够使其千古流芳。沙·贾汗的建筑和规则花园用“静谧而流畅的言语”向我们表达了他的设计原则。首席历史学家拉奥瑞在关于皇帝和他的建筑师们日常会面的笔记中描述：“皇帝的头脑如同太阳一样明晰，对高耸的大厦和坚固的建筑非常关注，这正是所谓的‘伟大的建筑将告诉我们’，长久地用静谧而流畅的言语，反映它们主人高度的期待和超越一切的权威，永久地纪念着他对于建筑策划、对丰富的装饰和纯洁的滋养的热爱……在这个和平的统治时期，建筑工程达到了这样一个高度，使得最难被取悦的旅行者都被这些无可比拟的神奇作品震惊了。”

沙·贾汗的设计取向是系统化地高度利用美学形式来表达特殊的国家意识，即中央集权和等级分明能带来平衡与和谐。沙·贾汗是继阿克巴尔之后莫卧儿王朝最不知疲倦的建造者。1628年以后，他重建了阿格拉红堡和拉合尔堡的宫殿，还在苏丹的旧德里城外建了名为“沙·贾汗禁城”的新城与新的宫殿（1639—1648年）。他还建造了一系列的郊外别宫、乡村住宅、狩猎别宫，以及巨大的规则式花园，最著名的是在克什米尔（1620年和1634年）、拉合尔（1641—1642年）和德里（1646—1650年）的这几个。这些都得到了他晚年最喜爱的配偶，阿克巴拉巴蒂·玛哈尔的支持。沙·贾汗建造的清真寺的数量超越了以往任何一个莫卧儿国王，其中最大的一个是沙·贾汗禁城的贾米清真寺（1650—1656年），最美丽的是阿格拉红堡的珍珠寺（1647—1653年）。沙·贾汗建造的为数众多的建筑还包括一些陵墓：例如他在拉合尔为他父亲贾汉吉尔建造的陵墓（1628—1638年），由贾汉吉尔的妻子努尔·贾汗监造。然而，他建造的最为宏大的陵墓当属泰姬陵（1632—1648年）。

泰姬陵，阿格拉，1632—1648年。沙·贾汗为他钟爱的妻子蒙塔兹·玛哈尔建造。这个建筑的意向是在地上复制一个她在天堂的住所，并且成为沙·贾汗时期的终极纪念。

泰姬陵

沙·贾汗设想的泰姬陵是一个寰宇之内象征着永恒盛名和集大成的莫卧儿建筑——一个具有创意性的，将中亚、印度、波斯和欧洲建筑传统融为一体的建筑。其设计不仅是严格的对称和理性的几何形式，这个纪念性的建筑将沙·贾汗的建筑原则升华为经典。通过仔细地对材料、形式和色彩，甚至细致到最精微的装饰细部进行分级渐变，使得层级性得到表达（特别是白色大理石和砂岩的美妙搭配）。同时层级性的强调、比例的关系和建筑类型与元素的统一形成了建筑的特色。此外，复杂的大理石雕刻装饰、砂岩浮雕以及硬石镶嵌的半宝石，都体现了对细节的感性处理；原生态的花卉图案显示了对自然元素的选择；最后是利用平面和整体形式表达了建筑的象征性。

在皇帝的带领下，整个宫廷也紧随其后。皇室成员和大臣们需要对沙·贾汗的建筑品位有所回应，皇家成员们也服务于建筑项目——特别是蒙塔兹的父亲阿萨夫汗，负责根据皇帝的旨意书写建造指南。皇帝的女儿贾哈娜拉完全继承了父亲对于建筑的热爱，延续了莫卧儿王朝女性承担建筑项目的传统：在她之前还有贾汉吉尔的母亲玛丽亚姆·扎玛妮和他的妻子努尔·贾汗。她们不仅承担资助，而且参与设计，建筑成为宫廷的一个常规话题。贾哈娜拉和皇帝最喜爱的儿子达尔·世孔在他们的精神导师，苏菲派奥秘教义的木兰·沙·巴达克什的引导下，设计建造了克什米尔的一系列建筑。

沙·贾汗执政期的宫廷史官详细的记载，以及宫廷诗人描述性的赞颂文字，都详细地反映了建筑在沙·贾汗时期的重要性。因为皇帝自己监督编史，所以历史记载中常常突然出现有关于建筑的语句。这和精准连贯的波斯语言用词不甚协调，只能是皇帝的旨意。在莫卧儿王朝的历史上从未有过如此多相关建筑的详尽文字描述。理论和象征性都体现在建筑本身，而历史和诗学的文字则提供了关于日期、建筑语汇、形式、类型、功能以及建筑意义的线索。

沙·贾汗在去世之前已经完全改变了印度的建筑景观，他创新的曲线和花饰元素具有形式特色——球茎状穹顶、上曲的孟加拉屋顶、多圆心的尖拱、宝瓶形支柱和自然植物装饰——这些都构成了后来莫卧儿建筑的标志，形成了一个泛印度大陆的建筑风格。

詹姆士·坎贝尔/撰

克里斯托弗·雷恩

科学家、建筑师和工程师

（1632—1723年）

18世纪初，任何一个路过圣保罗大教堂的人都可能会吃惊地发现有一位老者坐在吊篮里，悬挂在教堂的高处查看石材的砌筑。如果他们知道这个老者就是克里斯托弗·雷恩爵士——大教堂的设计者，皇家学会的创立人之一，那个时代最为杰出的人之一，他们会更为惊讶。在今天雷恩被看作是英格兰最著名的建筑师，然而从他早年的经历并无法看出他会在建筑上有所建树。评论家总是无休止地讨论他作为建筑师在世界舞台上相对的成就，然而大多数情况下总是忽略他对建筑历史所做出的最大贡献。

雷恩早期的学术生涯受到家庭的影响。他生于威尔特郡东诺利，他父亲毕业于牛津大学圣约翰学院，后来成了当地的教会主持牧师，1634年被选为温莎教长。雷恩的童年来往于温莎堡的教长住所和东诺利的教会之间。他是个体弱多病的孩子，作为家中唯一幸存的儿子，从小被六个姐妹宠爱，并受到一系列优秀的私人家教培训。1650年他进入牛津大学沃德姆学院学习，很快便加入到一群科学家和研究学者当中。这些人组成了后来皇家学会的核心，包括约翰·威尔金斯、查尔斯·斯卡伯勒、罗伯特·玻意耳、约翰·沃利斯和劳伦斯·鲁克。在斯卡伯勒的指导下，雷恩做了第一次静脉注射，他还协助解剖学家进行解剖实验，为讲座制作肌肉模型的道具。在早期制作的实验仪器和绘制的图解中，雷恩展现了他的杰出才能，从他长长的发明名单上看，他不仅仅对解剖感兴趣，而且涉及整个科学探索，包括数学的领域。他的聪明才智得到广泛关注，似乎毫无悬念地导向了日后伟大的学术生涯。1651年他拿到学士学位，1653年取得硕士学位，并获得万灵学院的研究员职位。1657年他成为伦敦格雷沙姆学院的天文学教授，1661年王朝复辟后他继任赛思·沃德成为牛津大学的萨维尔天文学教授。在格雷沙姆学院的一次演讲后，皇家学会成立了，他后来成为学会的主席。伟大的建筑历史学家约翰·萨默森评价，就算雷恩在35岁前去世，他依然可以在《英国

天气预报钟的设计，1663年雷恩为皇家学会的讨论设计的众多实验装置之一。

国家人物传记大辞典》中作为科学家留下一席之位，而辞典中极少、或者根本不会提到建筑这个字眼。

从科学到建筑

雷恩从科学转向建筑学，在17世纪的英格兰看来并不像今天那么感觉突然。那时的书籍和图书馆目录都显示了建筑学是应用数学的一个分支，所以作为一名年轻有才华的数学家，考虑与建筑相关的问题，甚至去项目工地考察都会被认为是自然的事情，

右页图：雷恩为重建圣保罗大教堂的穹顶设计的图纸，1666年绘制于法国归来后，伦敦大火前。

C. WREN

伦敦圣埃德蒙德·金及先烈祠设计，1670年。雷恩构想，由他的合伙人爱德华·皮尔斯绘制——一个典型的建筑事务所分配工作的例子。

特别是当他自己又很有兴趣的时候。也许正因为雷恩在数学上的专长而不是他的建造知识，1661年国王查理二世决定为他提供唐迦港的建筑检测员一职，而他则以健康的原因拒绝了，在同一年有人向他咨询圣保罗大教堂的修缮事宜。1663年他协助叔叔马修·雷恩为剑桥大学彭布罗克学院修建一座新的礼拜堂，并为牛津大学的谢尔登剧院提供设计图纸。当牛津大学因为瘟疫而关闭，怀着这些最初的建筑设计理想，加上期待着和法国科学家会面，1665年雷恩赴法国访问。他回来以后便准备了一个新的穹顶设计，用来替换圣保罗教堂被严重毁坏的塔。虽然得到许可，但是这个项目并没有完成。

伦敦的大火成为改变雷恩生涯的转折点。1666年9月2日清晨，从布丁巷一家糕饼店开始的大火烧了四天，烧毁了13 200处房屋、87座基督教教堂以及圣保罗大教堂。雷恩反应很快，仅仅在大火扑灭的6天之后就向国王提交了他的城市重建规划，顺理成章地被指派进入起草新建筑规范的委员会，然而他在委员会中起的具体作用后来无人知晓。灾后改建的直接结果便是伦敦的砖砌平台住宅，完全改变了这个首都的面貌，为以后200年的建造创立了模式。雷恩被任命承担50座新的教堂设计，这足以体现出他的重要性。一个人无法独立承担这些新建筑的图纸的数量，因此雷恩组建了一个建筑办公室专门从事此项工作。他授权绘图员绘制图纸，而自己则监督每一个细节的实施，这便成了英格兰最早的建筑事务所。实际上，授权做事是雷恩成功的关键，他自己也被官方监察员授权监督圣保罗教堂的重建工作，约翰·德纳姆爵士是当时皇家工程的总监察员。1669年德纳姆去世，雷恩被任命同时担任这两个职位，立刻成为英格兰最重要的建筑师。监察皇家工程使他拥有了一个白厅的住所、一份不菲的工资和一组熟练的专业人士。他活跃于皇家宫廷，正式负责皇宫的维修。在圣保罗重修过程中他特别组建了一个团队负责这个对他来说最重要的项目。虽然在1671年之前他依然保持着牛津大学的教学位置，但是很明显他的职业重心已经偏移了。雷恩在职业生涯中一直对科学保持着兴趣，坚持参加皇家学会的例会，然而1669年之后他最终变成了建筑师。

建筑设计实践

后来的40年里雷恩主导了英国建筑界。他主要是为皇家、教廷和大学及研究机构设计建筑作品，这些地方都对此类工作有详尽的记载，因此雷恩的建筑作品留下来的

格林尼治皇家海军医院的早期设计图，1695年。为了不阻挡伊尼戈·琼斯设计的女王宫殿的视线，中央礼拜堂的设计后来被放弃了。

雷恩画像，周围围绕着的是象征着他众多的成就的物品和图画。画像最初由安东尼奥·范韦里奥创作，1707年画家去世后由戈弗雷·内勒和詹姆斯·桑希尔完成。

记录材料有着无可匹敌的质量。但是我们依然对他的性格和私人生活所知甚少，我们仅仅能从他的对话中感知到他的才华。他能够在历经六个王位的时间内维持他的设计工作室，从中也能体察到他得到的尊重。

雷恩设计建造的项目数量是如此巨大，这里只能简短地概述一下。在第一个10年中（1670—1679年），他先从设计城市的31座教堂开始，完成了牛津大学的几个学院和剑桥大学伊曼纽尔学院的新礼拜堂，开始设计剑桥大学三一学院的图书馆，在泰晤士河上建了新海关大楼、格林尼治的天文台、德鲁里街皇家剧院、伦敦圣殿关、林肯大教堂的纪念碑和新图书馆。在第二个10年中（1680—1689年）他设计的最为出名的建筑是巨大的温切斯特宫（始于查理二世，但在1685年他去世后被放弃了）和切尔西的皇家医院。他同时开始设计19座教堂，其中包括圣克莱门特·戴恩斯教堂、苏荷区的圣安妮教堂和皮卡迪利的圣詹姆士教堂，完成了阿宾顿的市政厅、温莎的法院楼、西兴巷的海军办公室，然后还承担了白厅的重要设计项目。第三个10年（1690—1699年）中主要的项目包括扩建威廉和玛丽的汉普顿宫和肯辛顿宫，开始设计格林尼治的皇家海军医院，这个项目规模之大，直到雷恩去世后许多年才得以建成。这个时期的其他项目，除了常规的宫殿修缮外，还包括许多教堂的尖塔、美国弗吉尼亚州威廉斯堡的威廉-玛丽学院，以及伊顿学院、基督医院、莱斯特郡阿普尔比的约翰·穆尔爵士学校和下议院的装修。他建筑生涯的第四个10年开始时（1699—1710年），雷恩已经70多岁，工作速度不可避免地放缓了，然而他依然积极地负责格林尼治的项目，设计了马尔伯勒宫和温斯洛大厅（伯克郡），以及为皇家学会设计了新的大楼，同时监督着西敏寺修道院的重修。他在这个时期主要的重点毫无疑问地依然是推动圣保罗大教堂的完工。1711年之后雷恩退休，但还保持着对圣保罗教堂和西敏寺修道院的施工督查。贯穿他建筑师生涯40年的一个最为重要的项目，就是他的杰作：重建的圣保罗大教堂。

永久的贡献

无论评论家对雷恩的建筑设计质量有多少分歧，但他设计的建筑在1720年已经占据了伦敦的天际线。约翰·萨默森形容雷恩的建筑设计倾向是“经验性的”，和他的科学工作相平行。有确定的证据显示雷恩把设计作为一系列需要解决的问题。尽管他的建筑通常被称为“英国的巴洛克”，其实和意大利的巴洛克没有什么共同之处。比较起

剑桥大学三一学院图书馆内部，建于1676—1684年间。

来，他设计的室内空间显得拘谨，基本上呈四方线性和平坦的立面，而不是运用复杂的三维的弧线手法。这些多数可以由当时冷静拘束的英国建筑来解释，尽量避免依然风靡整个欧洲大陆的“天主教的”风格。而早期这些英国风格的影响来自法国和荷兰，而不是意大利。

无论如何，雷恩的建筑都不能被看作是没有建筑创新，他的建筑就好像聪明地将建筑语汇集合在一起的拼图。他的许多建筑无论是在300年前还是今天都是了不起的创新和奇迹。他的设计中有一个令人称奇并重复出现的主题：通过视幻效果来创造不可预期的室内空间。明显的例子是圣史蒂芬·沃尔布鲁克教堂和圣玛利教堂的室内穹顶，从外部的造型完全无法看出内部宏大的空间。同样，在剑桥大学三一学院图书馆，从外观也无法推断出巨大的内部尺度和阅读室明亮的空间。

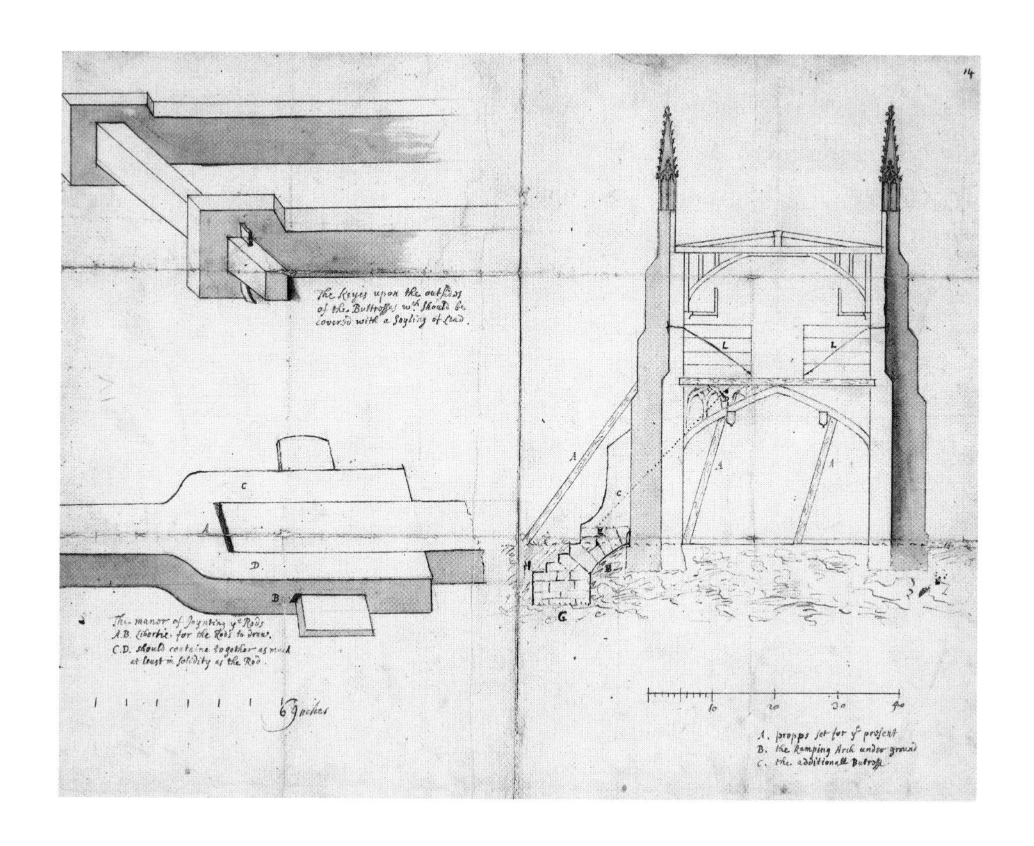

修缮牛津大学杜克・汉弗莱图书馆和博德利图书馆的设计图，1700年。展示了雷恩设计的新的扶壁和以防倒塌的加固铁件。

雷恩作品的另一个特点是技术的革新。他的科学贡献在建筑技术中体现得更为明显。这个问题常常被忽略，因为这些技术都是隐藏的，只有在房屋需要修缮，结构暴露出来时才会被发现。在他所有的建造项目中，雷恩既是建筑师又是工程师（这两者的职业在17世纪并没有清晰的划分界限），从他为圣保罗教堂穹顶设计的三重结构中可以看出他的技术才华，而这是他跟好朋友罗伯特・胡克仔细讨论计算后得出的正确拱和穹顶的数学形式。他的其他创新很难被看到，在他设计的下议院大楼里（已被拆除），画廊是用铸铁柱支撑的。在汉普顿宫中，他继续尝试，将一整层楼面从屋顶桁架上用长铁条悬挂下来。他在牛津大学博德利图书馆的修建和剑桥三一学院的书库加固中也用了类似的方法。这类的革新超前了百年。为了比建筑工人更确切地控制建筑技术方面的设计——从基础到屋顶桁架，雷恩建立了以后几百年的建筑师的常规职业规范，能够掌握从供排水到装饰细节的所有事项。雷恩本身是从一个业余建筑师起家，但是他对英格兰的永久的贡献，是将曾经是业余的建筑师专业变成一个趋近成熟的职业。

菲利普·普罗斯特/撰

塞巴斯蒂安·勒普雷斯特雷·德·沃邦

17世纪军事工程师的先驱
（1633—1707年）

塞巴斯蒂安·普雷斯特雷·德·沃邦出生并成长于勃艮第的莫尔旺，是他那个时代最伟大的军事工程师，甚至在他去世很多年后还被认为是攻城技术和防护堡垒方面的绝对权威。从17世纪60年代末到18世纪初，路易十四时期频繁的战事给了沃邦数不清的展示自己才能的机会，使得法国人从意大利人手中夺回了军事工事专家的头衔。直至今日，沃邦依然是最著名的军事工程师，有着非凡的、多方面的传奇。他建造的工程包括堡垒、城镇、建筑和土木工程的杰作，他还有诸多著作，包括回忆录以及项目说明和论文，超越了军事领域，涵盖了经济、税收、统计、政治、水利工程和农业。

1655年，22岁的沃邦加入国王日常工程师的团队，从此便开始了他长达52年的职业生涯，最高点是1703年荣获法兰西元帅的头衔。1678年他被任命为军事防御工程的总监察员，领导着近300人的工程师团队，负责整个法国的领土与海上的防御，10年后他被任命为国王军队的上尉。作为一名进攻技术和建造防御堡垒方面的专家，他和国王有着共同的兴趣：战争与建筑。

人称“城市攻陷者”的沃邦参与了不少于50次的攻城行动，使法国攻陷了像里尔和斯特拉斯堡这样的大城市。整个17世纪后半期他更新了整套攻城略地的技术和装置，1673年攻打马斯特里赫特的时候挖掘曲尺形的战壕，1684年围攻卢森堡的时候提高了土制的战壕胸墙，1697年在围攻阿特时用了弹射技术。在他的眼中，只要用了他发明制造的技术就没有攻不破的堡垒。用他的原则来说，就是“更多的火药，更少的流血”。沃邦是个发明家，他最终创造出一种理性的攻城技术，分成12个连续的阶段，最长需要48天在战地上完成。为了达到这一目的，他还定义了一个经典的攻城战略，这种战略直到19世纪中期依然在使用。在国王的要求下，1704年他将这些原则和方法写进他的《围城论》一书中。这本书原本是秘密的参考文献，然而在几个非法版本流传

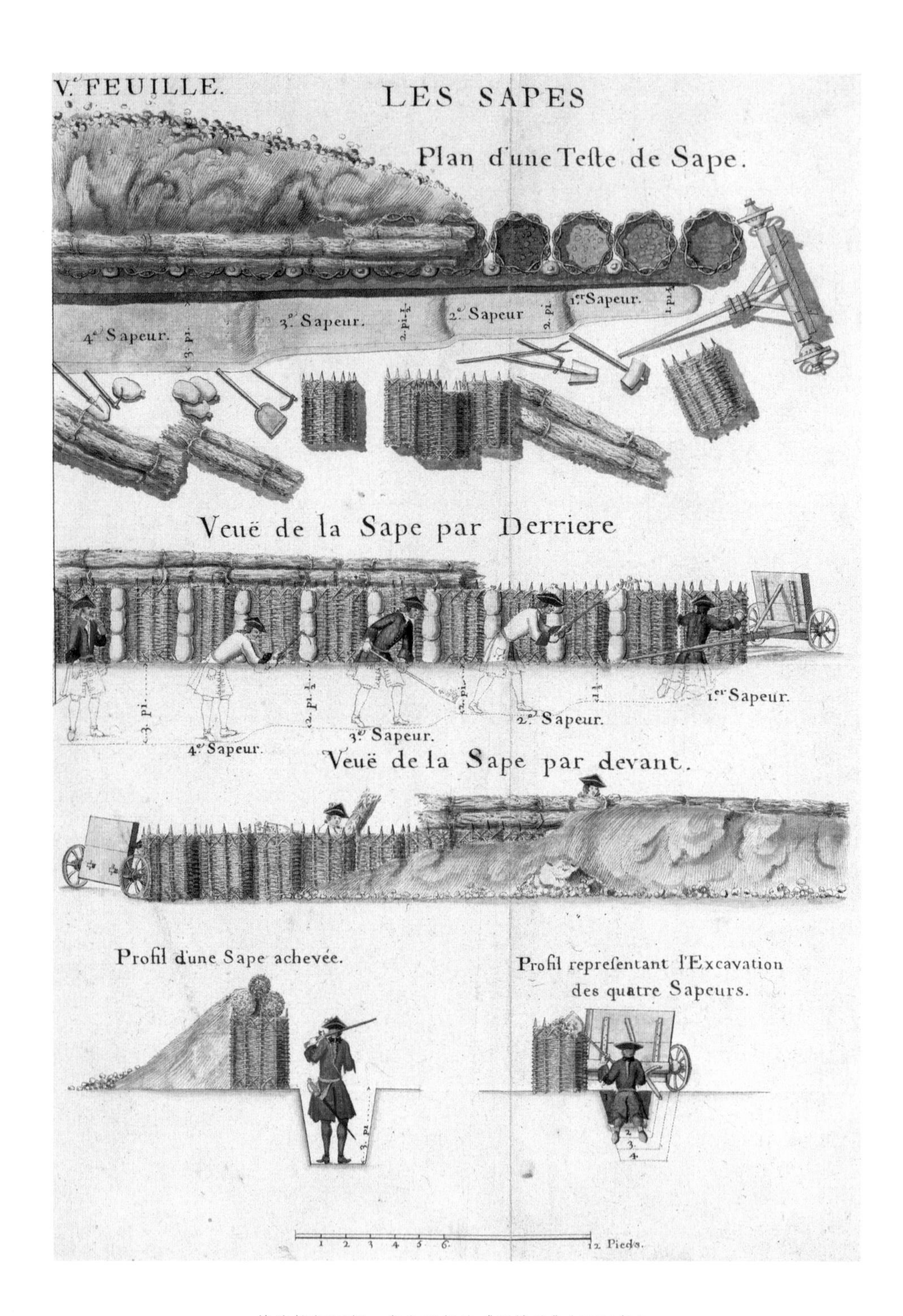

壕沟挖掘图解，来自沃邦的《围城论》(1704年)。

之后，最终于1737年公开出版发行。后来此书被译成俄语和土耳其语等15种文字出版。

毁灭者和建造者

具有讽刺意义的是，沃邦作为工程师生涯的第一个任务是1661年拆毁南希的防御堡垒，这一年路易十四刚刚开始执政。直到1664年他才第一次接受建造工程的任务，即在阿尔萨斯的布里萨克建造新防御工事。他的整个人生都在战争与和平的更替中交替承担着建造和拆毁的工作。他无数次地视察要塞、堡垒和幕墙，重新加固更新了大约150处战争堡垒。他同时也建造了10个新的要塞，拿出了几百个其他类型的设计，其中许多设计在他去世后的半个世纪中仍然发挥着作用。无论是改造现有的堡垒，还是设计全新的要塞，他的第一个任务总是制作场地模型，制造出要进行防御工程地方的地形模型：如果要保卫一个空间，那必须先能看到这个空间。这个空间的形状和布局是根据侧翼包围和根据地势布置军队的概念设计的。在建造开始之前，他会先要求挖壕沟，然后用挖出的土方来建造堡垒。整个场地到处都是防御性的斜缓坡。沃邦将景观作为他所有项目的基本要素，重整场地来安置军队，种树来遮掩攻击堡垒和幕墙的大炮的浓烟。他能够熟练地引水来充漫沟渠以达到防御的目的。然而，沃邦一生都拒绝出版一本类似于《围城论》风格的关于防御工程的理论性书籍，因为他相信好的感觉和经验比理论更加重要，所有工程师应该都已经具备防御工程的基本知识。

伟大的军事工程师沃邦在18世纪初的画像。

沃邦从未忘记自己的祖国，他逐渐超越了一个工程师的角色，为保卫法兰西帝国发展出一个地缘政治策略。从1673年开始，军事战争与和平协议此起彼伏，沃邦鼓励国王将法国设想成一块“pré carré”

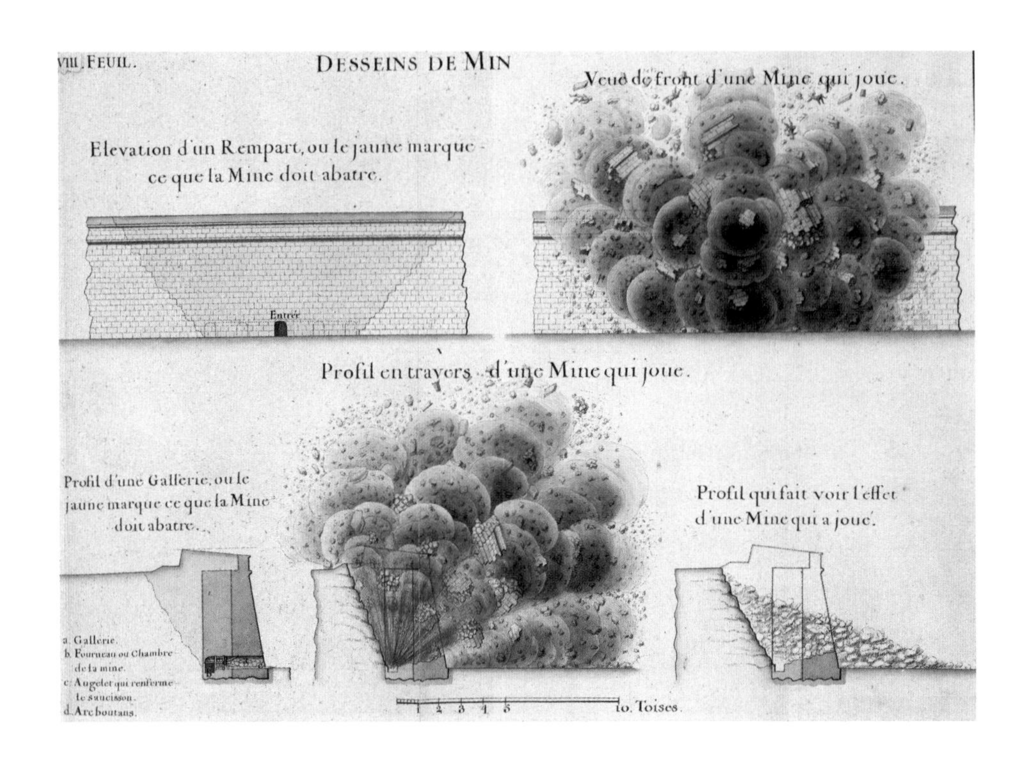

地雷摧毁要塞，来自沃邦的《围城论》(1704年)。

(方形的领域)，要统一领土，避免边界飞地，创造出一个更加线性化、更容易防守、也更加省钱的前线阵地。在一些自然条件不具备构成防御的地区，例如没有河流没有山脉的从北海到默兹河的平原上，沃邦设计并建造了两条像是战争状态的防线：第一条从敦刻尔克到迪南，包括15个要塞；另一条从格拉沃利讷到沙勒维尔，共有13个要塞。这个人称“铁腰带”的防御平面效果显著，保证了法国在大革命之前一直没有遭到外国的侵略。沃邦当然也没有忽略法国最大的城市巴黎，然而他建议重修城墙的计划并没有成功。

城镇规划、水利工程和建筑

攻陷里尔胜利之后，1667年沃邦设计了该城的要塞。一个五边形的放射型同心圆

阿尔萨斯的新布里萨克城通常被看作是沃邦的杰作。1698年他设计的这个全新的城镇运用了正交四边形网格和八边形的城墙外形。

平面，布局和建造都是根据他的防御构造风格，周围环绕着堡垒和幕墙。虽然这是他的一次尝试，但该工程无可争议地成为一个杰作，使得沃邦成为最伟大的意大利军事工程师的继承人。他也成为国王和政府要员关于防御军事方面的最高顾问。但是沃邦一直是个实用主义者，他在阿拉斯建要塞的时候，开始运用内部正交网格，以后一直如此。这样的规划去除了狭窄的弯曲街巷，使得建筑建造更为方便，功能性得到提高。他后来设计建造的防御性城镇都采用规则的多边形形状，土地都被划分成正交的地块：这些规划设计包括隆维（1679年）、萨尔路易（1680年）、于南盖（1679年）、蒙路易（1681年）和蒙多凡（1692年）。阿尔萨斯平原上的新布里萨什是沃邦最后的一个新防御城镇，坐落在莱茵河右岸，这是1698年为了代替被毁的德国城镇布里萨什而设计的。沃邦设计了一个完美的八边形平面，用规则的四边形划分建筑区块。他还凿建了一条运河，用来向新城运输施工需要的原材料。新布里萨什是沃邦的又一个杰作，造就了他城市规划师的称号。

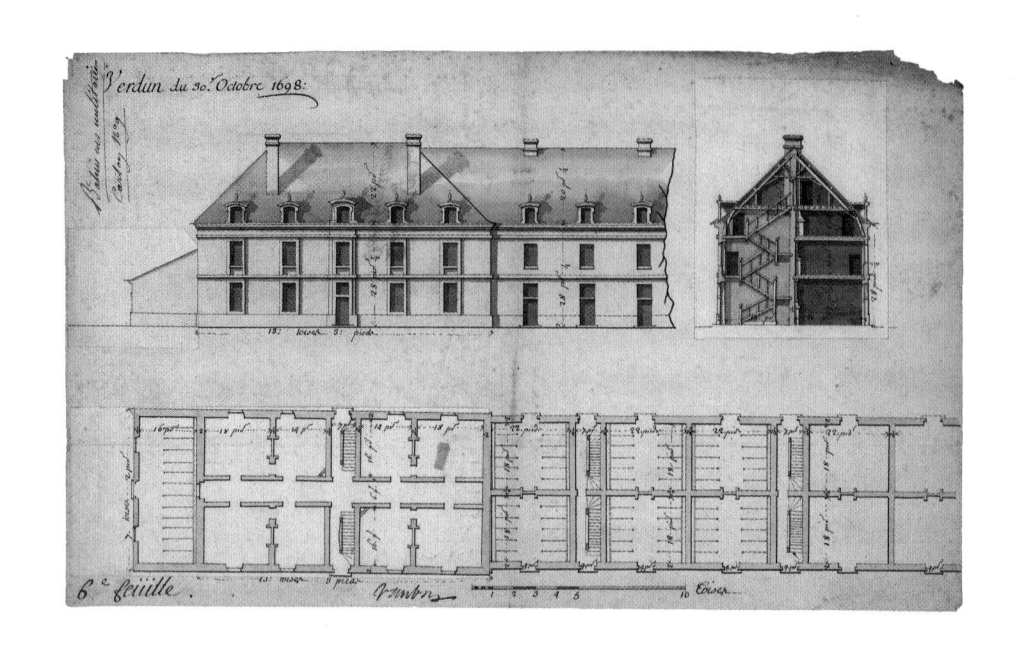

凡尔登的一个兵营设计图（1698年）表现了沃邦喜欢运用标准化，但可塑性极强的模块化设计。

建造陆地的堡垒要塞构成了沃邦主要的工作，不过他的职责范围还包括法国的海上防御：防御3000公里的海岸线是一项巨大的工作。在雷岛、奥莱龙岛和贝尔岛上建立要塞对沃邦来说是特殊的挑战，他同时又重新设计了土伦、布雷斯特和敦刻尔克的要塞。沃邦还设计了运河、船闸、水渠和堤坝，还有许多军事和民用的水利工程，包括连接地中海和大西洋的米迪南运河的排水沟渠和曼特农水道，将水从厄尔河引到凡尔赛宫。

在设计要塞和港口的同时，沃邦还设计了大量的其他建筑，最多的是兵营。路易十四决定军队不能总是住在民舍中的临时兵营里，需要建造永久的住所，沃邦接受了此项任务。他受到西班牙风格的“茅屋”的启发，设计了一种统一的三排两层的宿舍，军官的住所略有不同。他还设计了弹药库，创造出一种使用石材做出“防爆”筒拱的基本设计。这些标准的军营设计可以在不同地点运用当地的材料和技术，产生既统一又多样化的效果。沃邦在军营建造的同时还注重挖井和建储水塔以确保单独供应场地的需要。他设计建造枪炮军械库、仓库、马厩、烘焙房、医院、住宅、教堂和礼拜堂，创造了一系列综合军事、民用和宗教功能的建筑。

沃邦与古斯塔夫·埃菲尔和勒·柯布西耶一起，同为法国最知名的建筑师。他的作品对法国的景观、城市和建筑有着深远的影响。2008年7月7日在魁北克，沃邦设计建造的12个要塞被加入联合国文化遗产保护的名录，这是对沃邦的认可与纪念。这12个要塞地点是阿拉斯、贝桑松、布莱、布里扬松、滨海卡马雷、隆维、蒙多凡、蒙路易、新布里萨克、圣马丹德雷、圣瓦斯特-拉乌格和孔弗朗自由城。

铁的时代

19世纪有时候被形容成风格相争的时代，哥特浪漫主义和传统古典主义此消彼长，天才的建筑师们有德国的卡尔·弗里德里希·申克尔，法国的克洛德·尼古拉·勒杜和英格兰的约翰·索恩。但是19世纪同时也是一个铁的时代，铁为新的交通基础设施——高架路、渠道和铁路提供了原材料。在科尔布鲁克代尔横跨塞文河的铸铁桥（亚伯拉罕·达尔比三世和T.F.普里查德设计，1779年）是世界上第一个大跨度的铸铁结构，但它主要由手工加工而成。苏格兰建筑工程师托马斯·特尔福德在威尔士设计的横跨梅奈海峡的桥梁则更为经济地采用了铁结构。1811年由工程师J.布吕内和建筑师弗朗索瓦·约瑟夫·贝朗热合作设计的巴黎谷物交易市场的穹顶，又向铁标准化构件的运用前进了一步。虽然当时A.W.N.皮金和约翰·拉斯金等人依然对此言辞激烈，但铁的运用，包括锻铁的大量生产和使用，不再仅仅受限于结构性的构筑物——铁路、河道桥梁、市场、工厂和仓库，而是很快占据了建筑的市场。例如申克尔曾游历和视察英国工业革命之后的新建筑，后来在他自己的建筑中便开始自由地使用铁的结构。

英国人约瑟夫·帕克斯顿在1851年的水晶宫作品，展示了铁和另一种当时也开始大批量生产的材料玻璃结合在一起可以达到的效果。水晶宫背后的结构概念是帕克斯顿设计过的一系列玻璃温室：为第六代德文郡公爵设计的在都柏林和伦敦附近丘园的棕榈花房，由爱尔兰工程师和制铁发明家理查德·特纳共同设计制造。这些先进的玻璃温室和水晶宫的技术直接用于英国的火车站建造。理查德·特纳协助设计建造了利物浦莱姆街车站（1849年）的屋顶：用锻铁制造，47米无中间支撑在当时是有史以来的最大跨度。其中最好的当属伊桑巴德·金德姆·布律内尔设计的伦敦帕丁顿火车站（1852年）。布律内尔跟A.W.N.皮金一样，父亲是法国移民，他具有伟大的愿望并且成就显著：他建造了大西部铁路和第一批远洋客轮。伦敦最伟大的铁路成就圣潘克拉斯车站（1868年），站房由工程师W.H.巴洛和R.M.奥迪士设计；站房前的旅馆（1876年）则是伟大的哥特复兴建筑师乔治·吉尔伯特·斯科特设计，内部自由自在地运用了铁结构。即使是拉斯金作为力主推崇的牛津大学博物馆（1861年），在哥特建筑风格外形的内部空间也是使用铁和玻璃材料。

和工程师相比，英国建筑师依然不情愿将金属结构暴露在外，法国建筑师则采取了截然相反的态度。欧仁-埃马纽埃尔·维奥莱-勒迪克一方面从事中世纪教堂保护，包括负责修复了巴黎圣母院，而另一方面他的理论著作则影响更加深远，在美国得到很大反响，成为现代主义运动的前锋。维奥莱-勒迪克提倡建筑应具有的理性和诚实原则和拉斯金与皮金的理论相类似，接受金属的运用，希望新的建筑应当是自由地展示金属材料，而不是将其隐藏起来，或是替代一些更为传统的材料。他的倡议和理论影响了一些强有力的建筑师，例如亨利·拉布鲁斯特和维克托·巴尔塔，前者设计了两个不朽的图书馆，后者则设计了非同凡响的圣奥古斯丁教堂，其中暴露的铁和复杂的哥特风格细部结合在一起，还有已不复存在的巴黎中部的列阿莱市场（1971年拆除）。

在19世纪下半叶，詹姆斯·博加德斯率先将金属框架结构的技术运用到美国，成为其建筑技术革新的中心。他的影响表现在纽约下城曼哈顿的苏荷区的铸铁建筑立面中。他自己的工厂本身就是一个非比寻常的用组件装配的全铸铁结构，反映了美国作为工业国家日益增强的独立性。1859年，伊莱沙·奥蒂斯在百老汇大街488号哈沃大厦装配运行的第一座用蒸汽为动力的客运升降梯——标志着未来高层建筑发展的重要基础。同样重要的是钢的生产，这个比铁更轻、更有柔性的材料成为建造第一批摩天大厦的原材料。这成就了20世纪许多伟大的工程。约翰·福勒的福斯铁路桥在1890年开通运营，这是第一座全钢结构桥梁，标志着英国依然是技术革新的主要力量。

迈克·克莱姆斯/撰

托马斯·特尔福德

铸铁桥梁设计的发明者

(1757—1834年)

托马斯·特尔福德是英国土木工程学会的第一任主席，他是个优秀石匠，创造铸铁桥梁设计的先锋，建造设计了第一个被国际认可的“最长跨度”的桥梁——梅奈悬索桥。大不列颠岛几乎每一个角落都有特尔福德的作品，最为人称道的是，他能够超越自己平庸不利的社会背景，成为职业领跑者。他是一个不折不扣的苏格兰启蒙运动的受益者，出生于英国最封闭的社区之一，邓弗里斯和加洛韦区的韦斯特柯克。他受过的石匠训练，还有他和教区领袖威廉·普尔特尼的关系都对他日后的职业发展有着重要的影响。1780年特尔福德到了爱丁堡，迈出他追求宏大事业野心的第一步。他在新城找到一个石匠的工作，在业余时间学习并观察建筑。1782年他搬到伦敦，着手萨默塞特宫的建造，在这期间他也受雇于威廉·普尔特尼，在他的家乡埃斯克河谷和萨德伯勒教区主持一些住宅的设计。

特尔福德肖像，塞缪尔·莱恩绘制，E.特里尔为《托马斯·特尔福德生平图集》刻版(1838年)。

1784年特尔福德来到朴次茅斯承担船厂的住宅和礼拜堂，这是他第一次担任项目的主要负责人，从此开始了码头土木工程建造的职业生涯。1786年在威廉·普尔特尼的资助下，特尔福德搬到什鲁斯伯里承担城堡的维修工作，1787年他被任命为郡监造

梅奈悬索桥，G.阿诺德1826年为特尔福德绘制，于当年竣工。

师。他承担了大量的土木工程项目，从蒙特福德桥（1790—1792年）开始，他负责设计和建造了该郡四十多座桥梁。他的负责范围也包括公共建筑，设计建造了不少教堂。与此同时，特尔福德的视野逐渐扩展，从1790年开始他作为不列颠渔业协会的顾问，参与调研了苏格兰海岸线，确定了建设港口和码头的地点。特别需要提到的是他在威克郡的普尔特尼镇的作品，展示了他在工程师之外的建筑师和规划师的能力。在斯凯岛的洛克湾，他成功地试验了使用帕克的“罗马”水泥，这是开发现代的波特兰水泥的重要一步。这也体现了特尔福德革新的愿望，最为著名的就是他的桥梁设计。

建造桥梁和运河

特尔福德设计的比尔德沃斯铸铁桥（1795—1796年）采用了非常规的做法，体现了他打破传统的铁桥结构形式的决心。他为了更经济、更合理地运用原材料，从邦纳桥（1810—1812年）开始便以一系列的铸铁拱来设计桥体。这是美学的胜利，同时标志着他和什罗普郡的铁工艺大师威廉·黑兹尔丁的合作开始。邦纳桥是特尔福德为高地政府设计的项目，是利用他和渔业协会的关系发展而来的。1801—1802年间他进行了一些调研并提出一系列改善建议，促进港口和内陆交流，同时刺激经济发展和控制移民。1803年高地地区开始设立一些项目并修建了喀里多尼亚运河。这条运河的形成除了显而易见地连接了一系列大峡谷的峡湖，土木工程的挑战也是巨大的——特别是在东端，有128米深的泥浆通过使用填料进行预固结，以便挖掘船闸，最终需要建造24座船闸。

这条运河是特尔福德在高地最特殊的项目，他一直持续为此工作到他生命的结束。除了许多小型的砖石桥以外，他还参与了一些主要的通道，例如邓凯尔德的桥（1805—1809年），还有数不清的码头、道路改善和教堂的建造。他在帕斯黑德、洛锡安设计建造了一些重要的桥梁，还有迪恩桥（1829—1832年），它位于爱丁堡中心，是一座高而狭窄的结构。在这些桥梁设计中他运用了中空的支柱和横梁来减轻重量，并且便于检修，这种做法后来被其他人广泛采用。他设计的格洛斯特的欧文桥是另一个

邦纳桥，1810—1812年，选自威廉·丹尼尔著作《大不列颠环游记》(1814—1815年)。诗人罗伯特·骚塞如此形容他第一次看到此桥：“最后我看到的像是空中的蛛网——如果这是的话，我想，绝不可能！但是我亲自来到此处，噢，它是上帝或是人创造的最伟大的作品！”

晚期的杰作。

特尔福德是最后一位伟大的运河工程师，1793年他被埃尔斯米尔运河公司聘为“总协调师”，他很快地掌握了运河的设计和建造，并证明了他最初的创新性。他倡议利用裸露的铸铁来建造输水道的槽，最先运用在朗登的什鲁斯伯里运河上（1795—1796年），但是最显著的例子是庞特斯沃泰的埃尔斯米尔运河（1794—1805年），这个项目使他成了最优秀的结构艺术家。他主要负责特伦特河和默西运河的改造，19世纪20年代重新改建了伯明翰运河，挖深以避免其迂回。他在伯明翰和利物浦运河的改造中都利用相似的工程手法。特尔福德也受邀参与穿越瑞典南部的歌达运河的修建，对英国工程师来说这是第一个重要的海外咨询项目。通过和加拿大与印度的工程师合作，特尔福德的名声日益增大。

特尔福德设计的庞特斯沃泰输水道（1805年），一个革命性的结构设计，包括19个铸铁桥跨，每个跨度13.7米。

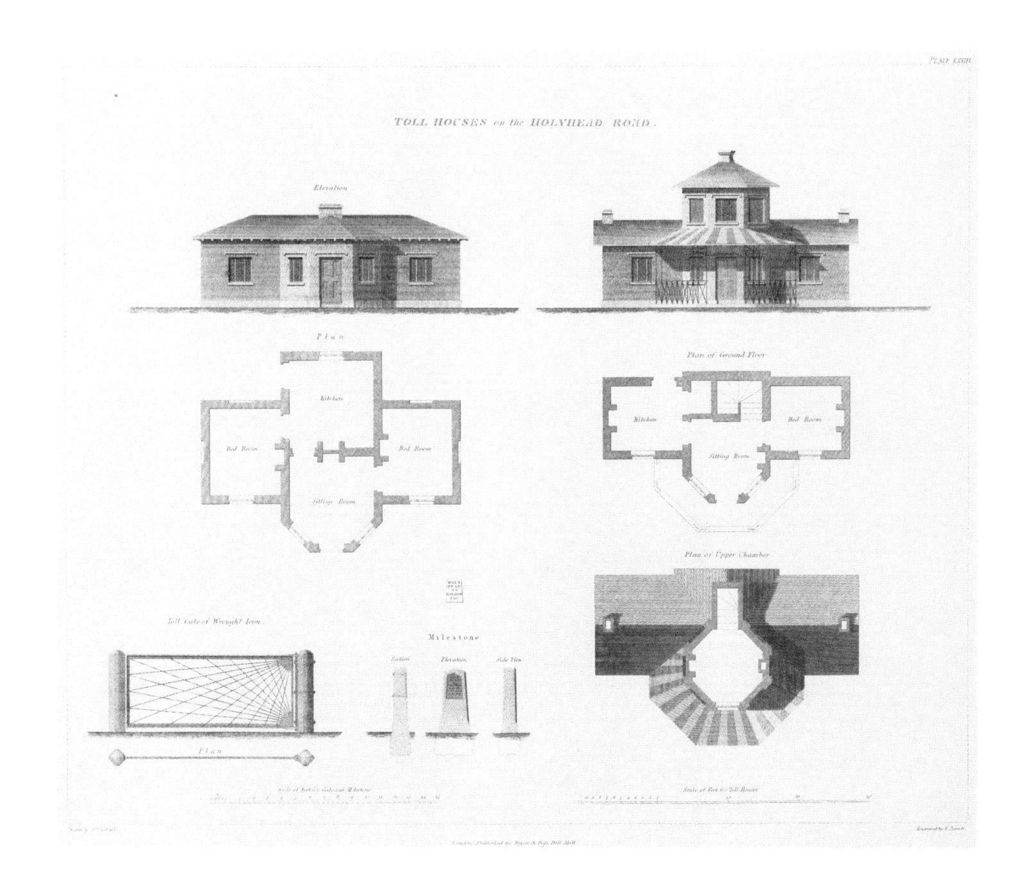

霍利黑德高速路上的收费站，E.特里尔制图，选自《托马斯·特尔福德生平图集》(1838年)。在他的土木工程师生涯中，特尔福德利用一切机会展示自己建筑设计的抱负。

道路、港口和大跨度桥梁

特尔福德被称为“道路的巨人”，他根据未来可能使用的情况设立了道路建设的标准。霍利黑德高速路是他作为道路工程师的代表作，其中的收费站、里程牌和阳光图案的收费门进一步证明了他建筑设计的实力。他也负责建造从格拉斯哥到卡莱尔和拉纳克郡的高速路，调研了大北高速和从卡莱尔到波特帕特里克港和爱丁堡的道路。特尔福德设计的港口和码头与他同时代的威廉·杰索普和约翰·伦尼相比略微少一些，但是包括例如阿伯丁和霍利黑德港口、邓迪码头（1814—1834年）和伦敦的圣凯瑟琳码头（1826—1830年）这些重要的工程。

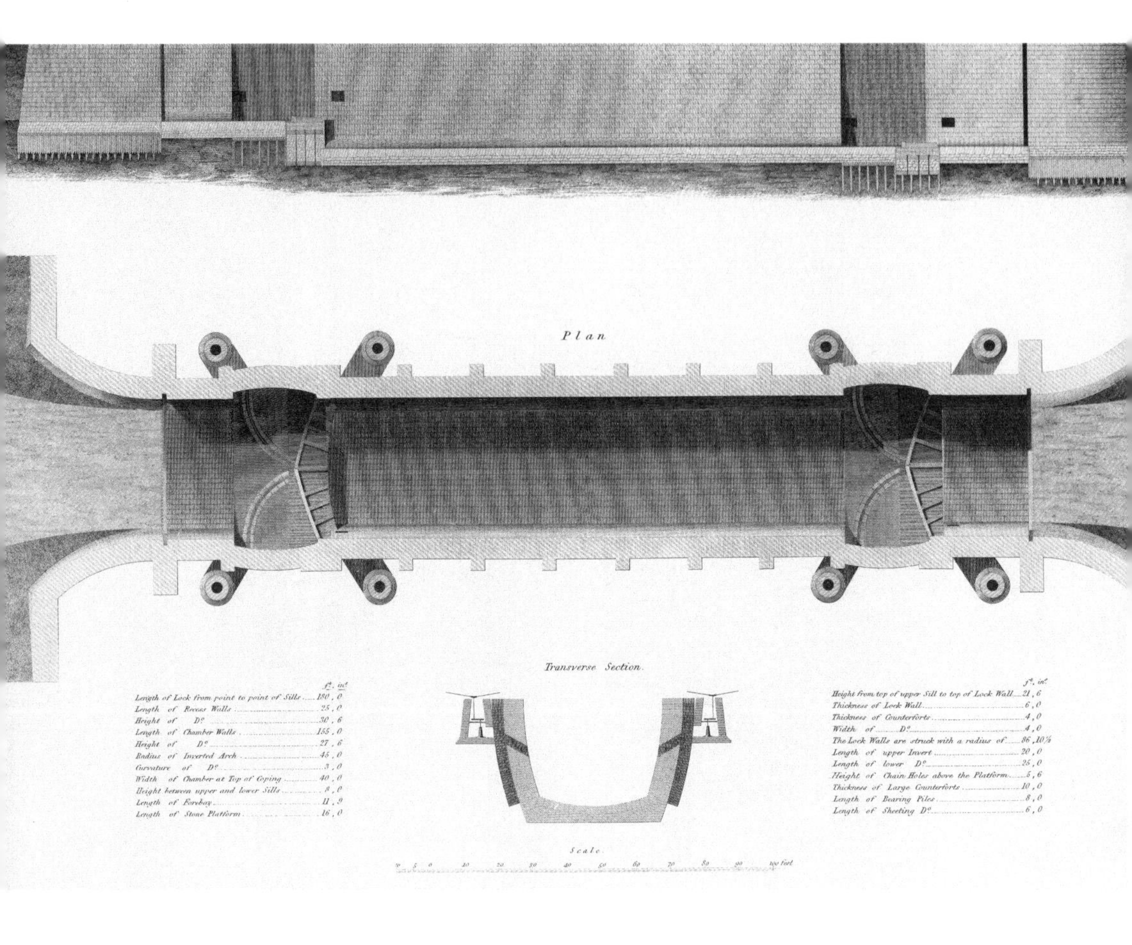

克拉奇纳哈里的喀里多尼亚运河上的通海关闸：E.特里尔制图，选自《托马斯·特尔福德生平图集》（1838年）。

更为特别的是特尔福德设计大跨度桥梁的雄心。第一个是用183米跨度的铸铁拱桥来替换中世纪建造的伦敦大桥（1799—1803年），这个项目为他赢得了全国的关注。更为伟大的工程是300多米长、横跨朗科恩峡谷的铸铁悬索桥。当特尔福德1814年开始设计朗科恩桥的时候，这种现代概念的平板悬索桥在英国还无人知晓，在北美也仅仅处于实验阶段。他意识到现有的技术无法建造这样跨度的桥梁，而建桥的费用一直没有筹集到位。于是他把自己从悬索桥设计中学到的技术运用在梅奈海峡桥上（1819—1826年）。这座桥拥有世界最长的跨度，超过180米，代表了第一个英国土木工程的伟大成就。自从梅奈桥完工之后，世界上几乎所有的长跨桥都采用悬索结构。

60岁时特尔福德已经是英国最重要的工程师了，从1817年到去世他一直是财政部贷款信用委员会的主持工程师，因此他作为顾问参与了19世纪20年代到30年代的大多数土木工程的顾问咨询，包括早期的铁路项目，例如利物浦和曼彻斯特铁路。然而特尔福德的传奇并不仅仅限于他创造的建筑项目，1820年他同意担任土木工程学院的第一届主席，源于他深切地意识到自己为获得工程知识经历的困难。他利用自己的影响力在1828年建立了第一个分会，将学院建成一个专业的学习社团，成为一个影响世界的模式。他也因为自己能够识别有才华的人、利用他们的知识，同时也对自己信任的人委以重任，使得他能获得如此不可思议的巨大成就。去世后他被葬在西敏寺教堂，是第一个受到如此高规格待遇的土木工程师。

马丁·斯特芬斯/撰

卡尔·弗里德里希·申克尔

天才与工程师

（1781—1841年）

在19世纪上半叶最重要的艺术家中，卡尔·弗里德里希·申克尔占有一席之地。他的建筑形式影响了德国北部和附近地区，不仅仅是在他擅长的建筑方面，还包括所有的艺术门类：从绘画到平面设计，从纪念碑设计、舞台设计到室内设计及家具设计。无论怎样，申克尔的主要艺术重点明显在于建筑领域，同时利用他的才华从事建筑实践，撰写建筑理论以及进行市镇规划。作为一名普鲁士市政建设官员，他制定了被奉行多年的国家建筑政策，从而推行了一种形式风格。

申克尔出生于柏林北部的小镇新鲁平。他的父亲是一个高级的新教书记员，逝于1787年，1794年他们全家搬到普鲁士首都。1797年，16岁的申克尔参观艺术学院的展览时，看到了年轻的天才艺术家弗里德里希·吉利的建筑草图，激发了自己对于建筑的热爱。一年以后他说服了弗里德里希的父亲，建筑师大卫·吉利收他为学生。1800年申克尔完成了在新成立的柏林建筑学院的学业，他在此受到的训练强烈影响了他的艺术发展，特别是他和弗里德里希·吉利的接触。在吉利的绘画本里，申克尔首次接触到了欧洲建筑最新的潮流，在吉利的意外早逝之后，申克尔替他完成了一些建筑作品。

申克尔从母亲那里得到了一笔遗产，他利用这笔钱在1803—1805年间去了意大利和法国。意大利对他产生了非常大的影响，作为最接近古代建筑的参照，古典主义从此成为申克尔作品的主题。古典主义在19世纪主导了欧洲建筑的风格，通过学习古罗马的建筑，申克尔接受了美与功能性完美结合的原则的熏陶，他日后的建筑作品里都体现了这种追求。古典的废墟也同样对他的想象力产生了深远的影响，他后来为普鲁士王储（也就是弗里德里希·威廉四世）在波茨坦设计了一座古典风格的别墅，但是未能建成。即便如此，这种意大利风格影响了他后来其他的项目，特别是反映在建筑设计和布局里，常常可以看出对于某个特定建筑的参考，或是意大利的“乡村建筑”

《申克尔在那不勒斯》，弗朗茨·路德维希·卡特尔，1824年。这幅肖像绘制于申克尔的第二次意大利之行，当时他完全被古典废墟迷住了。

的大概特征。申克尔渐渐成功地协调了造价的限制与概念想法之间的冲突，用技术功能完善并且价格合理的建筑打动了他的客户们。

创造一种民族风格

当申克尔1805年完成了他的第一次意大利之旅回到柏林的时候，建筑师的从业环

路易丝皇后陵墓设计，1810年。申克尔将哥特建筑作为德国的基本风格。

柏林老博物馆的中央圆厅，1823—1830年，卡尔·埃马努埃尔·康拉德绘制的水彩画。这是最早的博物馆建筑设计案例。

境非常不理想。因为拿破仑的扩张政策和普鲁士在耶拿和奥尔施泰特战败，所有的主要建筑项目都被迫停止了。直到1815年维也纳会议重整欧洲之后，这个阶段才算结束。在这段时间里申克尔将注意力转向了绘画，他设计了大众化的全景环幕，柏林人争相买票观看。这些作品技巧性地展示了互动的幻觉绘画、艺术技巧和视觉化幻象。通过

柏林建筑学院（1831—1835年），申克尔在此摒弃了历史性风格，而倾向于高度创新的理性设计。

这些练习申克尔获得了一些惊人的自然化效果。他同时也根据他的旅行速写（包括他的巴勒莫全景）创作了一些反映时事的作品，例如1812年莫斯科的大火等。

在这个时期的绘画作品中——大多是小型的作品，因为它们更容易出售——申克尔更多地运用了19世纪20年代主导的一种建筑风格，这种风格变成了古典主义的替代品，也标志着申克尔建筑设计的特点——（新）哥特风格。随着第六次反法同盟带来的狂热的爱国主义影响，哥特风格被看作是德国的民族风格。在浪漫主义运动的强烈影响下，申克尔创作了几个重要的纪念性建筑，包括1810年去世的路易丝王后陵墓，还有一个“为纪念第六次反法同盟的教堂”。这些特意打造的大尺度建筑中体现的历史主义特性反衬了普鲁士的历史。

1810年申克尔被聘用为普鲁士市政工程官员，他接受了第一批公共建筑的设计项目，包括在菩提树大街上的新守卫房（1816—1818年），证明了他的古典主义设计风格有实施的可能性。接着他又设计了一系列重塑柏林新形象的纪念性建筑，即后来所谓的“施普雷河上的雅典”——包括申克尔的一些杰作，例如御林广场的歌剧院（1818—1821年）、宫殿桥（1821—1824年）和在鲁斯特花园，如今被称为“老博物馆”的建筑（1823—1830年）。老博物馆可以看作是申克尔对自我形象的建筑写照：他希望利用震撼的建筑效果来引发博物馆游客对艺术的热爱，并同时起到教育的作用。他保留了三分之一的建筑面积作为入口和中央大厅，这是受到罗马万神庙的启发。连廊上的一圈浮雕（在他去世后才完成，第二次世界大战中被毁）证明了申克尔丰富的想象力和深厚的人文修养。

除了设计雄伟的文化建筑，用巧妙设计的建筑功能和震撼的空间体验来吸引来访者，申克尔也能够用简约的风格和经济的方式来进行设计。一个例子就是柏林建筑学院（1831—1835年），后来他和家人还曾搬进去居住。这个建筑（也于第二次世界大战被摧毁）具有一种新颖而独特的理性和严密，这使得申克尔后来被认为是建筑现代主义的一位先驱。一次赴英格兰的旅行启发了他关于这座建筑的设计，他在旅途中看到一个理性的工业建筑，于是将它的建筑语言加上一些复杂的图像化内容，转化成了德国建筑的语言。建筑学院这个项目也是少数不受委托人制约，符合建筑师自我意图的设计。也许这也是这座具有干净利落的方形结构存在的关键。他的另一类重要作品则是折中风格的建筑。申克尔设计的教堂采用广博和巧妙的不同风格的手法，例如柏林新哥特风格的弗里德里希教堂（1824—1830年），体现了来自英式建筑的影响。

影响和遗产

申克尔将他设计的作品都收录在他的大作《建筑设计集成》中，这本书不仅提供了设计资料，同时也为那些才华不如申克尔的建筑师带来了很大影响。从装饰艺术（例如圣坛的烛台或凳子）到所谓的为乡村小教会提供的“标准教堂”设计。针对那些设计笨拙、艺术性不强的不太专业的建筑师，申克尔为他们提供了一种标准形式的品位。由此而产生的结果是，尽管申克尔并不亲自教学，“申克尔学派”却开始发展起来，主要在欧洲北部（当然特别是在普鲁士的省份）。作为一位高职位的城市规划师，

在克里米亚奥里安达的一幢未建成的新古典主义风格别墅，为沙皇皇后亚历山德拉而设计。申克尔于1838年形容这个设计是他最后一个“美丽梦想”。

他对普鲁士的历史纪念性建筑制定了保护性政策。他还参与了许多艺术画廊和博物馆的设计。

卡尔·弗里德里希·申克尔集艺术家和工程师的才华于一身，这意味着他设计的许多项目都是可以实施的，甚至连最小的项目也都得到精心的设计，建造力求达到最大的精度和完美的平衡比例。对于建筑群体、城镇设计和建筑与景观的结合方面，他也出乎意料地寻找到和谐的解决方法。此外，申克尔的建筑致力于给使用者带来深刻的印象，结合这个目的的建筑往往能创造一种教育意义——希望能通过艺术的方式来提升社会和人们的生活方式。也许申克尔的最惊人的和成功的设计是那些纸上的建筑，它们能够捕捉到那些有贵族气的和皇家客户的想象力。他为出生于巴伐利亚的希腊国王设计了雅典卫城的新宫殿，为沙皇皇后设计了位于克里米亚的古典风格别墅，然而上述这些项目都没有建成。尽管如此，申克尔这些未建成的设计比他建成的建筑更能够表现他的建筑想象力。在他去世后多年，他也一直是国家的偶像。他的建筑主题和信念一直像一个长长的影子一样笼罩着欧洲的许多城市，他的学生和追随者们在其中前赴后继地工作着。

卡罗尔·盖尔/撰

詹姆斯·博加德斯

铸铁建筑的发明者

（1800—1874年）

“铸铁建筑”这个名词专属于一种典型的美国式构造，19世纪下半叶在美国的各个资本主义城市的商业区广泛发展。这种建筑依赖于铸铁具有垂直支撑的强度，可以预制各种用于结构和装饰的铸铁模件，这些铸件可以是各种建筑风格的，然后锚固在一起形成多层的、自我支撑的立面。相对于利用传统的梁柱支撑的砖石结构来设置橱窗的商铺来说，铸铁构件不仅能够防火，并且可以使得橱窗面积增大，以便使更多自然光照射进室内。第一个铸铁立面就是美国发明家詹姆斯·博加德斯建造的，他曾在英国见到对于生铁的大量运用。他像是个不知疲倦的使徒，其他建造者很快接受了他的技术。

詹姆斯·博加德斯出生在纽约哈德逊河畔的卡茨基尔镇，14岁时跟从一个制表师做学徒，从而学会了雕刻的工艺。他在卡茨基尔开了一家手表修理店，短暂地运营了一段时间。然而他真正的职业倾向是发明创造，大约1830年他搬到纽约市。博加德斯一生拥有13项美国专利（同时还有一项英国专利），专利发明从钟表和发条机器，到雕刻机器、气量计、一项铁研磨厂和铸铁建筑的构造技术。1836年这个年轻的发明家到伦敦去维护自己气量计的专利，虽然最终没能成功，但他在英国住了四年，并在期间承接了各种雕刻项目。在英国，博加德斯目睹了大量在桥梁、输水道和铁路等结构设施上运用生铁的实例。他在伦敦看到了托马斯·特尔福德在支撑圣凯瑟琳码头的巨大的生铁柱（1826—1830年）、约翰·纳什在白金汉宫北翼（1825年）和卡尔顿府露台（1833年）运用铸铁的柱子，以及约翰·福勒在考文特花园（1828—1830年）用精致的铁柱支撑了铁构架的玻璃屋顶。

他也游览了巴黎、罗马和威尼斯，看到以重复的建筑元素为特点的，古代和文艺复兴的伟大建筑。他后来写到，在意大利他“第一次酝酿将古代的元素通过铸铁运用到现代”。这孕育了他最出名的发明：建造多层的、模仿早期的砖石府邸的能承重的铸铁立面。这样一来铸铁模件可以大批量生产、互换，并产生符合维多利亚风格的装饰。博加德斯于1840年回到纽约，正好赶上美国进入了铸铁时代，但在制造和在建筑中运用铸铁上还落后于英国。但是在19世纪40年代和50年代，民用铸铁制造飞快增长，和城市与商业的飞速发展相辅相成。铁在建筑中也更多地被手工艺者和建筑师利用，最常见的形式是梁柱支撑的商铺立面，例如那些19世纪30年代乔丹·莫特和19世纪40年代丹尼尔·巴杰建造的立面。

詹姆斯·博加德斯肖像，作于1831年或1832年，期间这位年轻的发明家刚刚搬到纽约并和玛格丽特·麦克莱成婚。

放眼现实

博加德斯经营一家中等规模铁研磨作坊六年之后，决定建一家制造工厂来实现自己对铸铁建筑的设想。1847年间，他设计好自己的工厂结构，并制作了一个模型，开始向建筑师和投资商推介自己的想法，而他们大多数人最开始都持反对或是怀疑的态度。获得经济支持之后，他在曼哈顿下城的杜安街购买了一块土地。1848年5月工厂奠基。他自己不锻造铁，而是通过和当地的厂家协约，让他们为自己锻造简单的结构构件：C型横梁，以及可以填充在带框的巨大开洞空间中的带有侧翼和横撑的半圆形带凹槽的柱子。这些构件锚固在一起形成结构模件，然后顺序连接在一起形成重复的立面构成。这样的铸铁装饰构件可以用不同的组合钉在一起组成不同的外观形式。

在他的工厂竣工之前，博加德斯从化学家及民权领袖约翰·米约博士那里接受了一项委托，将博士在纽约下城百老汇大街183号的药店原有的三层砖立面改换成铸铁立面。博加德斯利用他为工厂做的铸铁，仅仅用了三天便完成了药店新立面的改造，这个建筑被改造成五层楼，每层

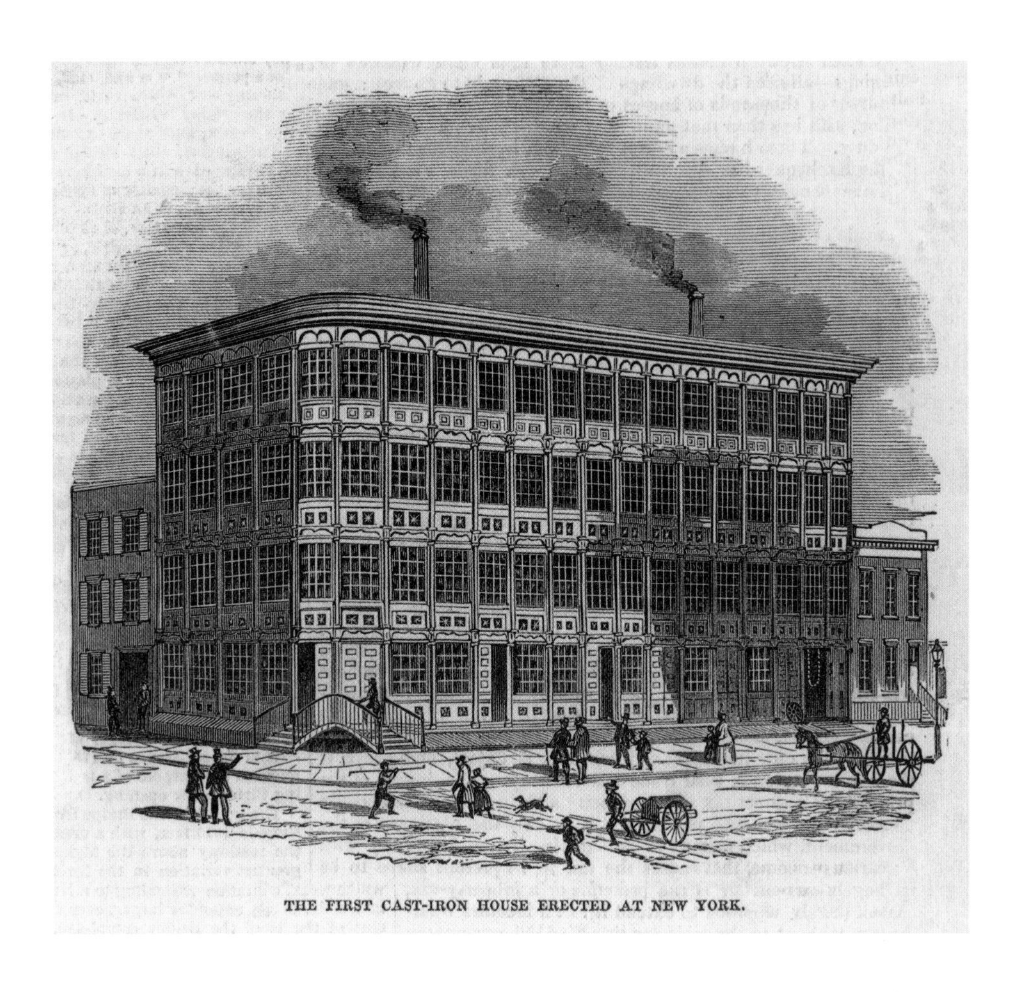

博加德斯的全铸铁工厂，在纽约杜安街和中心街交叉口，1849年建成。博加德斯利用这张图片来推广他的铸铁建筑概念。

新加了一个窗户。米约药店获得了第一个多层、自承重的全铸铁立面（1848年，立面后来拆除），证明了博加德斯的想法是可行的。博加德斯几乎同时又接受了一个项目：为埃德加·莱恩建造一个全包的五层高铸铁立面。原有的四层高的莱恩商店（1849年）包括21个开间的传统砖木隔墙，几乎没有任何装饰。在维持了一个世纪之后，莱恩商店最终在1971年由于这个地区的重新开发被拆除了，它的铸铁立面结构被仔细地拆下来并做了记录，我们由此获得了许多博加德斯铸铁建筑的信息。

博加德斯自己的工厂（1849年，1859年拆除）在莱恩商店改造项目完成后竣工了。它一共四层高，用了与米约药店和莱恩商店一样的铸铁构件，但是加了更多的装饰。

博加德斯为《巴尔的摩太阳日报》建造的伟大的铸铁双立面，1850—1851年。这是他的第一个大型项目。该楼于1904年巴尔的摩大火中被烧毁。

更为引人注目的是，它用纤细的铸铁柱子隔开了巨大的窗户。尽管米约药店和莱恩商店已经用过工厂生产的构件，博加德斯认为这座工厂是展示他结构系统最好的例子，并在结构上平板印刻着“第一幢铸铁建筑”。博加德斯宣称建造工厂用的是全铸铁——框架、立面、屋顶和楼面——但是一些建筑历史学家有不同意见，他们认为在当时的条件下，也曾在框架中使用木材。然而这并没有影响博加德斯在1849年就已经证明他可以快速及经济地建造漂亮和现代的铸铁立面。博加德斯欣然宣布他已经成功地梳理了成熟的炼铁方法。他于1850年在铸铁技术方面获得了专利，但不是整个系统的专利，这可能是因为其中许多环节已经广为人知。事实上，很快就有许多建筑商为有前瞻性的企业建立了完整的铸铁设施，以期他们的企业在竞争中占有一席之地。

铸铁建筑的流行

博加德斯1856年出版的小册子中的插图，展示了如何成功又便宜地用铸铁制造装饰构件。

博加德斯1862年退出铸铁行业，在这之前他已经建造了三十多座铸铁建筑，其中包括巴尔的摩的桑尔铁业大楼（1850—1851年，1904年拆除），它采用了铸铁结构和两个铸铁立面，是当时美国最大的铸铁建筑；同时还有纽约的哈珀兄弟出版社（1845—1855年，1925年拆除），该建筑结合了铸铁柱子和横梁，以及暴露在室内的防火悬梁；卡纳尔大街254号（1856—1857年）是一个带有两个铸铁立面的商业建筑；莫里大街75号（1857年），一个出售瓷器的小公司。博加德斯不仅建房子，而且在他的得力助手约翰·W.汤姆逊的协助下极力推广了铸铁建筑。特别广为人知的是博加德斯于1856年出版了《铸铁建筑：建造方法和优点》（1858年重印），在书中他诠释并

在纽约博加德斯建造的第一座铸铁的铅粒塔（1855年）。铸铁框架加上砖墙，防止融化的铅被风吹走。这些塔的建造预示了后来的摩天大楼的建设。

维护了这种新建筑。

伴随着商业建筑的修建，博加德斯又建造了五座铸铁塔，这预示了未来的发展方向。有三座塔是开敞框架：两座纽约消防站的瞭望塔，第一座（1851年）30.5米高，第二座（1853年）38.1米高（两者都于1885年拆除），还有一个近30米高的圣多明哥灯塔（1853年拆除）。另外两个是很高的围合型铅粒制造塔：圣麦卡洛铅粒塔（1855年）有51.8米高，泰瑟姆铅粒塔（1856年）高达66.1米（二者都于1907年拆除）。这些铅粒塔都在承重的铁框架中填充了砖墙，以防止融化的铅粒从塔顶滴落时被风吹走，它们预示了未来摩天大楼的修建。

自从博加德斯在1848—1849年开启了铸铁建筑行业之门后，许多建筑师都纷涌至此领域。其中丹尼尔·巴杰建立的建筑铸铁工厂为许多著名的铸铁建筑提供了产品，包括漂亮的纽约哈沃大厦（1857年）。他的工厂完备的产品名录《铸铁建筑图解》（1865年）是描绘19世纪美国铸铁建筑艺术和实践的最佳记录，在现代摩天大楼出现之前的三四十年里，一直为都市商业建筑提供设计选择。虽然铸铁建筑的许多元素和技术已经被使用，博加德斯仍然可以很公正地被看作是铸铁建筑的发明者。他的发明与这个时代相得益彰，并且很快成为一种大众文化不可或缺的一部分。

爱德华·迪斯特尔坎普/撰

约瑟夫·帕克斯顿

景观园艺师与建筑师

（1803—1865年）

约瑟夫·帕克斯顿是位设计师及园艺建造师，他设计建造花园、景观公园、温室花房、展览建筑、冬季花园、水景和建筑。他曾接受过园艺的训练，这为他日后出色的职业成就打下了基础，造就了他敏锐的观察、学习、分析和组织能力，并与他广泛涉猎的设计很好地结合在一起。他的兴趣包括园艺、公园和墓地规划、建筑、采暖通风、大都市发展策划、供水和排水。帕克斯顿出生于一个有九个孩子的家庭，他排行第七，父亲是贝德福德郡的一个农夫，在约瑟夫七岁时便去世了。约瑟夫很年轻时便开始为两个私家花园做园丁，随后在皇家园艺学会的花园工作。在这里，他非凡的才能得到德文郡六世公爵的赏识，1826年被任命为德比郡查茨沃斯庄园的首席园艺师。帕克斯顿为感谢公爵的鼓励和信任，认真负责地承担了庄园的大量工作，一直服务到1858年公爵去世。帕克斯顿的这种特殊角色使得他日后能够获得大量的项目，包括使其功成名就的国家重点项目。

查茨沃斯

19世纪30年代到50年代，帕克斯顿创造了查茨沃斯迄今为止最美丽的花园，无论从设计还是建造水平上都引起了世界的关注。其伟大的成就包括水景设计、蓄水池、美丽的皇帝喷泉和输水道、穿越景观的连绵路径，以及灌木和乔木植被。他设计的公共花园和娱乐场地项目包括利物浦的王子公园（1842年）、斯劳的阿普顿公园（1843年）、哈利法克斯的波肯黑德公园（1843年）、巴克斯顿公园（1852年）、人民公园（1856—1857年）、邓迪的巴克斯特公园（1859年）、邓弗姆林的大众公园（1864—

1865年），以及影响力巨大的为锡德纳姆水晶宫打造的美丽景观设计（1856年）。他当时的助理约翰·吉布森、爱德华·坎普和爱德华·米尔纳后来都成了有影响力的独立景观设计师。

约瑟夫·帕克斯顿的肖像版画，在1851年万国博览会时期绘制。

帕克斯顿在查茨沃斯最主要的成就大概是创造了一系列的玻璃温室，它们在当时是这类构造中规模最大的，里面存放着公爵无可匹敌的植物收藏。帕克斯顿花费了15年时间精心地设计了一个木构和玻璃搭配的独特结构系统，后来被用在伦敦海德公园的万国博览会上。这个“垄沟”系统通过实验演变成可以适用于不同形状和大小的结构。帕克斯顿相信在建设玻璃温室中时木材比生铁要更优越。和其他同时代人截然不同，他的垄沟系统经过特殊设计，可以很快地将水（外部和内部）排出，以防对木材产生腐蚀。特殊设计的蒸汽切割机器能加工出完美的木制玻璃分隔条、屋脊椽条和檐沟椽条，然后再简单地上漆。

查茨沃斯的大温室（1836—1841年，1920年拆除）是欧洲同类中最突出的，在之前人们从未尝试过这等规模的结构。帕克斯顿和建筑师德西默斯·伯顿合作，后者负责准备建筑图纸。1836年建成的大温室长84.4米，宽37.5米，建筑中点的高度是20.4米，这个规模远远超出了不久前建造的赛恩宫温室和沃本修道院温室。它的内部被两排铸铁柱子划分成三个区域，形成中部跨度21.3米的拱形中庭，侧廊夹在中庭两边。帕克斯顿的垄沟屋顶系统用巨大的胶合木拱支撑，呈弧形。这个温室的采暖使用了八个大功率的地下燃煤锅炉，煤烟经过一个地下管道通过远处树林里的烟囱排放。

1849年帕克斯顿在一个长方形的温室上设计了一个水平的垄沟屋顶，这个结构长18.7米，宽14.2米，是为培养大叶片的王莲而特别建造的。屋顶用轻质的铸铁横梁支撑，坐落在中空的铸铁柱子之上，这些柱子同时也起着雨水管的作用。虽然尺度不同，这个屋顶的结构设计后来被他用于建造万国博览会场馆，那个在海德公园的结构覆盖了71 843平方米的面积。帕克斯顿于1850年6月为他的设计申请了专利——“对重脊屋顶建造的革新”。

万国博览会场馆

虽然1850年3月帕克斯顿没有参加万国博览会场馆设计竞赛，但他意识到建设委员会在同年6月为博览会选择的方案不可能有足够的实施时间。于是他在6月11日德比的一个会议上提出了著名的吸墨纸建筑草图，解释了它的垄沟屋顶可以如何覆盖多层的大尺度建筑。在查茨沃斯的助手和工程师威廉·巴洛的协助下，他向委员会提交了方案图纸，后来又呈递给阿尔伯特亲王。这个方案7月6日发表在《伦敦新闻画报》上，伯明翰的承包商福克斯·亨德森和玻璃厂商罗伯特·钱斯参与了投标，7月15日投标被建设委员会接受，这些都在帕克斯顿画第一张草图的一个月内完成。

万国博览会场馆（1851年）因为运用标准化的大规模制造构件，得以在很短的时间里建造出规模如此巨大的结构，这个后来被称为"水晶宫"的建筑由此名闻遐迩。该结构长563.3米，宽124.4米，有一个横跨21.9米、高19.2米的中庭，两边是宽7.3米的

帕克斯顿设计的波肯黑德公园平面图，约翰·罗伯逊绘制，1843年。一些别墅和台阶住宅通过蛇形的马车通道与公共空间隔开，这些开发是为经济成本的考虑。

查茨沃斯的大温室基本上由木材和玻璃构成。巨大的胶合木制拱形成了中央筒拱，周边的侧廊通过内部的铸铁柱子支撑。

侧廊。内部空间被几排柱子划分，共有3300根柱子支撑着铸铁桁架。在中央，一个由巨大的胶合木拱组成的筒拱十字廊高32.9米，宽21.9米，从而可以在中间的玻璃屋顶下保留一些巨大的橡树。这个建筑耗费了超过83 612平方米的玻璃和16 999立方米的木材。帕克斯顿在博览会之后被授以爵位。

虽然万国博览会场馆最初是作为临时场馆建造的，但是建成后人们便开始讨论它的未来命运。帕克斯顿知道把它留在海德公园是不可能了，他于是提议将其拆解后在伦敦南部的锡德纳姆重建，成为一个提供娱乐场地的冬季花园。重新建造的水晶宫于1854年在锡德纳姆完工对外开放，甚至在屋顶水平长向设置了三个筒拱，比原来的结构更加辉煌。这个多层构筑物坐落在锡德纳姆山顶，统领着整个台地花园和下面层层

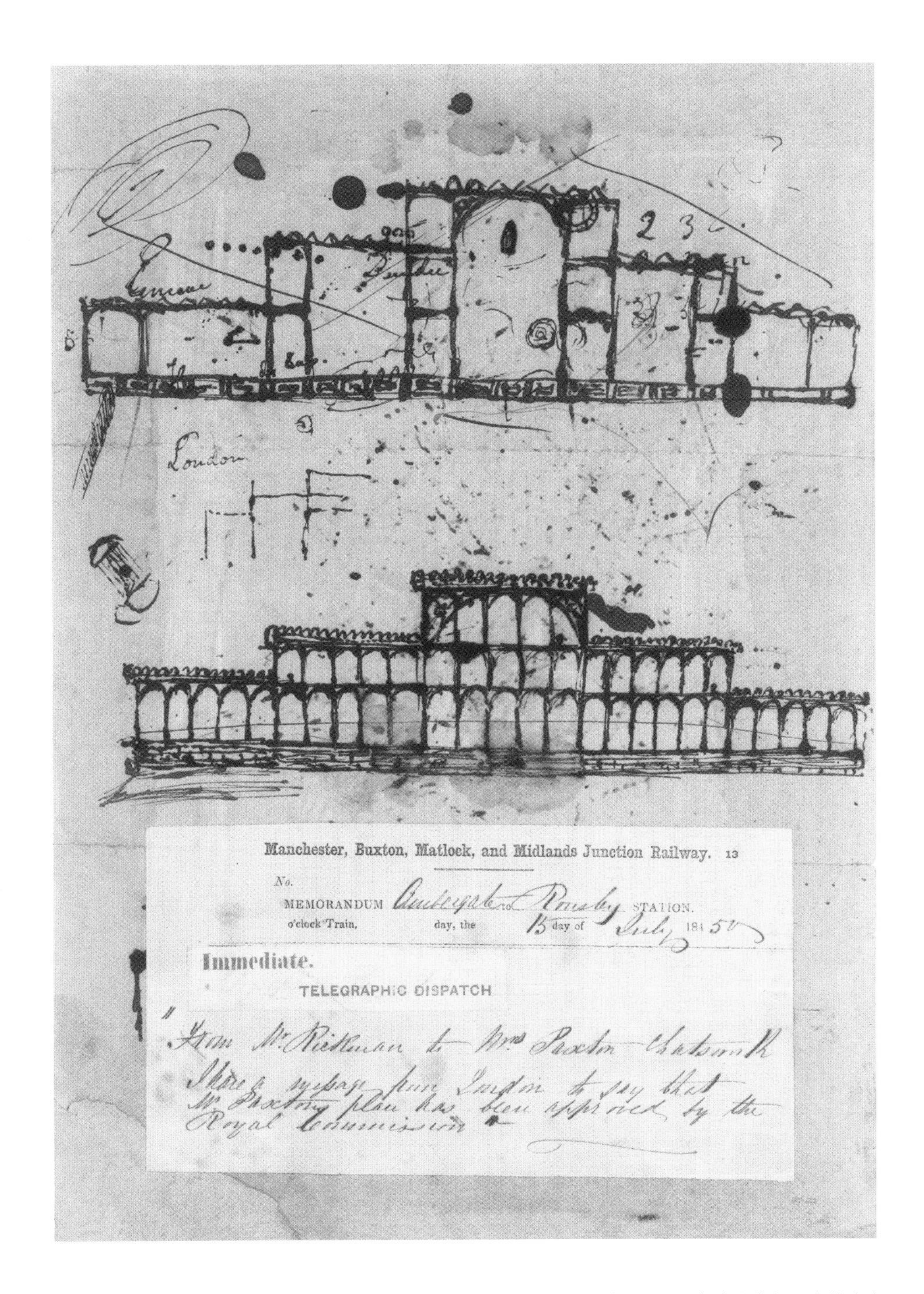

上图：1851年万国博览会主场馆的设计草图，这是帕克斯顿于1850年6月11日在德比参加一个铁路会议时在吸墨纸上绘制的。

第96—97页图：1851年万国博览会主场馆的室内图，伦敦海德公园。

在锡德纳姆的水晶宫、台地花园和喷泉的鸟瞰图，1854年。

叠叠的喷泉。该建筑在1936年被烧毁。

虽然帕克斯顿从未受过正规的建筑训练，但是他负责过许多不同类型的知名项目，例如在查茨沃斯的产业上重建的艾登瑟村（1834—1842年），还有一些大庄园和城堡，包括在德比郡为约翰·阿尔卡特设计的伯顿庄园（1846年）、在约克郡为德文郡公爵设计的波尔顿修道院（1844年）、在白金汉郡为梅耶·德罗斯柴尔德男爵设计的蒙特莫尔庄园（1850—1855年）、为德文郡公爵在沃特福德建造的里斯摩尔城堡（1850—1858年），以及为詹姆斯·德罗斯柴尔德男爵在巴黎附近建造的弗利埃庄园（1855—1859年）。帕克斯顿与他的建筑师助理约翰·罗伯逊和乔治·斯托克斯密切合作，后者还与帕克斯顿的女儿结了婚。

作为一名园艺师，帕克斯顿展现了18世纪景观传统与19世纪前沿园艺设计的完美结合，然而这些仅仅表现了他极其多样化才能的一个方面。帕克斯顿在设计公园方面也是成就斐然，他将玻璃用于建筑的实验直接影响了19世纪两个最为著名的结构：万国博览会场馆和锡德纳姆水晶宫。

皮埃尔·皮农/撰

维克托·巴尔塔

巴黎的市政建筑师

（1805—1874年）

维克托·巴尔塔出生于巴黎。他的父亲路易-皮埃尔·巴尔塔（1764—1846年）是一位著名的建筑师，1818年到1846年是巴黎美术学院的理论教授，他是市政建设理事会的成员，设计了塞纳河边的监狱。维克托于1824年进入巴黎美术学院就读，在那里他跟随弗朗索瓦·德布雷、夏尔·帕西耶以及自己的父亲学习。他获过不少奖项，因此获得了1834年到1838年到美第奇别墅，即在罗马的法国学院就读的机会。1840年回到巴黎后，他被任命为巴黎节日和艺术项目的监察人，这个工作是负责巴黎教堂的修复和装饰。他在这个职位上工作了二十年，策划设计了一些城市节庆美化项目，包括1862年欧仁王子大道（伏尔泰大道）的开通。

巴黎的教堂

巴尔塔做了许多巴黎的教堂项目，其中大多数是哥特式教堂建筑，工作内容包括装潢、修复和扩建。他与神职权威人士合作，负责决定教堂总体的装潢风格，将这些装潢植入建筑的不同位置。另外，或许最重要的是，他任命了那些可以承担装潢项目的艺术家（依波利特·弗朗德兰、让-路易·贝扎尔和泰奥多尔·夏斯里奥）。他以这种方式负责实施了许多教堂的装潢项目，例如圣塞弗兰教堂、圣路易当安丹教堂、圣杰曼德佩教堂、圣伊丽莎白和圣热尔韦教堂。他修复了圣杰曼奥塞尔教堂的开间，为圣厄斯塔什教堂设计了圣坛和管风琴架，他给圣雅克奥帕教堂、圣菲利普鲁莱教堂和圣艾蒂安杜蒙教堂加建了教义礼拜堂，他重建了圣尼古拉沙尔多内教堂的圆室，给圣让-圣弗朗索瓦教堂建造了入口门廊。

维克托·巴尔塔晚年，摄影：皮埃尔－安布鲁瓦兹·里什堡

他修建的最大的项目是圣勒－圣吉勒教堂（1857—1862年）。新开通的塞巴斯托波尔大道穿过这个教堂，这意味着歌坛后面的三个小礼拜堂都需要拆除。这样一来，必须重建教堂半圆殿，将其作为教堂面向新开通大道的主要立面。巴尔塔同时还要重建楼廊，使其适应道路的轮廓，将半圆殿伸出道路的一部分拆除。在大道上，他重建了新的礼拜堂和一个教区长住所。他对于立面巧妙的改造得到许多赞扬。同时他还设计了一个非同凡响的圣母礼拜堂，四个开放的成对隔断拱券支撑着一个水平的拱顶，一个大尺度的中心天花和九组小型的天花，每个都由两个隔断拱券支撑，且都是水泥建造的。巴尔塔欣赏中世纪晚期和文艺复兴早期的艺术，他的设计宗旨一直是尊重传统的建筑，但绝不抄袭以前的东西。

圣奥古斯丁教堂是巴尔塔的杰作。这个建筑具有不寻常的布局，体现了华贵的宗教建筑特性。这个项目是1859年乔治－欧仁·奥斯曼直接委托的。因为扩建马勒泽布大街，在恺撒开罗大街的转角形成了一个楔形地块，为此奥斯曼决定建造一座教堂。教堂工程建设从1860年到1871年，这个建筑的主体是中央高达60米的穹顶；正方形的中堂的转角切成斜边，带肋架的穹顶坐落在帆拱上。中堂、歌坛（圣母礼拜堂）和两个形成耳堂的礼拜堂（半八角形）都汇集在中央。尽管没有具体文献可以参考，这个集中式教堂连同其装饰都使人联想起拜占庭建筑，只有中央的穹顶和石材的砌筑很明显是受意大利文艺复兴的启发。这个教堂最受人关注，也是在当时备受批评的特色，就是室内的金属框架。由于用地狭窄，无法在室外建造用于支撑中堂拱顶的扶壁，所以巴尔塔选择了铸铁柱子和金属框架支撑拱顶，避免了多余的横向支撑。这是由用地形式决定的建筑结构，造成了令人称奇的原创性效果。

巴尔塔同时也监督完成了在银行大街上的廷贝尔府邸，这个建筑起初是由保罗·勒隆开始建造的（1846—1851年）。他后来又参与了拿破仑墓（1841年）和

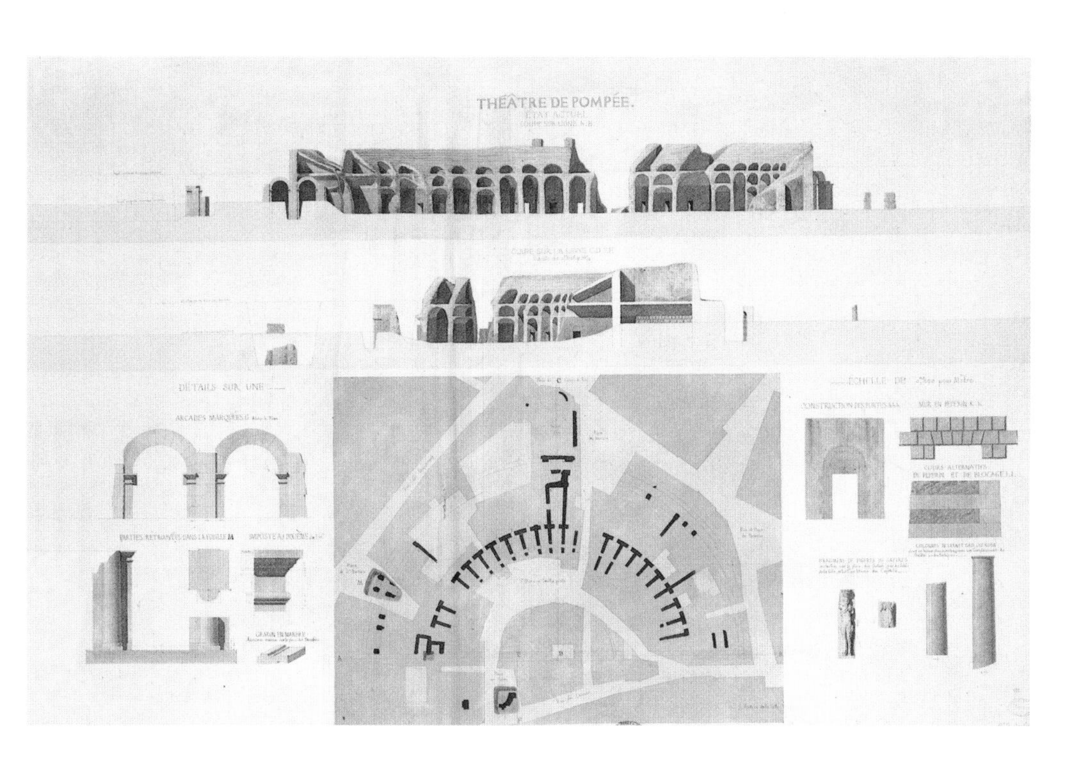

罗马的庞培剧场废墟平面和立面图，罗马，1837—1838年巴尔塔在巴黎美术学院时绘制。

1873年重建维勒府邸的竞争，不幸并没有成功。他同时也设计过在亚眠的维勒府邸（1849—1854年），也未建成。作为一个教区建筑师，巴尔塔设计过圣叙尔皮斯修道院（1849—1854年）。作为一个新教徒，巴尔塔也曾经将潘特蒙特修道院改造成新教教堂（1844—1852年），并因此赢得了为内拉克（洛特-加龙省）新教教堂设计的宏伟的八边形平面的项目（1852—1853年）。他还为特鲁瓦大教堂装修过圣母礼拜堂（奥布省，1841—1845年），在此项目设计过程中，引起了人们对于是否应该采用哥特风格精准样式的激烈争论。作为巴黎的首席建筑师（自1860年起），他参与过维勒府邸项目，在其对面加建了附属建筑。巴尔塔还创造了一种特殊的陵墓设计：在拉雪兹神父公墓，他设计的最著名的作品是维克托·库辛墓（1866年）、他的画家朋友伊波利特·弗朗德兰墓（1864年）、J.A.D.英格尔墓（1868年），以及路易-詹姆斯-阿尔弗雷德·勒费比尔-韦力墓（1873年）。巴尔塔在靠近巴黎的索镇为自己设计过别墅，为奥斯曼修建了在塞斯塔的城堡（吉伦特省）。

巴黎圣奥古斯丁教堂中堂，1860—1871年，巴尔塔革新性的金属框架清晰可见。

巴尔塔和卡莱设计的巴黎中央市场的石材立面，1851年。

巴黎中央市场

1841—1843年巴尔塔开始着手设计巴黎中央市场，这是在旧市场的基础上的改造。为了获得新的设计想法，1845年巴尔塔被任命负责巴黎中央市场扩建改造工程的首席建筑师，一同承担这个项目的还有费利克斯-埃马纽埃尔·卡莱（1819年大奖赛冠军，巴黎的市政建筑官员）。在1847年用地范围最终确定之后，巴尔塔和卡莱被要求“赋予规划的建筑一个纪念性的外观”。于是在1848年他们提交了一个八个场馆的方案，每个场馆都包含一个巨大的铸铁框架，周围是具有纪念性的石材大门和墙体。1851年，与其他建筑师进行激烈的竞争后，巴尔塔的第六轮方案得到城市委员会和内政部的批准。第一个场馆的建设开始了，内部的金属结构被外部的石材面掩藏起来。这个“石材场馆”1853年引来了一场猛烈的批评风潮，成为公众的笑柄。拿破仑三世也站在反对的一方，宣称他更喜欢那种类似于新火车站的建造风格——“我只要巨大的遮蔽伞；不需要更多！”——这些批评造成了施工停滞。巴尔塔和卡莱解释说他们的设计仅仅是遵照项目的要求，在1853年他们又回归了原先1848年的方案，让金属结构更为突出明显。皇帝的批评论断无疑引发了一场非官方的竞赛，来参与竞争的方案越来越多。

建造中的巴黎中央市场。修改后的建筑最终于1853年完成，巴尔塔和卡莱将铸铁结构完全暴露在外。

最终的方案包含十个场馆，分成两组，东向六个，西向四个。每个场馆下面都有用于储藏的地下室，用砖和铸铁交叉拱建造，由五点梅花形的铸铁柱子支撑。外立面材料同样用了铸铁（支撑柱子）和砖（分隔墙体）。底部基础上是大拱窗。边廊和采光亭的铸铁框架结构用更多的铸铁柱子支撑，采光亭（在大场馆中的双层空间）采用天窗采光。巨大的垂直开间坐落在分隔边廊和高大的锌屋顶的墙体上，引进自然光并使空气流通。在两组场馆之间的街道被一条双坡屋面覆盖，中间带有镂空天窗。1874年巴尔塔去世，而这座建筑在同一年最终落成。亨利·德拉博德写道："巴黎中央市场看上去是那种最为成功的建筑，真实地反映了我们生活的时代：建筑是从我们自身的需求和现实想法中生长出来的。"

史蒂文·布林德尔/撰

伊桑巴德·金德姆·布律内尔

有远见的铁路工程师和船舶设计师

（1806—1859年）

“铁路正在建设中，我是英格兰最出色的工程师——有可观的薪水，每年2000英镑——和负责人合作愉快，一切都很顺利，但是我们曾经有过多少争执啊。”这是29岁的布律内尔在1835年12月31日的日记里写下的。那时，他是从伦敦到布里斯托尔的大西部铁路线的工程师，一个月前开始了伦敦西部的万恩克里夫高架桥的建设。承包商招募来的上千个壮工正准备开始挖掘。他的建造铁路的经验都来自东北部的斯托克顿到达尔灵顿铁路线，以及从利物浦到曼彻斯特的往返铁路线。

早年的挑战

布律内尔的命运是与大不列颠，这个世界上最早的工业社会开始配备第一个铁路网同时开始的。他的父亲马克·伊桑巴德·布律内尔1769年出生于诺曼底的阿克维尔。1799年老布律内尔来到英格兰，向皇家海军提供了一个新想法——机械制造战船的木制滑轮——朴次茅斯的木滑轮加工厂成了世界上最早的机械生产线。老布律内尔和他的英国妻子索菲娅在朴次茅斯生下了儿子伊桑巴德，他最初跟随著名的巴黎钟表师路易·布勒盖学徒，后来又来到伦敦的莫兹利父子与菲尔德公司，受教于当时最好的机械工程师。在20岁之前，他已经做好准备，可以协助他父亲最大的项目：罗瑟希德和沃平之间，位于泰晤士河的隧道。

泰晤士河隧道的想法非常大胆，当时大多数人都宣称此项目是不可能实现的：有人试着挖了几个洞，发现上面的土会塌陷下来。马克设计了一种保护隧道工的方法：用铸铁打造一个隧道防护网。首先，他们挖掉前方的土方，然后将防护网用螺旋千斤

布律内尔设计的泰晤士河底隧道剖面图，在1827年5月18日第一次被淹后绘制。该隧道直到1842年1月才建成。

顶向前推进，砌砖的工人马上砌筑起一小段隧道，这个过程重复进行。在恶臭的淤泥中工作非常危险，1826年伊桑巴德被任命为驻场工程师，年薪200英镑。这时的工作变得更加危险：隧道被水淹没了，人们不得不封住隧道用泵将水抽干，但是隧道在1828年1月11日又一次被淹，当时正在隧道中的伊桑巴德差点儿丧命。泰晤士隧道公司不得不暂停工程，似乎布律内尔父子的职业生涯就此结束了，但伊桑巴德的职业才刚刚开始。

伊桑巴德到布里斯托尔疗养，在那里他赢得了跨越埃文峡谷的新克利夫顿悬索桥竞赛。他大胆地设计了一个跨度为214米的世界最长悬索桥。这座桥一直到1864年才完工，那时他已经去世了。他同时也获得了几个较为低调，但是非常有效的码头改造工程。因为布里斯托尔的商人和银行家都在担心，他们的城市会由于大西洋奴隶交易的竞争被利物浦超越。利物浦和曼彻斯特铁路的确是个威胁，因为它们很快会向南连接到伯明翰，然后到伦敦。于是布里斯托尔人最终在1833年3月7日成立了自己的铁路公司，他们委托伊桑巴德来测绘路线，这对于他的职业生涯是个转折点。

铁路设计师

伊桑巴德在接受任务的9周里，有24天骑在马背上巡查，最终找到了理想的路线。6月，他被任命为设计铁路线的工程师，国会于1835年8月31日成立了大西部铁路公司（GWR），布律内尔在其中起到了关键的作用，他的日记中记载了经历的艰难过程。他的宗旨是主干线的设计尽可能地走水平和直线：小城镇并不重要（实际上的确错过了很多）——它们可以后期用支线慢车连接。布律内尔设计的第一条铁路从伦敦通往迪德科特，长度83.5公里，平均升起高度仅有1/1320。

布律内尔的创新想法越发深入，他开始质疑“标准”的轨距——即铁轨间距143.5厘米。这个标准是乔治·斯蒂芬森和罗伯特·斯蒂芬森父子根据乔治小时候工作过的煤矿轨道，在早先北部铁路建设中制定的。布律内尔说服大西部铁路公司允许他建造一种宽轨铁路，铁轨相距2.1米。布律内尔提出的理由是宽轨可以运行更大更重的机车，重心更低，在高速时能够开得更加平稳，为未来提供更灵活发展的空间。布律内尔期望控制铁路线设计的各个方面。宽轨设计是个聪明的概念，但是大西部铁路根据他的设计生产的第一批机车性能并不稳定，且没有助力。最后拯救公司的是个年轻的机车监造丹尼尔·古奇，他后来成为布律内尔推广他的宽轨火车王国的关键伙伴。

布律内尔将机车的控制权让给古奇，自己依然在伦敦威斯敏斯特杜克大街的办公室里管理着其他大量的事项。他是个非常难以合作的人，对助理工程师和承包商的工作要求极高，工作起来也几乎没有节制。而他对自己极不吝惜，常常彻夜工作。从布律内尔保存下来的50本草图本中，可以看出他原创设计的桥梁、隧道、车站和其他结构。布律内尔希望他的铁路既适用又美观：根据草图本显示，他设计过埃及风格的高架桥、城堡形式的隧道出入口，以及哥特风格的桥梁。他为布里斯托尔的坦普尔兹车

克利夫顿悬索桥，埃文郡。这些塔也是根据布律内尔1836—1843年的设计建造的，但是由于桥梁公司无力偿还债务而停工。这个项目在1864年由工程师约翰·霍克肖和威廉·巴洛完成，作为对布律内尔的纪念。

布律内尔（右上）和同事，包括罗伯特·斯蒂芬森（左上），拍摄于1857年11月在伦敦米尔沃尔码头，放弃SS大东部号试航的时刻。

站（1839—1840年）设计了巨大的带有假梁的木屋顶，将巴斯车站设计成伊丽莎白乡村住宅风格，将博克斯隧道的出入口设计成宏伟的古典主义门洞形式。这其中最精彩的莫过于伦敦帕丁顿火车站（1852年）。

博克斯隧道是有史以来最长的、最难挖掘和施工最危险的隧道。它一共挖掘了四年，为此丧失了上百条生命。它于1841年6月完工，连接了伦敦和布里斯托尔。事实上，大西部铁路已经可以开通得更远，因为它创立了一系列附属公司——布里斯托尔和埃克斯特铁路公司、南威尔士铁路公司、牛津和拉格比铁路公司，等等——都是布律内尔担任首席工程师，采用宽轨道。在去世之前，布律内尔已经在英格兰和威尔士监造了超过1930公里的铁路线。

不知疲倦、头脑极其聪明的布律内尔不满足于简单的解决方法，这对于他的合作者并不一定是好消息。最失败的例子是南德文郡铁路，因为那里地貌复杂、坡度陡峭，布律内尔认为这是个实验新的技术的合理地点：大气牵引，即用两条轨道之间架设的一条真空管道来牵引机车。不幸的是，当时的材料技术不足以有效长久地维护真空技术。经过一年的实验，布律内尔不得不撤销此项技术，将铁路改造成常规机车线路，为此南德文郡投资商损失了240 000英镑，布律内尔也担负了浪费的指责。但也有很多例子证明了他的设计天才能够创造出精彩、经济的解决方案。比如说在设计康沃尔铁路中，他需要用仅有的600 000英镑的预算，在非常困难的地貌上建造86.9公里的铁轨。布律内尔设计了一系列木制高架桥，成为经济设计的杰作：虽然现在已经都被石材代替了，但这正是他的聪明所在——木制高架桥使得铁路先行运营，得到的收益再用来将高架桥改造成永久的形式。

布律内尔用砖、石材、木材、铸铁和锻铁设计过上百座桥梁。他后期设计的锻铁桥梁是最为精彩的，最后一座是德文郡和康沃尔郡之间，跨越索尔塔什的泰马河口的皇家艾伯特大桥。这座建造于1854年到1859年的大桥创立了一个新的形式，“封闭的悬索桥”，其中所有的应力都保持在结构之中，而不是转移到外部的锚固点上。

博克斯隧道西端的立面（1836—1841年），布律内尔将其设计成古典形式。这张平版印刷图片来自约翰·库克·伯恩的《大西部铁路史》（1846年）。

蒸汽船设计

如果布律内尔仅仅设计铁路，他也会被称为史上最伟大的工程师之一。然而他还有一个职业角色，即史上最有影响力的船舶设计者之一。1835年他正在设计大西部铁路时，在一个轻松晚宴的谈话中，他说道："为什么不把它（铁路线）造得再长一点儿，让一艘蒸汽船从布里斯托尔航行到纽约，把它称为大西部公司。"当时常规的小型蒸汽船装载的煤只够短途航行，计算下来，没有船能装载足够跨越大西洋的煤。布律内尔认为也可以反过来思考：船越大，马力－重量的比值就越有优势，一个足够大的船可以跨越大西洋，甚至不需要风力的帮助。他通过自己的魅力，在大西部铁路投资商的支持下，一起创建了大西部蒸汽船公司，于是SS大西部号（1835—1838年）就依照布律内尔的愿景建成了。它是历史上第一个设定既定目标的长距离蒸汽船，1838年4月开始

皇家艾伯特大桥，用来承载跨过索尔塔什泰马河口的康沃尔铁路线，1858年夏开始建造。第二层桁架曾悬浮在空中，用液压机器逐渐抬升到位。

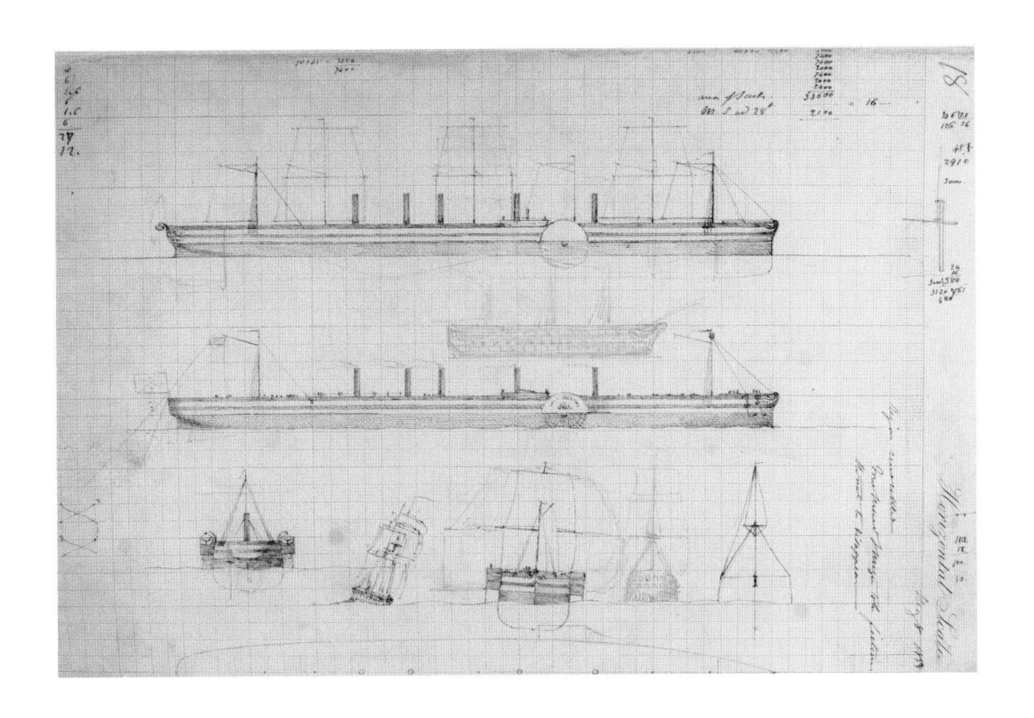

1853年布律内尔草图中的一页，展示了他设计的第三艘船SS大东部号的第一版草图。

它的处女航行，历时14天跨越了大西洋。

SS大西部号采用的是木质船体，布律内尔的下一个目标是建造一艘两倍大的生铁船体，SS大不列颠号（1838—1845年）就顺理成章地成为历史上最具革命性的船舶设计。布律内尔最初计划用蹼轮，但在1840年，他看到了世界上第一艘，也是唯一一艘螺旋桨推进器的阿基米德号（那是弗朗西斯·佩蒂特·史密斯投资的），便说服他的经理人暂停建设，允许他进行更深入的研究。布律内尔后来为大不列颠号设计了螺旋桨推进器，它的效率极高，连现代的推进器也仅仅能比其多出5%到10%的效能。1845年大不列颠号进行处女航行，7天便跨越了大西洋：布律内尔又一次实现了运输工业的革命。

第三艘船，SS大东部号通常被认为是布律内尔最大的败笔，但它无疑是个令人称奇的工程项目。1853年布律内尔开始着手研究解决如何能使蒸汽船到达远东，由于目的地缺乏燃煤，船需要携带足够往返路途使用的燃煤。经过一些计算、画下了几张草图之后，他设计了一艘长达183米的船，有着27 000吨的排水量——是大不列颠号的6倍，一旦下水就会成为世界上最大的船。建造大东部号是个痛苦、冗长的过程，大东部汽船公司面临破产，第一个建造师约翰·司科特·拉塞尔离开了，留下布律内尔一个人继续工作。1857年1月，船体首次下水试航是个代价高昂的惨败，船体被卡在了航道上。大东部号最终于1859年9月7日开启了处女航行，在海上的第二天由于蒸汽阀短路发生了爆炸，造成五人丧生。直至今日，大东部号依然是最大的机械装置，从没有人试图控制过如此巨大的机器。布律内尔在大东部号上投入了很多——道德、智力和财力——这个灾难恐怕加速了他的过世，一周后他因为肾脏衰竭去世，享年53岁。大东部号没有能够盈利：它是个伟大的设计，但是它太大，超越了自己的时代。乔治·伯纳德·肖曾经注意到，合情理的人会适应自己的环境而生存，而所有的进步都依赖于不合情理的人。布律内尔不是个合情理的人，他是个设计天才，恐怕是英雄的工程师时代最有才华的天才。

蒂莫西·布里顿-卡特琳/撰

A.W.N.皮金

现实主义者与革命家
(1812—1852年)

英国建筑虽然具有许多魅力和特征，但英国极少出现建筑理论家和革命家。应该提及的是奥古斯塔斯·韦尔比·诺思莫尔·皮金，他是一个极其独特的人、一个极其激进的建筑师，同时又是一个矛盾的极端主义者，他有着建筑历史上最离奇的命运。在去世之前和之后，他在维多利亚时期或是遭受嘲弄、或是备受爱戴，然后又在长达半个世纪的时间里被完全遗忘。尽管之前他一直被认为是一个喜好繁复装潢的设计师（特别是威斯敏斯特宫的设计），20世纪40年代以来，现代主义历史学者自相矛盾地重新建立起对他的看法，认为他是20世纪中期那些教条的、无装饰风格的创始人之一。皮金对于近150年西方建筑史的贡献，至今仍存有争议。但是毫无疑问的是，他有着惊人的工作能力，不断创造出非凡的形象和想法，使得19世纪末整个世界都在羡慕英国的建筑。

在威斯敏斯特宫的皮金肖像，他的朋友J.R.赫伯特于1845年绘制。这位精力旺盛的建筑师只坐了20分钟让艺术家给他画像。

皮金出生于布卢姆斯伯里，他的父母当时住在伦敦波西米亚主义生活的中心地带。他的父亲是法国移民奥古斯特·查尔斯·皮金，曾为约翰·纳什绘制建筑和装潢图纸，是个分包设计师，这在大型建筑师事务所出现之前是个常见的职业。老皮金更为重要的成就是为地理作家和出版商约翰·布里顿出版的众多中世纪建筑的书绘制插图。关于作品布里顿要求老建筑的绘制尺寸必须绝对精确。老皮金则很擅长此事，他有时还能复原部分建筑，展示出旧式哥特礼拜堂和大教堂原有的样子。在此之前这类插图绘制大多是不准确或理想化的，这种新的科学的建筑测绘方式意义重大，因为当时的建筑师都渴望获得可靠的信息资源。

皮金的理论的形成和出版

皮金为威斯敏斯特宫设计的墙纸展示了他重新设计中世纪元素的才能。图中的样式可以追溯至1851年。

年轻的皮金帮助父亲测量和绘制插图，这些经历后来组成了他对于中世纪建筑百科全书般的知识。相比较于大多数现代建筑，他对于哥特建筑的结构和施工复杂性有深刻的印象，并且还能够理解每个极小部分构造的重要性。19世纪20年代和30年代对于建筑界来说是个灾难多发的时期，许多新建筑无论从美学上和技术上都惨遭失败。建筑师还面临着设计上的问题，例如装配的高效现代厨房和水管的设施，或者是像火车站那样的全新类型的建筑。关于这些问题，常规的、对称的和新古典主义的设计无法提供解决方法。于是皮金很早的时候便产生了这样的理念，即整个现代的设计方法从根本上就是错的，建筑从死胡同里逃脱的唯一方法是重新开始，从15世纪后期文艺复兴开始颠覆英国设计的那个点开始。

皮金是个天才的设计师，他协助当时已经成名的建筑师查尔斯·巴里绘制图纸，两人的方案赢得了1835年的英国新国会大厦的竞争。然而他一直站在威斯敏斯特宫设计的幕后。后来，他于1836年出版的《对比》一书，真正开始了自己的职业生涯。在那之前，他皈依了罗马天主教，住在索尔兹伯里郊外一所自己设计的中世纪折中主义

圣吉里斯教堂，齐德尔，1841—1846年。这个作品最接近皮金一生追求的高质量设计和建造标准。

风格住宅里，他以自己的书作为武器攻击现代生活和现代建筑。书的第一部分很少有人读，主要内容是他撰写的英国建筑历史是如何被宗教改革运动所误导。然而第二部分的一系列带嘲讽性质的插图则一直被建筑师们认真研究。在这一部分中，这个24岁的年轻人猛烈抨击了当时执牛耳的设计师们，例如纳什、科雷尔和斯默克，以及许多不太知名的建筑师。他将他们软弱无力的设计与英格兰辉煌的哥特荣耀相比较。他的信条是一个好的、有道德的社会能产生好的、有道德的建筑——这是一个全新的观念——而赝品和立面主义不可能为现代建造提供解决方案。

Class

皮金在随后1841年出版的名为《尖顶建筑或是基督教建筑的真谛》的书中，通过简单的语言和图片向建筑师解释了什么是好的、有道德的建筑以及如何实现它。他在书中说："建筑上不应存在多余的东西，所有部件都应当是便利性、结构性和适宜性的……哪怕是最小的细节都应当具有意义并服务于一个目的。"他的核心思想是，材料和建筑技术应当表达其用途和物理特性：比如说，屋顶主要作用应当是遮蔽、排除雨水以及表达它内部的构造；就算是最小的一个铰链都应该看上去是一个铰链，而不是一个藏在门内部的机械压轧的金属。尽管灵感来自哥特和中世纪，皮金的原则与当代的思潮合拍，主要来源于法国理性主义，认为生命的本质应当被理性地、和谐地、表意性地体现出来，这种倾向通常被称为"现实主义"。

基督教与民用建筑设计

皮金的客户虽然很少，但他们都是有影响力的人，能够在他短暂的15年建筑生涯中给他提供机会，使他设计出许多令人称奇的建筑。最早的客户是什鲁斯伯里的第16代伯爵约翰·塔尔博特，他是英格兰新近选举的罗马天主教廷的热心支持者。教廷不仅需要教堂，还需要修女院、学校、修道院和神职人员的住所。他在什鲁斯伯里资助的每一个建筑都委托皮金来设计。皮金在什鲁斯伯里设计出了他的杰作，斯塔福德郡齐德尔村的圣吉里斯教堂（1841—1846年）——一个15世纪晚期的美丽教堂的改造。这栋建筑从上到下都装饰着雕塑、壁画、瓷砖、玻璃彩画、黄铜与银制的礼拜法衣和饰品。在议会的帮助下，皮金也开始在应用艺术上复兴中世纪的技术。事实上他一生中的设计是如此之多，给后来那些狂热的崇拜者留下了一个哥特设计的参照宝库，这些人包括乔治·吉尔伯特·斯科特、威廉·巴特菲尔德以及整整第一代英国新哥特主义建筑师。

皮金最后设计建造的基督教建筑包括四座罗马天主教大教堂，即伯明翰的圣查德教堂（1839—1841年）、诺丁汉的圣巴尔纳巴斯教堂（1841—1844年）、泰恩河纽卡斯尔的圣玛利教堂（1842—1844年）以及伦敦萨瑟克的圣乔治教堂（1841—1848年），

左页图：皮金的"中世纪庭院"和容纳它的铸铁玻璃的"水晶宫"形成鲜明对比，强化了极度丰富的维多利亚式设计。

皮金被埋葬在他设计的圣奥古斯丁教堂内，和他格兰治的住宅毗邻，后者是他1843—1844年在拉姆斯盖特为自己设计的具有革命性的住宅。

还有数量比他生年还要多的小教堂。但是他设计的非宗教建筑也许才是他最为原创也最有影响力的作品。他设计的教育型建筑，例如修女院，充分反映了（实际上是决定了）居住者的日常生活模式，通常是一个长而蜿蜒的走廊连接着不同的房间：和对称的乔治亚式建筑完全不同。他设计的住宅，例如格兰治住宅（1843—1844年），是他在肯特郡拉姆斯盖特悬崖边上的自宅，也同样地具有革命性。所有细部都是精心设计的，平面和立面都反映了内部的功能和建造的方式。皮金拒绝妥协，他和当时流行的“如画式”建筑师设计的浪漫主义住宅毫无共同点，而那些建筑也大多是哥特风格的一个融入景观之中的版本。他对于基督教的热衷表现在他对设计逻辑性和建造完美性的追求之中，尽管他自己都几乎无法贯彻。皮金是个工作狂，也不断地在旅行，他在1851年的万国博览会中创造了他最后一件重要作品：在他的“中世纪庭院”中展示应用艺术的设计。可能是新近设计威斯敏斯特宫的钟塔而耗尽了他的精力，他在第二年去世，年仅40岁。而每当后人再次探寻他的作品和生平的时候，总能从中找到全新的东西。

马丁·布雷桑尼/撰

欧仁-埃马纽埃尔·维奥莱-勒迪克

哥特结构的愿景
（1814—1879年）

著名的建筑历史学家约翰·萨默森曾宣称维奥莱-勒迪克是建筑历史中最为优秀的两位理论家之一。他在现代功能主义如日中天的时候提出这样的观点，可能不如在20世纪40年代时听上去更有说服力。尽管如此，能够在建筑构造方面引起如此具有争议性的问题，维奥莱-勒迪克依然是无人能及的。对于从法国到俄国的欧洲新艺术运动，维奥莱-勒迪克的影响力是最为显著的，他的两卷本著作《论建筑》（1858—1872年）被亨利·范布伦特译成英文之后，成了19世纪末美国阅读量最多的建筑著作之一。弗兰克·劳埃德·赖特在自传里承认他曾经认为维奥莱-勒迪克的《11至16世纪法国建筑词典》是“建筑领域里唯一的真正实用的书籍”。

维奥莱-勒迪克的版画画像，利奥波德·马萨尔雕刻，1867年。

维奥莱-勒迪克的著作主要致力于哥特建筑和传统建筑修复实例。但他也在建筑现代主义运动的降临中扮演了重要角色，这也许会令人感到出乎意料。法国中世纪的纪念性建筑修复几乎都经过他的不知疲倦的手：韦兹莱的圣马德莱娜教堂（1840年）、圣德尼大教堂（1846年）、亚眠大教堂（1849—1874年）和兰斯大教堂（1860—1874年）、皮埃尔丰城堡（1857—1879年），以及卡尔卡松城堡（1846年）都被维奥莱-勒迪克修复而极大地改观。最著名的项目是巴黎圣母院的修复（1845—1864年），几乎每

马德莱娜教堂前堂横剖面，韦兹莱，维奥莱-勒迪克修复，1840年。

一块石头都经过修整。甚至最上面一层的56个怪物形状的滴水兽——已经成为巴黎著名的中世纪象征——实际上是维奥莱-勒迪克的现代创作。

对于维奥莱-勒迪克来说，中世纪是个源源不断的建筑知识和想象的宝库。他发展的结构理性主义理论和这些历史资源关联紧密。维奥莱-勒迪克出生于巴黎一个知名建筑师和学者家庭，从小受到他的舅舅，著名艺术评论家艾蒂安·德莱克吕泽严格的古典艺术与文学训练。维奥莱-勒迪克长大后正好赶上19世纪30年代席卷法国的浪漫主义运动。他不愿意受到学院派教条主义的限制，因此拒绝到著名的巴黎美术学院学习。相反，他对中世纪历史的浪漫主义情怀兴趣浓厚，像朝圣者一样到法国南部、诺曼底、沙特尔和圣米歇尔山去旅行，一丝不苟地花费大量的时间绘制了法国建筑文化遗产的图纸。维奥莱-勒迪克具有天才的绘画能力，他第一个成就是20岁时在1834年巴黎沙龙竞赛中获奖，使自己的水彩画悬挂在沙龙的绘画区域。1835年维奥莱-勒迪克完成了路易-菲利普的一个绘画委托项目，随后的两年里，他用挣得的钱在意大利旅行，带回了上百张绘图作品。他开始酝酿一系列图解的论文，为的是将历史文化带回到现代社会。

修复工程的展示

维奥莱–勒迪克职业生涯的转折点是1840年他受委托主持修复韦兹莱的圣马德莱娜教堂。这个项目不仅需要考古专业方面的判断，而且还有高难度的结构稳固性问题。第一年修复过程中，年久失修的教堂前廊一片完整拱顶就倒塌了。如果不是维奥莱–勒迪克在这之前重建了中殿已经破败的拱顶，这个事故将会造成整个建筑致命性的损毁，而不只是一些石头在工人手中摔成粉末那么简单了。后来这个项目的圆满完成对于维奥莱–勒迪克来说具有启示性。首先，它展示了维奥莱–勒迪克的实践能力，对于他绘制图纸的才能是个有用的加分。更重要的是，他19世纪30年代提出了历史保护，这个项目向他展示了结构问题可以在保护过程中被有效益地灵活解决。结构的逻辑问题从静止的外部形式分类，转向内部的对风格塑造灵活性的理解。从结构逻辑角度去思考中世纪教堂是从更深层次去看待历史的关键：不仅仅是一种图像化的视觉性，而是将自己放在一个建筑初始建造时工匠的位置上来思考。在经历了以中世纪石匠的角度来看待建筑之后，维奥莱–勒迪克的职业生涯就此展开。

维奥莱–勒迪克设计的巴黎圣母院屋顶的怪物滴水兽，维克托·约瑟夫·雅内特雕刻，1849年。

由于第一个项目圣马德莱娜教堂的成功，维奥莱–勒迪克和他的合伙人让–巴蒂斯特·拉叙斯一起于1844年获得了著名的巴黎圣母院的修复项目。这个项目稳固了他的专业地位，向公众展示了他对哥特建筑的青睐。中世纪的私人喜好变成了整个建筑界的革命。维奥莱–勒迪克和一群“克雷蒂安艺术”的热烈拥趸者，发起了一个反学院派的运动，试图重建法国传统的建造方式，这是一个在理性主义和民族主义这两个概念之间的论战。哥特建筑不仅在结构上比巴黎美术学院传扬的古典主建筑更加理性，而且在法国文化中有更深的根基。

E. Viollet-le-Duc del. Cl. Sauvageot

MAÇONNERIE

A. MOREL, Editeur Imp. Lemercier, Par

用铸铁构件支撑的敞廊市场，取自《论建筑》，约1868年。

扩大影响

随着1848年革命及第二帝国的建立，再加上他的朋友普罗斯珀·梅里美的影响力，维奥莱－勒迪克在历史遗产和教区服务部门稳固了自己的位置。在这些方面他有着绝对的权威，很快便成为全法国教区建筑师大军的首领，他的著作《11至16世纪法国建筑辞典》使他的理性主义理念广为传播。维奥莱－勒迪克宣称他已经“汇集了一个小部队的艺术家……整齐划一地行进着，并招募追随同样原则的新成员”。1863年他力图将影响力扩展到建筑界的精神中心，和梅里美一起掀起巴黎美术学院的极端化的教育改革。

这个时期维奥莱－勒迪克已经逐渐不满足于自己被定义为哥特复兴主义者，于是将注意力转向现代的铸铁工业建造。他一系列著名的具有前瞻性的采用铸铁设计的项目——绘制并发表在他的《论建筑》一书第11、第12和第13部分——都是在很短的时

左页图：维奥莱－勒迪克的《论建筑》插图，展示了一个大型集会房间铸铁框架支撑的屋顶，约1868年。

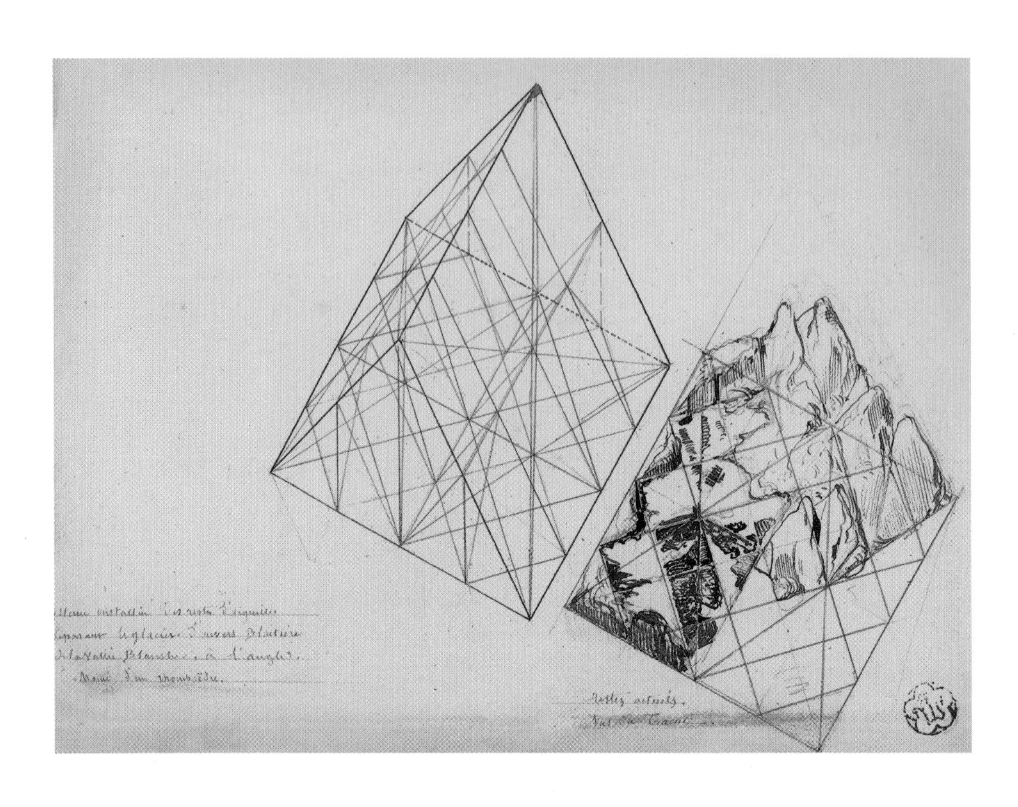

维奥莱-勒迪克对勃朗山布兰奇山谷中一座山峰的晶体结构研究，约1874年。

间内，即1864年到1868年之间设计的。这些项目都是巨大的集会空间，大跨度的屋顶形式是受到来自晶体和细胞形状的启发。铸铁当时已经是设计大空间的示范性材料，但是维奥莱-勒迪克并不在意将它用在常规的遮蔽性建筑中，比如花房、火车站、市场，或是展览建筑，他更关注将生铁材料用于当代民用建筑的大型集会空间中：音乐厅、市政厅、镇政府等。他谴责当时的一个现象：“当集会人数太多了，就没有足够的空间可以容纳”，建筑师没有成功地在一幢建筑中设计出足够大的空间，“使得人群可以自由出入和轻松地呼吸”。他再次补充说，应当参考中世纪的大教堂，找到给人群提供空间的办法，这是一个用铸铁设计来继承哥特建筑的有效方式。

这些未能建成的精彩的作品展示了一种扭曲的结构逻辑，铸铁构件如同假体一样支撑着砖石的拱顶。维奥莱-勒迪克不提倡直接运用现代的工程结构，他寻求的是更复杂的东西，与他对于建筑形式历史演变的理解，以及他对于自然生长系统的执迷相关。1870—1871年的佛朗哥－普鲁士战争灾难之后，意志消沉的维奥莱－勒迪克夏天的大多数时间在勃朗山跋涉，欣赏着壮观的山脉的形式结构，思考着时间的问题。在生命的最后十年里，他减少了自己的建筑创作，将注意力转嫁于一些其他活动，例如撰写童书：他写一些短故事，希望通过直接接触“各阶层的儿童”来帮助重振民族士气，教导法国的年轻人如何思考，以及如何聚集起力量“早上起床并开始工作”。那时维奥莱－勒迪克是一位非常活跃的信徒组织的首领，他的影响力的传播范围不仅存在于在世袭教会和基督教建筑领域的贡献，还通过他掌控的专业期刊和建筑出版物的网络得到扩展。维奥莱－勒迪克于1879年在洛桑去世，此前，虽然一直被保守者看作是个背叛者，但是他几乎也成为一个活的传奇。他的理性主义教导对后世有着长远的影响。

麦克·克赖姆斯/撰

约翰·福勒

著名的城市轨道交通缔造者

（1817—1898年）

福勒晚年肖像，埃利奥特与弗赖摄影。福勒是最早并且终生倡导保留项目影像记录的人。

工程师约翰·福勒最广为人知的项目是伦敦大都会地铁线和福斯铁路桥，其中任何一个项目的实现都可以让他称自己为一个伟大的工程师。他一生接触了千余个项目，主要（但也不完全）是轨道交通和铁路，并且通常会涉及大跨度和新概念的材料。他同时又是一个出色的管理者和委托人，能够说服客户、投资人和合作者首肯自己的判断。

约翰·福勒出生于谢菲尔德，父亲是一名土地测量师。他早期跟随莱瑟家族学习，主要是针对导航和供水系统的工程实践，后来又跟随机车先锋和铸铁大师约翰·尤佩斯·拉斯特里克学习，获得了铁路测量的经验。19世纪30年代，他帮助拉斯特里克设计了伦敦-布赖顿的砖石铁路桥，回到北方，他替乔治·莱瑟负责斯托克顿到哈特尔浦的铁路修建，在1841年3月铁路开通的时候成为莱瑟公司的工程师。他是维多利亚时期少有的几个真正负责运营铁路的工程师之一。20岁时，他向国会提出了改善伦敦的法灵顿街的意见。1865年11月，他成为土木工程协会历史上最年轻的主席，真是年轻有为。

福勒在19世纪40年代的成就归功于他参与的约克郡和林肯郡铁路的设计建造，其

上图：伦敦黑修士火车站正在建设大都会线，约1870年。摄影：亨利·弗拉瑟。
第128—129页图：1863年，刚刚开通的大都会线的国王十字站。

中很多现在已经被归于曼彻斯特、谢菲尔德和林肯郡铁路。他从一开始就显出用人的才能，能找到合适的助手并委以重任。他委派弟弟亨利做东林肯郡线路的驻场工程师，他未来的妻弟约翰·威顿也被他任命做类似的工作。另一个早期合作的伙伴威廉·威尔逊曾经受雇于生铁加工厂福克斯·亨德森，带来了铁结构的设计专长。他最有名的助理是自1860年来一直为他工作的本杰明·贝克。

国会的项目占据了福勒很多时间，于是在1844年他搬到伦敦居住。1851年3月他从伊桑巴德·金德姆·布律内尔手中接管并完成了牛津、伍尔弗汉普顿和伍斯特的铁路设计。公司和大西部铁路公司分家之后，雄心勃勃的福勒计划着扩展伦敦，但是筹不到必要的资金。

在建的福斯铁路桥的中央桁架，1889年9月。承包方的儿子P.菲利普所摄。

世界上第一条城市轨道交通

1853年福勒开始了他的奋战，开始建造伦敦大都会线，世界上第一条城市轨道交通，为此还推进了18条议会法案。起初这只是个中等规模的项目，从国王十字车站到埃奇韦尔路。然而福勒说服了一些持有怀疑态度的投资人和铁路公司加盟，将线路延长到帕丁顿和法灵顿车站，把泰晤士河北岸主要的轨道连接到城市中。尽管乘客在地下蒸汽货运段不甚舒适，但这条1863年开始启用的线路是个伟大的成功。19世纪60年代到70年代初这条线路继续延长：向北到圣约翰伍德，向西至哈默史密斯，然后通过独立的大都会区铁路公司的线路，自西端和泰晤士河北岸回到市区。由于购买土地的费用成本和工程难度的阻碍，建造一度受到阻断，直到19世纪80年代末格雷特黑德发明的盾构法确保能够在伦敦的地下黏土层进行挖掘才重新开始。于是福勒又回来为第一条地铁线担任顾问。

福勒也参与过伦敦地区的其他铁路线设计，包括伦敦线、蒂尔波利线和南线，以

本杰明·贝克著名的人体模型，展示了福斯铁路桥的悬挑受力原则。这个实验使得该项目于1887年被皇家学会认可。中间的是日本人渡边嘉一，他是福勒和贝克的学生。

及维多利亚站和维多利亚线。他在不同的时期也参与了英国许多主要铁路线的咨询，继布律内尔之后成为大西部铁路公司的顾问。其间，他参与了双复线和计量器的改造，包括重建梅登黑德铁路桥（1891年）。

在早期的职业生涯里，福勒展现了他砖石结构大师的才能，例如谢菲尔德的维克铁路桥设计（1848年），但他同时也证明他是一个敢于尝试其他材料的革新家。他是第一批采用威廉·费尔贝恩专利的管状锻铁桁架的工程师，最著名的例子是特伦特河上的托尔克塞铁路桥（1850年）。铁路检查团那时由于担心铸铁桁架变形而拒绝了公司开通铁路桥的请求。福勒在土木工程协会的支持下为此而争辩，他宣称检查团不理解桁架的连续特性概念。最终双方达成了妥协。

福勒也没有放弃铸铁，他看到该材料的优势和经济因素，将它用在两座当时最大的铸铁铁路拱桥上。19世纪50年代，塞文河谷桥的跨度为61米。福勒设计的维多利亚桥（1860年，即现在的格罗夫诺桥）是第一座伦敦中心跨越泰晤士河的桥梁。在这里他用到比铸铁较轻的锻铁，并且重新利用脚手架以便加快建造的速度。

伦敦米尔沃码头装配的门闸，1867年。

福斯湾的福斯铁路桥

福勒的名气更多跟大跨度桥梁相关，在设计了罗瑟希德连接外环铁路跨越泰晤士河的桥梁，以及在塞文河上的悬索桥和亨伯河桥后，他开始雄心勃勃地设想建造福斯铁路桥。这座桥于1890年完成，是世界上跨度最大的桥，足有520米。他和本杰明·贝克合作，后者设计了悬挑结构，证明了钢结构在建造中的价值。这座桥是维多利亚时期工程的一个杰作，直到今天也依然是苏格兰的一个象征。

福斯铁路桥被认为是桥梁从铸铁到钢结构的过渡，它的成功给土木工程师带来了信心，之前由于1879年泰河湾桥的倒塌，这个行业曾经蒙上了阴影。福勒的另一个不太为人所知的成就是用混凝土在克伦威尔路附近建造了一个跨度为23米的拱桥。第一次用石灰水泥建造的结构倒塌了，而1868年2月使用波特兰水泥的那一座成功了。但由于对质量的要求太高，这项创新并没有得到广泛的应用。福勒经常在基础结构上运用混凝土，1880—1881年还将其用在了哈罗公学的浴场内壁上。

福勒的铁路项目还包括一些大型的火车站，从伦敦的维多利亚车站（1860年）到格拉斯哥的伊诺克车站（1876年建成，1977年拆毁）、曼彻斯特的中央车站（1880年）、利物浦中央车站（1874年建成，1973年拆毁）和谢菲尔德维多利亚车站（1851年）。大跨度的屋顶采用半月形桁架，最大的跨度可达64米，是曼彻斯特车站。而他参与最多的是伦敦维多利亚车站。

像大多数首席英国工程师一样，福勒也负责监造海外工程。由于妻弟约翰·惠顿移民澳大利亚，他长期以来一直是新南威尔士州政府的工程顾问。1871年他被聘为埃及政府的顾问，参与了苏丹铁路的建造计划。他在埃及的调研后来被英国政府在当地执政所使用，他因此得到了骑士称号。他还是英吉利海峡大桥方案、新斯科舍省的契格尼克托船运铁路和北美城市铁路的顾问。

福勒同时也负责建造设计一系列码头和陆地排水方案，最著名的是伦敦的米尔沃码头（1867—1868年）。这个码头像维多利亚车站一样，是与建造商约翰·凯尔克合作的商业项目。福勒是维多利亚时期商业上最为成功的工程师之一，19世纪后半期几乎无人能在项目的广度和范围内企及他的成就。

福勒在土木工程师协会主席的就职演讲中，第一次严肃认真地提及工程教育，从而开启了这个主题的研讨。与特尔福德一样，福勒拥有一个很大的设计机构，他在管理方面的才能不亚于他的工程知识，使得他可以获得如此多的成就。由于福斯铁路桥的贡献，他获封男爵称号，满怀荣耀地在伯恩茅斯去世。

混凝土和钢

锻铸生铁和玻璃的量产改变了19世纪的建造方式，随着钢材的大批量生产，一个高层建筑的新时代来临了，持续不断地改变着地球上城市的面貌。铁和玻璃可以把城市的整个街区围起来：朱塞佩·门戈尼设计的米兰埃马努埃莱二世拱廊（1863—1877年），大教堂中心区综合改造中最重要的元素，是全世界城市中玻璃覆盖拱廊中最大的一个。这种建筑起始于巴黎，那里也是制造预制拱廊屋顶的地方。一个伟大的高塔的建造反映了生铁建筑的坚固传统（那在当时备受争议，现在则变成了法国首都的象征），这就是古斯塔夫·埃菲尔在1889年巴黎环球博览会上建造的铸铁铁塔。这种塔的形式——在40年之内一直是世界上最高的结构——是受到埃菲尔铁路桥的影响。埃菲尔是一个多方面的天才，空气力学的前沿人物，同时也负责建造了（在他的工程师莫里斯·克什兰和埃米尔·努吉耶的协助下）纽约的自由女神像的结构骨架。

在美国，金属框架结构的革命性想法可以追溯到19世纪中期的纽约，但于1871年中西部大城市芝加哥被一场灾难性的火灾摧毁后，才在那里得以实现。芝加哥是现代摩天大楼的发源地，有威廉·勒巴伦·詹尼的莱特大厦和霍姆保险大楼，也有更加激进的丹尼尔·H.伯纳姆和约翰·韦尔伯恩·鲁特的作品。他们是第一批用全钢框架设计高层建筑的建筑师（1881年）。后来路易斯·沙利文开始设想高层建筑的美学：他发明了一套建筑装饰理论附属于结构的主体表达。奇怪的是，这个理论和他作为功能主义先锋人物的名声相左（虽然理性主义思想的本质也和纽约早期摩天大楼的装饰倾向相反）。弗兰克·劳埃德·赖特大概是最负盛名的美国建筑师，他从沙利文事务所起家，以一系列“草原住宅”成名（1900—1920年）。他在流水别墅（1938年）中将混凝土用得出神入化，在约翰逊制蜡公司大楼（1939年）中的混凝土既成功地创新了结构，又达到了特殊的空间效果，用纤细的柱子塑造了他所谓的伟大的“劳动者的教堂”。即使在漫长的职业生涯晚期，他依然大胆地运用混凝土，塑造了纽约的所罗门·古根海姆博物馆室内的大坡道（1943—1959年）。

如果美国是金属框架结构的领跑者，那么欧洲人则率先探索了钢筋混凝土结构的可能性。弗朗索瓦·埃内比克利用早先他在英国的实验，在巴黎的基地将钢筋混凝土开发成为国际标准的建筑材料。这种材料最大的一个优点是能够在室内塑造大尺度的空间。一系列工程师，包括法国的欧仁·弗雷西内和瑞士的罗伯特·马亚尔用钢筋混凝土，在桥梁和其他功能性建筑上制造出惊人的效果，建筑师只剩下探讨美学的机会。虽然混凝土有非常强的可塑性，但是加泰罗尼亚建筑师安东尼·高迪却很少用到它（然而在他于1926年去世后，他未完成的巴塞罗那圣家族教堂却是大量运用钢筋混凝土继续建造的）。在20世纪前半叶，奥古斯特·佩雷选择了更加脚踏实地的原则。由于有着建筑工业的家庭背景，佩雷将混凝土变成一个不仅可以用在桥梁和工厂，而且能够用在其他民用建筑的材料。佩雷本质上遵循勒迪克的理性主义思想，他在巴黎的项目中发展出一套现代的古典语言，将混凝土作为一种可操作性的材料，通过精细的细部和颜色设计创造视觉上的魅力。他的作品很好地平衡了实用效率、艺术效果以及城市面貌的考量。相比较沃尔特·格罗皮乌斯和其他人倡导的国际风格的现代功能主义教条，佩雷提供了一种可替代的元素。跟佩雷学习过的年轻的勒·柯布西耶明显地受到混凝土这种新的建筑基本元素的影响。他的早期作品包含着古典主义的记忆，从他的萨伏伊别墅（1929—1931年）中可见一斑。他后期的作品从功能主义转移到象征性的建筑，例如朗香教堂（1950—1955年）和拉图雷特修道院（1960年），在这里混凝土被用来创造具有表达性的形式，这种深远而庄严的和谐持续地影响着21世纪的建筑师。

奥尔内拉·塞尔瓦弗尔塔/撰

朱塞佩·门戈尼

米兰维托里奥·埃马努埃莱二世拱廊的建筑师
（1829—1877年）

1863年到1877年朱塞佩·门戈尼在米兰设计并建造了维托里奥·埃马努埃莱二世拱廊，从此他的名字便牢不可破地和这个拱廊联系在了一起。这是米兰结构最为复杂、最具有挑战性的项目之一。1861年意大利刚刚统一，米兰正需要做出一系列决定，在基础建设、学院建筑和纪念性建筑设计上显示出城市新的生命力。一个多世纪以后门戈尼的拱廊依然保持着它的魅力，这是因为它位于米兰中心教堂广场和斯卡拉广场两个关键点的理想位置，也是因为它在这个伟大空间下的商业和餐饮吸引力。

科学与艺术的结合

朱塞佩·门戈尼出生于丰塔内利切的一个富裕的中产阶级家庭,那时那里还是教皇辖地。1848年革命之后，他同时在博洛尼亚大学数学物理系和当地一个美术学院学习，这些教育经历使他能够掌握未来复杂和广泛的建筑项目。1861年他参与了改造米兰大教堂前广场的设计竞赛，竞赛同时也包括了后来称为埃马努埃莱二世拱廊的区域设计。成功地在竞赛中胜出，标志着他出人头地的职业生涯的开始。他接受了大量项目委托，设计建造剧场、公寓、银行和用裸露金属框架覆盖的市场，同时还提交过罗马城的城市规划方案。门戈尼对现代建筑技术和材料的关注，加上他对传统和传统形式的尊重塑造了他的职业特色。然而这一切都在1877年12月戛然而止，他因从埃马努埃莱二世拱廊的脚手架上失足摔下而意外去世。虽然他的作品数量不多，但足以证明他是一个

多才多艺、专业并技艺高超的建筑师，完全适应充满变数的19世纪，满足飞速发展的社会需求。

维托里奥·埃马努埃莱二世拱廊

维托里奥·埃马努埃莱二世拱廊是一项极其复杂的工程，需要平衡政治、管理、经济利益和城市规划策略、建筑象征意义以及功能要求，还有技术问题和艺术因素。由于它处于米兰市中心，便成了关于如何重建大教堂前广场的无休止的讨论的一部分，人们想要一个既能够提升教堂，又能够体现城市中心的现代化的方案。1859年奥地利

左页图：米兰维托里奥·埃马努埃莱二世拱廊，约1867年主体刚完工之后。
下图：门戈尼的平面图展示了米兰大教堂广场的改造，以及他设计的新维托里奥·埃马努埃莱二世拱廊，1865年。

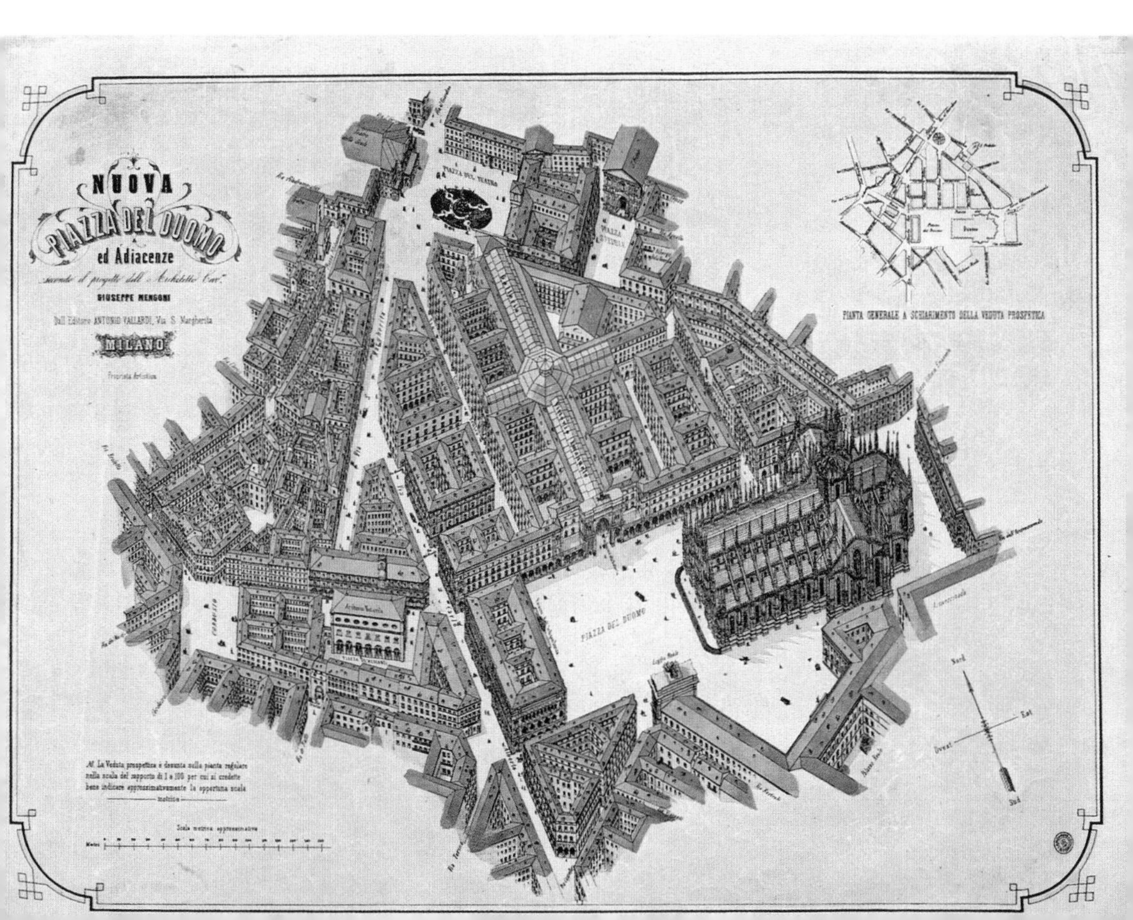

军队撤离意大利，米兰市政府启动了一个面向全体市民的竞赛，这个竞赛在1861年又重新向艺术家和建筑师开放，而门戈尼作为最好的竞标者被邀请进入1863年最后一轮的竞赛。他最后胜出的设计包含一个巨大的周围是连廊的长方形广场，通过一条有顶的通廊跟北面的斯卡拉广场连接起来，通廊下面是优雅的商铺和咖啡馆。这就是杰出的拱廊原型，由穿通的两条街道在中心形成一个八边形的“广场”。整个拱廊由生铁和半透明的玻璃天花覆盖，这是现代性和进步性的象征。

朱塞佩·门戈尼肖像，1877年。

既是建筑师又是工程总监的门戈尼表现出他优异的才能：他得进行繁复的征用和出售产权的协商、寻求资本、进行大规模的拆除和建造工作，同时还要维持公共和私人投资，以及建造计划和技术革新速度之间微妙的平衡。项目建造商，米兰城市发展公司（专门为此项目在伦敦而成立的公司）仅仅用两年时间便完成了整个拱廊，只有向着大教堂广场入口处的大门是1878年完成的。1867年这个令人愉悦的城市空间已经向公众开放了。

门戈尼改变了原设计，扩大了整个综合体的尺度，将建筑高度从三层加到五层。他的目的是要增加可租赁的面积和利润，这样就能够为建筑公司和城市委员会增加收益。这个决定同时影响了整个拱廊的氛围，由于它巨大恢宏的尺度，成功地将覆盖的城市通道提升至一个建筑类型。拱廊宽14.5米，立面高25—30米。巴黎美术学院的教授朱利安·加代曾宣称，只有具有勇气的建筑师和具有伟大视野的城市在一起，才能产生这样“真实的街道和真实的建筑”。扩大设计尺度的决定也影响了技术要求。建造的高度需要利用承重墙创造尽可能有弹性的空间，为“响应商业行为的不同需求”以及在建筑上建造沉重的生铁和玻璃天花——353 000千克重的金属——意味着必须用新的复合材料。小型的铸铁柱子、铁制的双T形梁和传统的砖石结构组合，创造了一种当时在米兰从没人见过的结构系统。金属框架藏在立面后面的砖石墙里，从屋顶看到

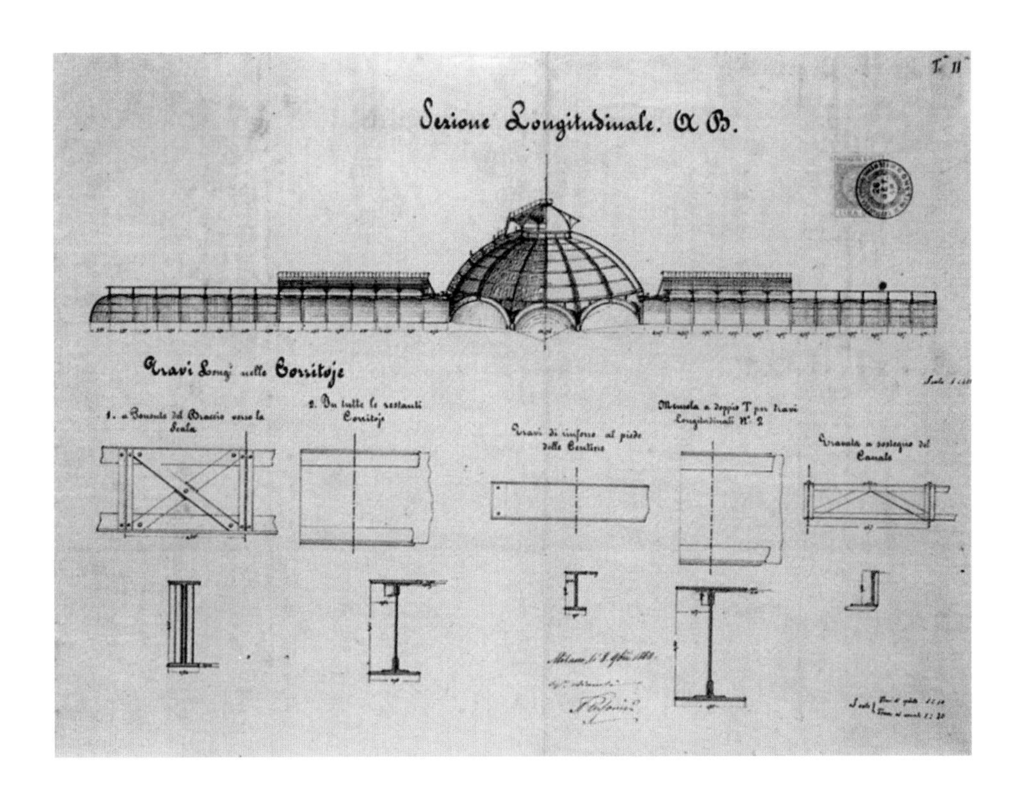

维托里奥·埃马努埃莱二世拱廊铸铁和玻璃屋顶的长剖面，由巴黎的亨利·若雷公司制造。

它的现代性，即放弃了传统用角铁支撑的桁架，以没有横向拉杆的优美的弧形拱肋取代，形成了一个大型的拱顶，映衬着下面的八边形中心。穹顶最高点达49米，宽度大约38米。

由于意大利没有合适的制造公司，建筑的构件是由法国巴黎的亨利·若雷公司预制并在六个月内装配起来的：由于文化和地方行政的差异，这样的速度是非常惊人的。门戈尼能够在这样非常规的场地上，每天组织大约1000名不同工种的工人实施不同阶段的工程，实在令人称奇。同样非同凡响的是他能将公共和私人的赞助结合在一起，更不用提意大利和外国公司的准备工作、服务和经验了。然而到了1867年，由于经济和管理的困境工程速度放缓，形势变得不乐观起来。大约过了十年，面向着大教堂前广场的凯旋拱门才建造完工，但是这期间拱廊已经被米兰市民喜爱并享用，他们喜欢拱廊的商店、装饰、光线和“生铁与玻璃天花”创造的氛围与空间感。1892年米兰理

拱廊的建造，1866年。除了入口拱门，其他部分仅仅用了两年便修建完成。

工大学的工程师们认为拱廊最值得称赞的是在城市中引进了“铁的形式，将它跟古典的砖石结构相媲美，因为它不再从属于规则的限制，而是将建造的尊严提升到一个新的高度”。门戈尼的拱廊影响了新商铺的拱廊设计，将意大利变成这种建筑的前沿，即空间和光的真正凯旋成为城市建筑中令人愉悦的永恒。

杰拉尔德·R.拉森/撰

威廉·勒巴伦·詹尼

发展芝加哥卓越的摩天大楼

（1832—1907年）

威廉·勒·巴伦·詹尼肖像。

威廉·勒巴伦·詹尼是主导19世纪80年代芝加哥摩天大楼发展的建筑师之一。他出生于马萨诸塞州的费尔黑文，在巴黎的中央工艺暨制造学院接受了专业的土木工程学教育，1856年完成学业。他在美国内战时作为工程师为联邦军队服务，1866年辞去少校的职务。他最初选择的是景观设计，为此曾到弗雷德里克·劳·欧姆斯特德公司求职。1867年他开始在芝加哥的桑福德·洛林事务所做初级合伙人，不过很快洛林就离开了事务所，开始专注于陶土材料的生产，而詹尼在西芝加哥公园管委会中找到了景观工程师的工作。1869年，詹尼受欧姆斯特德委托，协助建造芝加哥新郊区河畔区，在那里设计了他第一个重要建筑项目，河畔水塔和河畔酒店。

1871年芝加哥大火给詹尼带来了机会，他赢得了两个重要的商业建筑项目。但不幸的是，由于1873年的大萧条，芝加哥的重建工程停滞了六年。1874年詹尼的职业又回到大火之前的状态，他开始设计一些小型的住宅和教堂。1879年经济开始复苏，

下页图：詹尼设计的芝加哥霍姆保险大楼，1884—1885年。

CALUMET
BUILDING

建造中的费尔商店，詹尼设计，约1890年。铁框架系统的设计类似于后来詹尼设计的第二莱特大厦。

马歇尔·菲尔德的合伙人利瓦伊·莱特找到他，委托他在韦尔斯大街和门罗大街的转角设计一幢五层的公寓。詹尼希望最大化地将自然光引入室内，他将砖石柱子的宽度设计得和莱特大厦的两个街道立面一致，把支撑楼板梁的铸铁柱子藏在立面的砖石柱子后面。虽然铸铁柱子在1871年芝加哥大火之前就在外立面中使用过，但这是大火之后第一次在外立面上使用。

芝加哥第一幢摩天楼

詹尼在完成了莱特大厦（1879年建成，后拆毁）之后，发现芝加哥十层以上的办公楼项目都给了更加年轻的建筑师，那些建筑很快便被称为“摩天大楼”，他的事业受到阻碍，开始扮演起资深政治家的角色。丹尼尔·伯纳姆和约翰·韦尔伯恩·鲁特

1913年的芝加哥全景，前景是詹尼设计的第二莱特大厦，1889—1891年。

于1881年设计了芝加哥第一座摩天大楼蒙托克大厦，还有同期的其他高层建筑。1884年4月詹尼赢得霍姆保险大楼的设计，这是他在完成莱特大厦之后的十年中唯一的重要项目。此前，在芝加哥建成和在建的已经至少有七座十层以上的建筑。霍姆保险大楼可以看作是詹尼职业生涯中不寻常的一页，这不是他依靠他在芝加哥建筑界的名声才得到的项目，而是来自保险公司的地方代理人的个人关照，那人是他在参加内战中结识的朋友。20世纪初期的历史学家错误地将霍姆保险大楼称为“第一座摩天大楼”和“第一座生铁框架的摩天大楼”，而詹尼则被相应地称为“摩天大楼以及生铁框架结构之父”。最近的研究推翻了这种说法。詹姆斯·博加德斯于19世纪50年代在纽约建造了生铁框架建筑，被认为是美国铁制框架的发明家。历史学家还会将第一个摩天大楼设计师的称号赋予乔治·波斯特，他在1867年设计了纽约的公平人寿保险公司大楼。伯纳姆和鲁特也同样被认为设计了芝加哥的第一座摩天大楼。

对那个时代的评价和对霍姆保险大楼的评估证实了詹尼并没有独立发明铸铁框架

芝加哥曼哈顿大厦，1889—1891年。世界上第一座16层大楼，在詹尼的建筑设计中是技术上最为先进的建筑。

结构。在建筑后部有两面砖石承重分隔墙，和室内的铁框架一样，这都是当时的常规做法。与19世纪80年代标准芝加哥建造的做法不同，詹尼设计的独特之处是他将铸铁构件插入了外墙的砖石窗间墙体中，他在两个街道立面上使用过这种做法。这种支撑楼板梁的做法和詹尼在莱特大厦的做法类似，目的同样是要减少窗间墙的宽度以增加室内的进光。然而和真正的框架结构不同的是，这个结构没有每层连接柱子的圈梁，没有形成一个刚性框架。两个街道立面依赖于传统的砖石连接，与楼板梁共同起到稳定结构的作用。

生铁结构框架的发展

芝加哥的第一座生铁结构框架外墙的摩天大楼出现在凤凰大厦的阳光中庭，由约翰·韦尔伯恩·鲁特于1885年设计。鲁特第一次利用常规的生铁柱子和圈梁来支撑中庭的砖石围合，并且在每一层运用铁制的角撑和圈梁相连。鲁特在鲁克利大厦

1893年芝加哥世界博览会，詹尼设计的园艺展馆。

（1885—1888年）的阳光中庭中也运用了同样的细部。到1889年时，鲁特已经准备好将摩天大楼的结构和承重外墙完全脱离，这在兰德·麦克纳利大楼的设计中被第一次运用。这不仅仅是第一座全钢结构高层建筑，同时也是全陶土饰面的外立面的第一次运用。

虽然詹尼没有发明第一座框架高层建筑，也不是第一个设计全生铁框架结构的芝加哥建筑师，但是他在鲁特设计兰德·麦克纳利大楼之后，一直站在发展芝加哥高层建筑的前沿。詹尼的第一座全生铁框架结构建筑是他的杰作。在兰德·麦克纳利大楼完工后不久，利瓦伊·莱特再次委托詹尼设计的另一个项目，即后来被称作“第二莱特大厦”的建筑：在州街和范·布伦街转角的一个百货商店。詹尼设计了八层楼，立面处理直接表达了金属骨架结构。

第二莱特大厦（1889—1891年）标志着詹尼职业生涯高潮的开始，他在1890年邀请威廉·芒迪作为他的年轻合伙人。他们的事务所在1893年世界博览会之前承接了很多高层建筑的项目，其中技术最为领先的是曼哈顿大厦，于1891年完工。它不仅和伯纳姆与鲁特公司设计的蒙纳德诺克大厦（1889—1892年）一起成为世界上第一批超过16层的建筑，同时也是第一座设计了抗风支撑的高层建筑。两座建筑都位于迪尔伯恩街，该条街刚刚在杰克逊街南被扩宽，街道两侧相应的区块宽度被减小到20.7米。两个建筑师都考虑到如此窄面宽的高层建筑会带来的风力的影响，同时在室内增加了抗风力荷载的结构。在曼哈顿大厦中，詹尼第一次在高层建筑的刚性结构中增加了对角斜撑（伯纳姆和鲁特也是运用一样的做法）。

詹尼在1893年接到了设计世界博览会园艺展馆的委托，该建筑的设计标志着他职业的制高点，在那之后他逐渐让芒迪掌控事务所，1905年退休搬到南加利福尼亚，1907年6月15日在洛杉矶去世。

贝特朗·勒穆瓦纳/撰

古斯塔夫·埃菲尔

高层金属结构的策划者

（1832—1923年）

古斯塔夫·埃菲尔的名声不仅限于那个用他名字命名的巴黎地标，他同时还是个能干的商人和企业家，他的作品遍布法国、葡萄牙、西班牙、匈牙利、罗马尼亚、美国，以及南美和东南亚。他雄心勃勃、充满活力、富有决断力，具有训练有素的工程师所需的全部才能再加上创造力、按时完成项目的能力、对公共关系的理解力，以及能够吸引并保留最好的合伙人的能力。

埃菲尔出生于第戎，他的母亲在那里经营家族煤矿和火柴企业。埃菲尔的父亲是一个自学成才的人，他的探险精神和对知识的渴求遗传给了古斯塔夫。埃菲尔在法国最好的工程学校之一，中央工艺暨制造学院学习了三年，毕业论文的主题是化工厂的建造，他当时希望接手叔父在第戎附近的油漆工厂经理的职务。然而家庭关系恶化了，于是在1855年，即法国举办第一次全球博览会的那一年，埃菲尔开始了自己工程师的生涯。他为一个名叫夏尔·内沃的多面手工程师和承包商工作，他宣称自己的业务是“建造蒸汽机车、工具、锻造产品、锅炉制造、金属加工、文具生产、铁路车辆和土木工程”。不久之后内沃就帮助埃菲尔在铁路公司谋求了一个职位，使他获得设计了一个仅有22米跨度的金属桥梁的工作。这是他伟大的铁路桥梁设计师生涯的第一步，这类工程在法国很快发展起来。埃菲尔26岁的时候，内沃给他一个机会，让他在波尔多的加龙河监督建造一座500米的金属铁路桥。这是当时在法国建造的最长的桥梁之一，也是颇为重要的一个项目。桥墩的基础由空气压缩沉箱打入，这个方法后来成为埃菲尔最擅长的做法。

右页图：古斯塔夫·埃菲尔（左）和女婿阿道夫·萨勒站在巴黎埃菲尔铁塔顶端的旋转楼梯上，1889年。

et son Gendre et
1736
Mr G. Eiffel au sommet de la
ND.

铁路高架桥和跨河桥梁

埃菲尔在法国南部的南法铁路公司做了几个项目，包括图卢兹火车站和几座桥梁。1864年，32岁的埃菲尔决定自己创业。虽然经济来源有限，但是他拥有优秀的技术知识和一些铁路方面的关系。在做了两年的工程顾问之后，他攒钱购买了材料和一个工作间，成为一名建造师。他第一个靠谱的项目是为两座巴黎的犹太教堂做结构设计，然后他的公司接受委托，在法国中部的锡乌勒河上修建两座高架桥，由威廉·诺德林设计。埃菲尔的贡献是开发了河岸上的预制平台，这种方法后来变成了常规做法。在19世纪70年代早期，他的事业开始蓬勃发展，修建了更多的桥梁，最著名的是拉图尔的米约大桥和希农的多隆纳海岸铁路线。他也修建了一些结构框架和储油罐，在玻利维亚和秘鲁建造了栈桥、桥梁和储藏罐，他在智利边境上建造的预制教堂今天依然矗立着。

特吕耶尔峡谷的加拉比特高架桥，完工于1884年。净跨度160米，是埃菲尔公司的主要成就。

1875年埃菲尔得到两个重要的欧洲项目。一个是佩斯（现在的布达佩斯）的中央火车站，另一个是葡萄牙波尔多杜罗河上的巨大高架桥（玛利亚·皮亚），由泰奥菲勒·塞里格设计。他们一起设计了一个非常大的，跨度为160米的拱桥，省去了河上部分的脚手架，因节省开支而赢得了一项国际竞赛，同时也为埃菲尔公司获得了名声。在这期间，埃菲尔还参与了其他几个葡萄牙和西班牙的桥梁项目，以及为1878年巴黎环球博览会设计巴黎馆的结构。1879年他设计了巴黎乐蓬马歇百货公司扩建，并在两年之后建造了里昂信用银行总部。

葡萄牙玛利亚·皮亚大桥的成功给埃菲尔带来了另一个项目，在法国中部的马尔沃若勒–纳萨格穆铁路线上建造一座类似的桥，横跨特吕耶尔峡谷，以便省去在山谷上下的费用。虽然有些许不同，但加拉比特高架桥在细节设计上跟杜罗河桥非常相似，是埃菲尔职业生涯中最重要的一个项目之一。它在河谷中横跨160米宽，高于水面122米，看上去异常轻盈，优雅的拱形结构在每个细部上都处理得当。这座桥完成于1884年，为日后那座高300米的巴黎的塔开辟了新的道路。它们将会使用同样的原则、计算和结构，以及同一个技术团队。

自由女神像和埃菲尔铁塔

1884年埃菲尔带领他的技术团队，以莫里斯·克什兰和埃米尔·努吉耶为主力，设计建造了纽约自由女神像的骨架，进一步展示了他们的才华。这个结构骨架包含一个用轻质材料支撑的塔，外形是用铜片包裹着的巨像。1886年在尼斯建成的金属穹顶也成为巨像的参考。为了使巨像方便移动，埃菲尔将它放置在一个圆形的装满盐水的水箱上以防止冻结。除了这些发明以外，在20世纪40年代之前，埃菲尔的公司开发的轻便活动桥作为成品出口到世界各地，由此获得了可观的收益。

1889年环球博览会为埃菲尔提供了超越自己作为土木工程师角色的机会。在官方决策之前，就有人建议应当为纪念法国大革命百年竖立一座特殊的纪念碑。这种用高塔作为纪念物的想法之前已有先例，例如1876年费城博览会就建造了一座高达305米的塔。1884年5月，克什兰和努吉耶开始为巴黎设计一座塔，他们做了一些草图和计算，设计了一座包括四组桁架的高塔，塔底部分开，顶端连接。后来这个方案被建筑师斯

1887年10月8日到1889年3月12日期间拍摄的照片展示了埃菲尔铁塔的建造过程。

蒂芬·索韦斯特大幅度地修改，他将第一层连接在一起，四个主体柱子之间加上拱券，在平台上放置玻璃房间，并在立面上加了一些装饰的效果。埃菲尔对此方案深感兴趣，并且在1884年9月和自己的两个工程师一起申请了一项专利。此后他们花费了好几个月游说官方人员，最终在1885年开展的总规划和建筑竞赛中，就已经明确提到了一个极似埃菲尔塔的高塔。埃菲尔赢得了竞赛，他自己为建造费用贡献了一半的经费，又从巴黎市政府获得了一笔费用，条件是在1910年之前由政府管理该项目，剩下的钱则来自三家银行。

高塔建造还没有开始的时候，一篇名为《抵制埃菲尔塔》的文章就发表在当时法国主流报纸《时代》1887年2月14日的版面上。这篇文章由许多著名的文艺界人士联名签署，激烈和愤怒地反抗“对法兰西品位的亵渎……在法国首都中心建造巨大的埃菲尔塔”。文章的论调包括类似的形容：“一个机器制造商的巴洛克式的商业想象，一个巨大的黑色工厂烟囱，像墨水污渍。”埃菲尔通过采访回应这种抵制，他总结了自己的艺术性原则，辩解关于“塔的美学”的喜好：“难道人们因为我们是工程师就认为我们没有美的品位？或是认为我们不希望能在创造美的同时还能建造坚固耐久的建筑？难

道力的真实表达不总是与和谐连接在一起的?”他继续说道:“是的,我承认塔四个角的曲线是通过数学计算得出的……但它们在视觉上表达了总体构想的力度,将会展示力与美的效果。”这段文字至今都表达了埃菲尔矛盾的美学主张:根据科学和伦理的原则,本着理性和抽象的考虑。而他本人的品位则属于那种19世纪典型的布尔乔亚式的风格。

塔的建造极尽精确、效率和速度。在河岸边的基础采用气压沉箱技术,于1887年6月完成。1200块塔身结构需要700张工程图纸和3000张厂家制作图纸,耗费了40个雇员两年的时间。每一个预制的构件都是在8公里外的埃菲尔的勒瓦卢瓦-佩雷工厂制造,精确到0.1毫米。工地上曾经有150名到300名工人,一组建造高架桥的熟练工人负责每个关键部门。有12组30米高的临时脚手架,以及另一组4片45米高的脚手架支撑着第一层的桁架。爬升式起重机吊运构件。总体来说,整个铁塔仅用了22个月就建造完成,1889年是埃菲尔胜利的一年。埃菲尔铁塔在技术和公众方面的双向成功,成了工业化的象征和工程技术的杰作。摸索了几个世纪的大胆建造创新,确保了埃菲尔的国际名声。

建造中的巴拿马运河巨大的加东船闸，约1912年——在埃菲尔最初提供设计建议的25年之后。

科学家的新开端

然而埃菲尔也不幸地卷入到他那个时代最大的经济丑闻之中，即巴拿马运河事件。运河的运营商费迪南德·德·莱塞普斯从哥伦比亚政府手里获得在巴拿马地峡开凿一条运河的许可权。莱塞普斯自信于曾成功开凿苏伊士运河，选择了开发水平的运河。工程于1882年开始，然而该工程极其艰险——甚至在中美洲丛林中丧失了几千条生命——充分证明了该工程并不可行。埃菲尔被邀请建造十个巨大的船闸，包括它们的钢制滑门，这需要比埃菲尔铁塔高出15倍的造价。他同意用30个月完成，并开始以破纪录的速度工作：开挖基础的时候滑门就建好了，但当时的医疗技术不足以治愈疟疾和黄热病，于是运河工程变得异常缓慢，投资商失去了信心。由于再也拿不到投资，巴拿马运河公司在1889年2月4日宣告破产，莱塞普斯和其他信托人被告上法庭。虽然最后澄清了自身，但是由于被卷入诉讼，他决定从公司主席的位置辞职以保护公司的名誉。

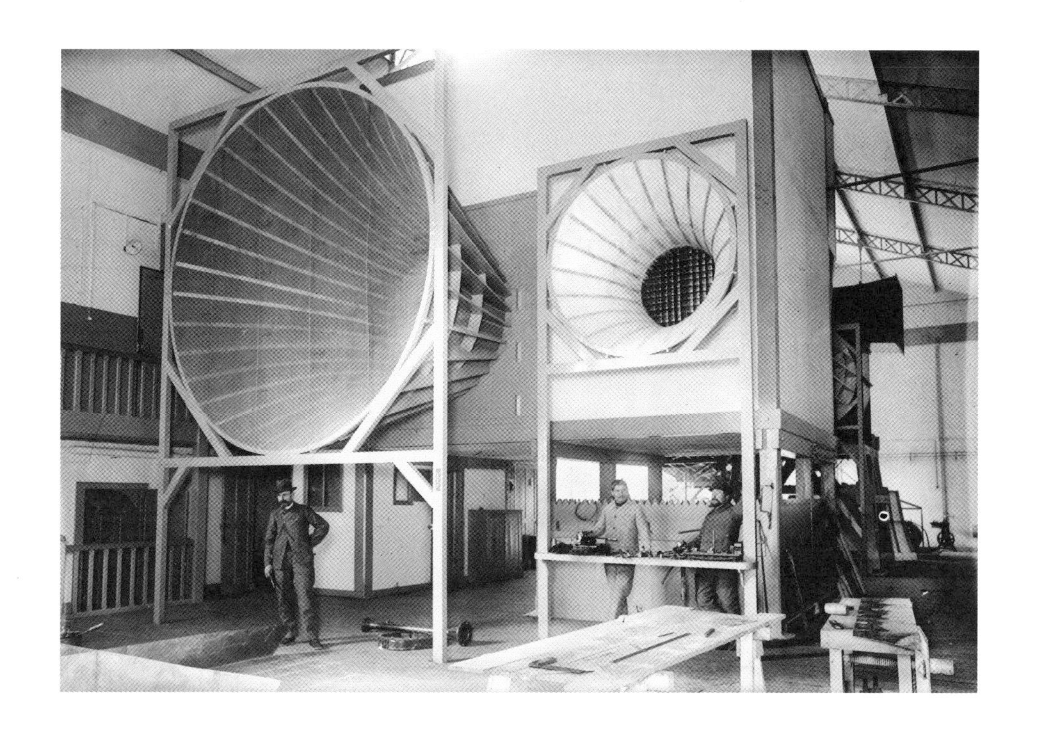

1912年埃菲尔在巴黎布瓦洛大街67号安装的风洞，风洞用于测试结构的空气动力学数据以及飞机模型。这个实验室如今依然在使用中。

于是埃菲尔开始他作为理论科学家的第二职业生涯，在三个领域成为领军人物：气象学、无线电报和空气动力学。他对气象学的研究开始于1889年，他在铁塔顶端设置了一个观象台。后来又在他的私人用地上建造了一些观象台，包括巴黎附近的塞尔夫、法国里维埃拉的比尤利、布列塔尼的佩皮尼昂和瑞士的沃韦。他自己出钱隆重地出版了自己的观察结果。他还鼓励一系列的科学实验，证实高塔的用途，比如说一个巨大的钟摆、一个水银晴雨表、生理学实验，以及第一个长距离的无线传输。1898年10月，欧仁·迪克勒泰收到了从巴黎万神殿的塔顶传来的电讯信号，四年以后费里船长建立了和法国东部之间良好的通讯交流。从此，铁塔被看作是有战略意义的地点而免遭拆除。也许埃菲尔最大的兴趣在于空气动力学：他在巴黎战神广场建造了一个风洞装置，1909年到1911年一直在使用，后来他又在布瓦洛大街建造了一个更大的风洞，这个风洞被沿用至今。在91岁去世之前，人们总看见他在实验室里指导工作、监督出版他的研究小组的成果。

格温尼·德吕莫/撰

弗朗索瓦·埃内比克

钢筋混凝土的标志人物

（1842—1921年）

弗朗索瓦·埃内比克是钢筋混凝土发展早期的一个标志性人物，但他是如何扮演作为建造者的角色的呢？他塑造了混凝土和金属复杂的结合的历史。20世纪初期，技术和生产的飞速发展给建筑景观带来了深远的影响。这种新兴的技术被认为是不同文化的混合体，也将钢筋混凝土塑造成一种原材料，即多方面的、异质的、混合的，甚至是不纯粹的。然而这种组合材料的特性也是工业和手工业合作的产物，是两种不同且冲突的模式共同作用的关键——这是一个由埃内比克操作的分水岭，通俗来讲，他影响了钢筋混凝土技术的发展。

在19世纪90年代初，埃内比克开发这项技术过程的核心是放置一个简单的铁质箍筋。当金属箍筋在混凝土中放置到一个合适的位置时，就能将两种材料连接在一起，共同抵御剪力的作用。然而，这种连接也创造了抽象的技术和功能性的工作方式之间的联系。从本质上讲，这是建造者的技术、石匠的花招，但是埃内比克预见到它多种应用的可能性，探索它在工业化程度下的经济潜力。这种技术开始被运用时，相当于他建造了一个巨大的经济与技术王国的基础，使他能够在世界各地运用和掌控他的专利产品。

新的跨国度商业策略

埃内比克的发展是个快速的过程：1894年他申请到专利之后便将总部从布鲁塞尔转移到巴黎；1900年之前他在法国接手的项目比他的竞争对手们加起来的还要多；到了1905年，当世界各地关于新材料的使用规范刚刚出台，他的网络已经包含了上百个

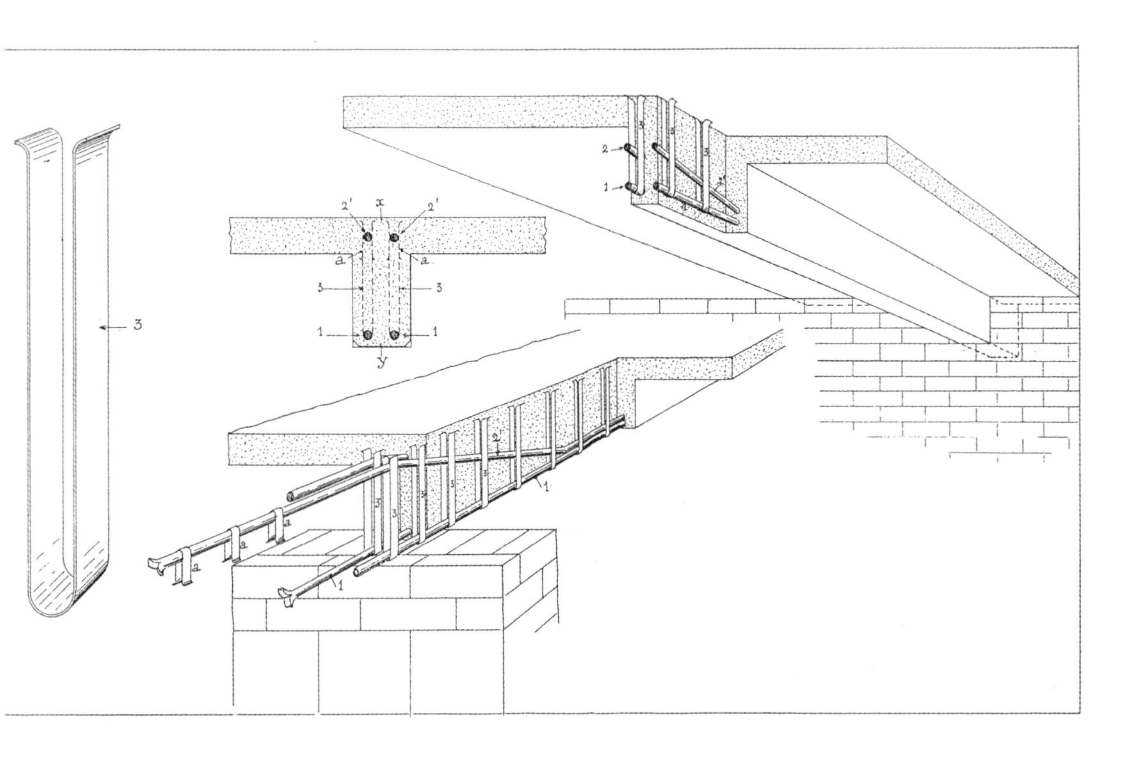

埃内比克1897年做的钢筋混凝土房屋系统图解——他1892年专利的延展。用铁箍筋作为基础，而这里的混凝土梁用铁条再度加强。

建造企业。这个生产网络的凝聚力和效率得到了一个坚实的跨国组织的保证，即巴黎的总部，它们可以进行总体控制，并提供建议和技术支持。这个强大迅猛的公司很快便几乎占据了全球20%的钢筋混凝土设计和建造的市场。这个埃内比克领头开拓的商业系统反映了以这项发明本身所基于的不同寻常的关系。在某种意义上来说，他在他非常熟悉的金属建筑世界和砖石建筑世界之间建立了更紧密的联系。他发明的这种系统将混凝土和金属简单有效地结合起来，并且可以轻松地计算和配置建筑所需的预制构件，事实上，埃内比克可以用来促进生产的一切东西，都以类似产品目录为基础的方式操作，而这种方式在金属产品销售上已经运用了好几十年。埃内比克发展的基本样板、预制构件、公式、图表和图解也成为这些目录的补充部分。传统建筑的前线完全被摧毁了。

然而他建立的这个分配系统和占领市场的高效组织不得不依靠微妙的商业布局，

1902年里尔国际博览会：展示的水泥袋一方面显示了埃内比克楼面系统的荷载强度，另一方面表现了水泥公司和建筑师自己公司的联合协作。

而组成这种高密布局的正是埃内比克景观建筑。它建立在分支机构和代理商基础上，忠诚的系统、影响力和便捷的网络，都是埃内比克所偏爱的。他很快发展出与水泥制造和金属工艺厂家的紧密联系就是一个好例子：他早期的客户也是他的供应商，他们给他带来第一批有许可执照的人（或者他们自己就是拥有执照的人）。实际上，这种利益的聚合也提示他高效地开发出互惠互利系统。从他的交流策略中也可以看到同样的网络系统，手绘和摄影的图像都在其中起了重要作用。这些图像在混凝土大行其道的同时也被四处传播，展示了最早的建造商已经建成的项目。

这些早期的项目通常都很大胆（例如1893年在法国北部的栋村和布雷比耶尔建成的工厂及1894年在南特建成的面粉厂），成为他迅速生长的企业的坚实根据地。围绕着这些根据地，埃内比克扩展并操纵着自己的网络。埃内比克从自己的生产过程在技术层面的实验（具有风险的）中，看到了这些早期项目能够清晰地展示出技术和经济构架结合的可能性，创造了一种能够使创新创造丰富成果的结合点。埃内比克系统证明了他自己，也证明了混凝土的发展。

南特的大面粉磨坊，1895年。这个强有力的单一体量建筑是埃内比克公司开始发展时接手的第一批主要项目。

开罗的埃内比克代理公司，约1899年。建立国际公司的目的是保证技术信息从总部到分支机构时的顺畅传递。

革新与标准化

埃内比克的公司在建设领域以前所未有的形式扩张和发展，其中一个重要因素是他独特的公司内部的工程师培训系统，这些工程师在混凝土发明的同时就接受了处理钢筋混凝土所需的专业知识。大多数工程师是从巴黎中央学院直接招进来的（矛盾的是，这所学院向来以思维教育著称）。正如埃内比克的“商业进攻”计划所需求的那样，这些工程师在位于巴黎丹敦路的公司中心办公室接受培训，然后被送往地方和海外的分支机构。他们的使命是确保中央公司的技术资源可以顺利传递到各个分支。钢筋混凝土正是通过这样的方式不断地扩大了自己的名声。

埃内比克的技术支持网络的自治性、凝聚力和效率性表现得很明显：1905年巴黎的中央办公室有60名工程师，5年之后翻了一番，世界各地的加起来达到500人之多。中央研究办公室的专家迅速增长并向外输送，同时埃内比克还鼓励具有钢筋混凝土实践和理论知识的工程师之间的竞争。在第一次世界大战之前，这些工程师从一个公司转到另一个公司，鼓励了文化的交叉融合，使得钢筋混凝土这种建筑材料的接受程度迅猛增长。

钢筋混凝土是在发展技术知识的背景下被发明出来的，这样的材料本身塑造的方式对其道路方向的塑造颇有助益。钢筋混凝土材料的发明在早期与它的标准化过程不可分割，主要也是一个社会认同性的问题。起初，像埃内比克这样的建造家必须在一个被重新定义的工业范围内操作：他们必须打破壁垒、挣脱束缚、创造非常规的联系，实现新的高效组合。通过塑造这种新技术领域的轮廓，埃内比克从他的竞争者中脱颖而出，他拉进了生产过程、材料和产品之间的关系，这正是他策略的关键——包括赋予钢筋混凝土一个良好的公众形象。从那以后，大约1905年左右，建筑师和工程师开始在项目中合作，钢筋混凝土成为一个共享的文化实体——一种连接许多不同社会机构的“接线员”。

复合体起初形成的过程总是很难解释：没有开始和结束，也没有起初的点或是附属物（抑或是多到不可计数了），它就是这样简单地发生了。在埃内比克这样的人的掌控之下，不同力量消长留下的痕迹塑造了历史。也许可以说这个伟大的建造家奠定了未来材料塑造的根基。

若尔迪·奥利维亚斯/撰

安东尼·高迪

有独特创造风格的建筑师－工匠师

（1852—1926年）

高迪以他的独具个性和非常规的创造力著称，他利用传统的过程和自己的方式来设计结构的形式。事实上，高迪作品的重要性正是来源于他塑造的形式与标准形式相距甚远。当20世纪的建筑正向着平面化和线性化发展的时候，高迪引入了更加复杂的几何形体。相对于哥特的拱顶和柱廊，他在后期的作品中利用垂曲线拱、双曲面抛物线体和旋转双曲面，这些形式持续不断地给他制造出有规则的平面，并且使用简单的工具，例如计量尺和直尺，就能相对容易地被设计出来。

高迪的设计与建筑工业化创造的价格低廉、大规模生产的以及标准化的造型大相径庭，这种精神使他成为保守又独特的榜样。在早年创作中，他的做法引起响应的同时也引发了争议。他的作品是异乎寻常的，因此它们引起了从未休止的反对与解读。由于孤独的个性和他同时作为建筑师和工匠师的身份，也因为那些可能提示他观点、展示他未完成项目的文字和图画鲜有留存，这种解读直到最近才变得可信起来。这是从很多不同的视角审视——他的生平，还有其作品的象征性、结构性和形式性……所有这些都使得我们对那个时代下他的作品做出了更全面、更好的评价。

他留下了两个未完成的杰作。第一个是奎尔科隆尼亚小教堂，这是在巴塞罗那附近为公司工人住区建造的，在1915年只完成了地下室部分，但是用悬索制作的模型（包括手工的再加工）照片资料被留存了下来。第二个是圣家族教堂，它最终版本的石膏模型曾被毁坏，后来又根据照片资料修复了。在高迪去世之前和之后的建造过程中，这个项目经历了比中世纪教堂还具有革命性的建造技术的进步。于是在对高迪传奇争议性的解读之上，又增加了对这个项目延续的反对之声。

高迪（左侧白色络腮胡子者）向一群参观者展示圣家族教堂，巴塞罗那，1915年。

早期折中主义

安东尼·高迪1852年出生于雷乌斯附近的留多姆斯，曾在家乡一个文法学校就读，随后到了巴塞罗那建筑学院学习，1878年毕业。在作为职业建筑师的最初十年中，他设计了维森斯住宅（1883—1885年）、巴塞罗那奎尔庄园的入口及马厩（1887年），以及桑坦德附近的科米利亚斯的奇想屋（1883—1885年）。这些作品都以摩尔式风格装饰折中主义著称，包括新莫扎拉布风格墙（用彩色瓷砖装饰），以及高迪创新性的形式元素，例如塔、窗户和门，展现了他在铸铁等细部设计方面强大的工艺技术和想象力。1883年，31岁的他接手了建造圣家族教堂的任务。他一直为这个项目工作到生命结束：在1926年去世之前，高迪为这个教堂设计了四种不同的方案。

从1886年到1891年，高迪为他最重要的客户，企业家尤西比奥·奎尔设计并建造了住所。从扩建奎尔的住宅开始——加建一个主人欣赏瓦格纳音乐的房间——这个房

圣家族教堂的模型，在高迪去世后，1936年被毁之前，摄于教堂地下室。

间后来成了整个居住区域的中央大厅。这个中央大厅在一个半地下马厩和主人办公室的夹层上方，地面被抬升起来，上面用一个抛物线拱顶覆盖，使光线从侧面进入室内。在主楼层上，纤细的柱子形成拱廊，将楼座空间和街面与庭院分隔，巧妙地过滤了光线和视线，同时创造了室内到室外漂亮的转换。

高迪在1888年和1894年之间建造了巴塞罗那的特勒兹修女院，1887年到1893年设计并建造了阿斯多尔加的主教宅邸，在这期间他还在莱昂的波提内建造了一栋公寓楼（1891—1894年）。20世纪初，高迪设计并建造了贝耶斯瓦德堡（1900—1902年）和巴塞罗那新开发区的三个连续的公寓，它们是卡维公寓（1898—1904年）、巴特罗公寓（1904—1906年）和米拉公寓（1906—1910年），最后一个即为著名的被戏称为“凿石

右页图：巴特罗公寓，巴塞罗那，1904—1906年。一次现有结构的改造。高迪新加了一层楼，用像巨龙的鳞片一样的瓷砖覆盖了整个屋顶，这是对该建筑是奉献给圣乔治的隐喻。

场”的建筑。其中第一个公寓在房间和庭院布局及新巴洛克装饰方面比较常规化。与之形成对比的是巴特罗公寓改造项目，高迪通过主楼层的弓形窗和街道层的入口门框的设计，创造了一种令人惊奇的生态有机效果，这些门窗看上去像是用纤细的骨骼柱子支撑的具有肉感的石材。接下来的楼梯间和内庭院同样采用垂直和流畅的布局。这个区域的其他建筑平凡单调，相比而言，巴特罗公寓具有多彩的庭院表面，立面上有装饰瓷砖与彩绘，顺着阳台和街道角度看上去会获得一种不同的缤纷效果。同样的效果又表现在阁楼的屋顶上，抛物线拱表面装饰着瓷砖，用一座塔与旁边临近建筑分隔开来。

“凿石场”公寓也同样在总体创新性上独树一帜。高迪运用弧形的石材表面在立面上创造了一个波浪的交响曲，间或用开洞和阳台装点。当他使用（或者说是模拟）石材、砖和铁制柱子与梁的结构时，能消除室内空间的直角，立面的表达则和无承重墙的概念相反。比起巴特罗公寓，米拉公寓在建造中更具有空间可变性，环形和椭圆形的庭院（为室内房间提供光线、通风和电梯的空间）是总体布局的关键所在。阁楼层在瓷砖构成的抛物线拱之上，以斜角覆盖了整个建筑。屋顶阳台、扇形的塔楼和烟囱展现了一种建筑的奇景，“结构型建筑”与“雕塑型建筑”之间的界限变得模糊了。

形式与结构的分析

从1904年到1914年，高迪确定了一个坚定的观念，即建筑的形式和结构可以紧密地关联在一起。他在奎尔公园（1900年始建）关于拱券、拱顶和墙的设计是从静力图解分析而来的，设计建筑形式的基础是垂曲线拱结构。他的方法是先制作一个垂线模型，然后将其翻转过来，便成为他想要的结构的形式。建筑的各部分为一系列的悬挂和拉伸的绳索提供了不同的配重，根据承受轴向压力的结构构件、柱子和拱的情况，布置线性结构轴向的位置。虽然当时运用索状多边形的实验已经得到认可，但是的确从未有人尝试过用三维的多边形建造建筑。除了用线、锁链和装满小石球的袋子来逐渐增加轴向重量，成片的绢纸也用来模拟填充拱和柱子间的墙体。利用这种上下颠倒的方式，高迪预设了奎尔科隆尼亚小教堂的空间和它的地下室，然后通过在照片上绘图，描绘出建筑内和外的效果。在20世纪80年代，这种模型的做法被弗雷·奥托、雷纳·格拉夫和其他人重新审视，而他们最近正在利用数字化建筑的造型工具重塑这项

奎尔科隆尼亚小教堂的工作模型，约1908—1915年。结构包括钢索、配重袋子和薄绢纸，从上往下悬挂来模拟索状拱顶的形状。

研究。

最终完成的地下室和前廊（入口的楼梯在此处）表现了高迪对中殿的设想。从建造角度来说，他的目标是要超越利用尖拱和外部的扶壁（或是飞扶壁）来平衡结构拱造成的水平张力，高迪鄙视地称这些扶壁为“拐杖”。他的目的是要通过索状拱和斜柱子来消除这些“拐杖”。

高迪的方法代表了对建筑结构的一种独特分析方式。他没有运用其他计算张力的系统方式，而寻求一种更加实用主义的、与机械能力相匹配的结构平衡。首先是在抛

奎尔科隆尼亚小教堂的透视效果，在倒置的模型照片上用铅笔绘制。

物线拱结构中，然后在三维的索状多边形结构里，一直试验到圣家族教堂。通过经验，也通过自己一些清醒的直觉，他能够感知理想的结构、尺度和几何形式。高迪把自己的建筑设计成石材，采用传统的建筑材料。只有在去世前的1925年左右他才开始考虑用钢筋混凝土。在后来的建造过程中，他的形式和结构的应力没有明显分离（而这种形式和结构的脱离是20世纪占主流的建造形式），不过这也使他无法在建筑上进行大尺度的开洞和保持通透性。然而，高迪将运用应力得到的造型推到了极致，将开洞远离轴向受力的方向，而不像许多加泰罗尼亚现代学院派建筑的例子，缺乏足够的严肃性

奎尔科隆尼亚小教堂的地下室，切割粗糙的斜柱子支撑着网状的肋和拱。

和抑制性。从另一方面讲，高迪喜欢传统的技艺，他从中获得了伟大的成就。

设计奎尔科隆尼亚小教堂的经历极大地为高迪改造体量更大的圣家族教堂提供了帮助。最后的设计版本是使用一些倾斜的、树状的柱子代替拱券，来支撑屋顶连接在一起的抛物线拱。光线从天花上一系列的双曲面孔洞中射进来。在生命的最后几年中，除了重新设计拱顶之外，高迪全身心投入到一个塔立面的建造上，这样他可以看到教堂的外立面样子。他的工作根据赞助人的资金开展，正是这个时期，在现场的工作室中，他成了传奇的“雕塑家建筑师”，不禁让人联想起那些中世纪大教堂的建造者。

高迪的遗产

关于高迪作品正面的评价常常强调他设计的纯粹辅助性空间，例如地下室、阁楼和其他附属空间。在这里可以欣赏没有装饰和符号的纯粹结构。尽管如此，那些带有表面拱券的空间和具有装饰的主要房间也应该得到重视，因为这些空间也是高迪的成就——一个建造者能创造出如此不同寻常的氛围——应当得到完全的尊敬。雕刻的石膏面层、十字藻井、铺瓷砖的面层、绘制的渐变颜色和明亮的反射，加上所有独立的装饰物件和装修，都在为这些空间增色，都是为满足它们的使用者的体验而设计的。我们依然能够从这些结构以及当时的照片中获得他应用结构和建造技术所创造的感官体验。之所以说高迪是一个伟大的建造家，不仅仅是因为他大胆的结构设计，更因为这些结构形式的原创性——那些独特的、与众不同的、高度个性化的创造使得他人很难继承他的遗产。弗兰切斯克·贝朗热是他忠实的合作伙伴和朋友（格拉夫的奎尔酒窖是他和高迪共同设计的）；约瑟夫·玛利亚·于热是他的“左膀右臂”，特别是在装饰设计上；还有乔·卢比奥和凯撒·马蒂内尔，他们在某种程度上延续了他的建设

1926年的圣家族教堂，这也是高迪去世那一年。半圆室的墙和圣公会教堂的立面基本上完成。下方是高迪学校曲线起伏的屋顶，这是为建造工人的儿子们上学而临时建造的结构，1909年。

体系。

由于高迪常常运用令人称奇并具有娱乐性的元素，作为一个创造型建造家，他的名声越来越响，特别是他的一些自由化的作品。他本身包含着矛盾性，理性主义者认可他的结构性方案的逻辑性，而他同时又可以被归于反理性主义的那一类人。于是超现实主义者欣赏他的最古怪的设计，象征主义者看重他反映意识形态和宗教的符号，而有机论者喜欢他根据自然塑造的形式。对高迪来说，这些因素同时存在相互并不排斥，这是后人对他的作品的兴趣和热度到今天依然不减的重要原因之一。

罗伯特·通布利/撰

路易斯·H.沙利文

装饰主义者、高层建筑设计师和“美国”风格的倡导者

（1856—1924年）

1885年的沙利文，他在阿德勒-沙利文事务所时期。

路易斯·沙利文是美国最重要的建筑装饰主义者，第一个明确地表达高层建筑的建筑师，以及第一个努力地创造“美国”风格的设计师。他受到的训练结合了传统的师徒制度和现代的教育法。沙利文出生于马萨诸塞州波士顿的一个移民家庭，父母分别是爱尔兰人和法裔瑞士人。他在麻省理工学院的房屋建筑系学习——这是美国当时唯一的一个建筑类课程——年仅16岁的他并不满意所学的课程，一年便弃学离开了。后来他在费城为弗兰克·弗内斯工作了短暂的一段时间，由于美国经济大萧条，他跟随全家搬到芝加哥居住。他在威廉·勒巴伦·詹尼的事务所稳定地工作了一段时间，直到他决定去到巴黎美术学院寻找“源头”（即麻省理工和西方建筑教育的发源地）。毕业后他在罗马驻留数周，又回到了芝加哥。在后来的七年里，他一直作为自由建筑师和其他建筑师合作，其中就包括丹克玛·阿德勒（1844—1900年），阿德勒在1882年将沙利文提携为年轻合伙人，随后沙利文在1883年成为主要合伙人，并将事务所更名为阿德勒-沙利文事务所。1895年事务所解散之后，沙利文一直自己工作到1924年去世。

装饰与立面

丹克玛·阿德勒是美国知名的声学与结构工程师，他雇用沙利文来弥补自己在装饰和设计才能方面的局限。他们两人互补得非常完美：在一起商定建筑功能之后，阿德勒负责结构和技术问题，而沙利文负责设计装饰、室内布局和立面组合——芝加哥会堂大厦（1886—1890年）的设计中就展示了他们的配合，这也是他们规模最大、最精彩的设计。这是当时北美最重要、空间最大的建筑，也是芝加哥最高的建筑，有17层。其中4200个座位的剧场以及设备占总体量的三分之一，400个房间的旅馆和136间办公室和商店是主要的经济来源。剧场的声学设计在当时是最好的，同时阿德勒巧妙地分配塔楼的荷载，避免了基础的不均匀沉降，这在结构设计上亦堪称杰作。沙利文

阿德勒－沙利文事务所设计的芝加哥会堂大厦中的剧场，1886—1890年。

设计了低调但是具有纪念性的立面，显示了会堂大厦在城市文化和经济上的重要性。然而他设计的装饰，特别是在公共空间例如大堂、楼梯间和主餐厅的装饰给公众和评论家带来了强烈的印象。在装饰最豪华的剧场中，波浪形线角将带声学效果的天花拱券划分成六边形，围合着花饰图案，间或装点着灯和浮雕（表现为蜂巢的样子）隐藏出入风口，两位合伙人将各自的专长完美地结合在一起。

许多人将沙利文的装饰看成是美国的新艺术运动，其实这低估了他的独特之处。欧洲的新艺术运动是基于将包含几何形的图案扩展，形成自由发挥的植物图形，而沙利文的设计相比较欧洲的设计更加丰富、复杂和感性，更具有视幻效果——特别是被运用在陶土板、石膏、玻璃或金属制品上的时候，这些装饰在建筑中更具有恰当的位置。从19世纪80年代到大约20世纪初，受到他的影响的设计遍布东西海岸，那些所谓的“沙利文学派”的装饰主义设计师模仿沙利文，流行的时间从古典主义时期到古典复兴，又一直到现代主义早期，直到大萧条才终结。

对应“摩天大楼问题”

装饰同样成为他应对19世纪90年代提出的“摩天大楼问题”的方法之一：如何最好地表达10层以上的办公楼（或是住宅），沙利文都把它们设计成了钢结构。从1890年到1904年，他设计了24座高层建筑（7座已建成），大多数都可以划归为两种类型：他称为“垂直建造系统”的和其他人所谓的“框架结构系统”的。前者的典型是他最早设计的密苏里州圣路易斯的温赖特大厦（1890年），沙利文将从三层到顶层的窗户和水平圈梁推到立面的柱子之后，从街道侧面角度看过去（大多数城市中的建筑都是这样）形成了强烈的垂直韵律，这在他著名的文章，1896年的《高层办公建筑的艺术考量》中有所引述：既然高层建筑的“主要特点”是轻盈，它“必须要高，每一寸都要高……在纯粹的喜悦中升起……从头到脚……没有一根抵触的线条”。在他的这个系统中，阁楼层、镶嵌的石材装饰和入口是最需要装饰的，而基座和柱子可以留得简单些。但一个特例是他设计的最令人称奇的高层建筑，纽约州布法罗的保险大厦（1894—

右页图：阿德勒与沙利文设计的温赖特大厦，密苏里州圣路易斯1890年。这座建筑带有强烈的垂直性特色。

ATLAS
ENJOY THE MOVIES

施莱辛格和迈耶（即现在的卡森－皮里－斯科特）百货商店，
芝加哥，1898—1904年。它的金属框架带有极少量的装饰。

1896年），立面的每一个地方都经过了装饰。

但是沙利文同样也意识到，钢结构是一个三维的，从水平方向和垂直方向相互交织的网格，具有摩天大楼的高度。他的“框架结构系统”在圣路易斯的国家化学银行大楼（约1894年）的设计中体现得非常充分：这个方案中，梁和柱子交接的表面是平整的，圈梁和窗户都没有推后，立面的装饰也只存在于阁楼层和基座，强调了结构整体性而不仅仅是垂直性。乳白单色调的立面在当时也是少有的严肃，预示着未来的轻质皮肤般的立面形式。他设计的半打框架结构方案中只有一个最终建成：芝加哥的施莱辛格和迈耶百货商店（1898—1904年），展示了高度表达性的框架网格。既不沿用过去老套的设计，又不否定高度，沙利文的解决方案被证明非常具有影响力。事实上，他惯常使用的垂直系统以更加夸张的形式于1965年再次出现，在埃罗·沙里宁的纽约哥伦比亚广播中心总部大楼中。此时框架系统似乎已经无所不在了，不过通常使用的是玻璃，而非石材。

建立国家“民主”风格

沙利文在职业早期就认定，摩天大楼是美国快速城市化和工业化社会背景下的一种建筑原型，它使得创造性、大胆和有效的解决问题成为一种典范——沙利文认为这种原型可定义为民主的特性表征——也许可以成为长久以来一直期待的国家风格的基础。沙利文在1885年的一个名为“美国建筑的特点和趋向”的演讲里，认为在所有的公民中，企业家是最有能力“将最有机和初始的想法发展成微妙、多重和连续的衍生物”，即成功的商业组织。随后他敦促建筑师效仿企业家的大胆，并参照美国生活方式的商业化设计，他认为这样便可以寻求到一种国家的（即为“民主的”）风格。

但是随着时间的流逝，沙利文关于企业家和他自己同僚的观点瓦解了，他开始公开地，有时候甚至很放纵地表达自己的观点。在上面提到的1896年的文章中，他攻击典型的摩天大楼是“贫乏的堆积，粗糙的、劣质的和野蛮的集合体，粗陋的、永恒性争斗中的直接冲击”，是“更加低俗和残酷的热情”带来的物质性成果，象征着商业化的无情和贪婪。五年之后，他严厉批评了建筑行业，尤其是美国建筑师学会的怯懦，“没有原创”，“除了模仿什么都不会设计”，并且指责学会主席，著名的波士顿人罗伯特·S.皮博迪的年度演讲“微不足道地愚蠢”，认为他是一个“平庸的妨害公众的人”。这种类似的攻击有很多，最终沙利文得到的回报是1900年后他的项目骤减，经济上的危机迫使他出于生计，违背自己意愿地接手了一系列散落在中西部边缘地区的小型项目。能够展现他思想，并且有延续性的是从1906年到1919年建造的一系列九家银行（一个是改建）。在内地社区工作和居住几周的经历改变了沙利文关于民主意义的想法。当在设计大城市造价高昂的摩天大楼的时候，他认为不妥协的个性是通过自我发现，而独立于他人发展的：虽然每个人都具有此特性，但是企业家是最典型的例子。但是当他开始设计造价低廉的小城镇的银行时，他意识到民主是通过集体性的合作而达到的，个体需要团队的贡献来得到加强。“没有集体的个人主义肯定代表了毁灭，”他在1908年完成了明尼苏达州奥瓦通纳银行之后写道，“而没有个体的合作主义是抽象的。”

沙利文1912年的文章描写了他设计的第二家银行，爱荷华州雪松溪镇人民储蓄银行（1909—1911年），表达了改变的想法。得知“大多数业主是工人阶级”，他注重银行大厅是“兴趣的最高点”，“在平面上可以称为是‘民主的’”。他认为，首先，入口的视线不应当被干扰：每样事物都应该在水平的视线上，金库巨大的门在银行营业期间应该保持打开，表示价值的可靠保障，以及他们存储空间的安全性——这些像立

人民储蓄银行大厅，爱荷华州雪松溪镇，1909—1911年。沙利文试图让顾客感受到一个“更加民主”的、开放性的主要空间布局。

方体砖块的保险箱本身也是建筑。管理办公室不应当隔离在关闭的门背后，而是应该开放，也不应该比给顾客提供的银行大厅和等候大厅更加奢华。为出纳设计的装饰金属三柱门和栏杆是一个美学上的冒险，头顶的天花壁画则描绘了农业生活，以及银行为劳动人民顾客服务的关系。他写到，所有的这一切都是“可能被称为现代的‘人性化’平面因素，因为它们试图在促进官员、雇员和顾客之间轻松、自信和友谊的感受”——这在社区中就是最重要的方面。

然而沙利文认为民主不仅是装饰漂亮的空间，还有他设计建造银行的方式。九家银行中八家都有“饰面砖”。根据沙利文1910年在设计雪松溪镇银行时的记录，这是一种新的材料，是用一种特殊的方式切割和磨碎黏土，造成一种粗糙的质感，在烧制后能“产生十足的全色谱颜色”。这些砖“最好用钩凸缝砌筑，这样每一块砖在整体

国家商业银行装饰丰富的门头设计，爱荷华州格林内尔，1913—1914年。

中都能表现它的作用……整体能在一个宽泛的范围内自由地表现颜色和质感”。如果把“人”比作“砖”，将“社会”来比作“体量”，沙利文的民主观念和他的建筑视角就变得清晰了：集体是由数不清的个体在一起为了共同的美好事物而工作，但是又不用丧失其独特的个性。他继续论述：“人们常说一个房子需要两个人来建造，委托人和建筑师”，但事实上还需要“聪明的制砖厂家”和工匠“用各自不同的方式进行技术支持……这才是现代社会的发展”。最后他总结说：“每一个人（支持者）都需要相互合作以及对整体负责”。沙利文通过设计银行以及关于建造银行的思考，增强了对于民主生活方式的认识。装饰是关键的因素，沙利文的银行最知名的就是它们的装饰性立面，特别是爱荷华州格林内尔的国家商业银行（1913—1914年），它最令人惊艳的是门楣装饰元素，一个引人注意、装饰华丽的圆形窗——使人驻足、观看，然后思考——这是由于沙利文希望将民主的思想付诸行动。这个复杂的正方形、菱形和圆形构成的图案是一种更为深层次的集合体饰面砖：一个良好社区的形象，其中每一个几何体都相互关联，但是又能挣脱相互的束缚；既宣扬独立性又同时和谐地在一起工作，由此达到建筑的和谐。并且它也含蓄地表达了沙利文理解的集体合作观念——也许更多的是希望——民主应该达到的境界。

沙利文的银行设计受到评论家和公众的赞赏，也一直作为地方社区的骄傲，从现在来看也是他的作品中最好的。但是这些设计并没有在沙利文有生之年给他带来职业的转机，从1909年到1922年他最后一件作品，一个音乐商店的立面完成的13年中，他只承接了19个项目，其中12个建成，包括八家银行。是因为他过度装饰的风格已经过时了？还是由于他的“反制度”观念吓退了一些潜在的客户？现实是他的收入降低到零点。到1910年左右他不得不依靠朋友和同事的救济生活，其中包括从1888年到1893年他最忠实的雇员弗兰克·劳埃德·赖特。《一个想法的自传》和《来源于人之力量的哲学的建筑装饰》（1924年）是他最后的出版作品。1924年4月13日，在他去世前的一天，他送给赖特一沓图纸，其中一些后来赖特发表在他的《天才与暴徒》（1949年）一书中，以此纪念这位“受人敬仰的大师”。赖特在书中写道：“无论是否今天的建筑实践达到了一种理想的尊严……这种实践的源头……来自于一个人，路易斯·沙利文。”也许有点言过其实，但沙利文自己也应该会欣赏这样的情感表达吧。

罗伯特·麦卡特/撰

弗兰克·劳埃德·赖特

缔造内在空间的建筑师

（1867—1959年）

弗兰克·劳埃德·赖特是美国最为重要的建筑师，他的作品是激发世界范围内现代主义建筑的主要灵感。赖特在他长达72年的职业生涯中设计了超过600个建成项目和600个未建成项目，这些作品都具有无可比拟的多样性。然而他总是形容他一生中的每个项目都是一个独特的作品，强调他在众多作品之下主要的原则。他的第一个原则是居住室内空间，他称之为“内在的空间”，在决定空间布局时要占据首要地位。第二个原则是要通过建造的方式赋予空间特性，赖特将这种方式称为“材料的自然性”。第三个原则是建筑在自然中间的地位，即室内和室外空间应交织成为一个整体，赖特认为建筑的设计应该起始于像是从土地上生长出来的。

赖特在威斯康星州的麦迪逊长大，他的成长经历促使了他对于自然形态的关注，他受到唯一神教派信仰和美国先验论哲学，特别是拉尔夫·沃尔多·爱默生思想的影响。他的建筑教育是从1888年到1893年芝加哥沙利文事务所做学徒开始的。沙利文摒弃法国美术古典主义学院派建筑教育，坚信只有基于美国本土才能发展出合理的美国建筑，依靠综合考量地方气候、景观、建造方法和材料。赖特对此深信不疑。

内在的空间

赖特建造美国建筑的第一个成就来自他对于特定的美国建筑类型的完善——郊区的独立家庭住宅。到1910年他的作品第一次大规模地被欧洲的沃斯莫斯出版之前，赖特已经完成了差不多150个建成作品，主要都是独立住宅。后来被人称为草原住宅的，是从1910年他的两个设计中定义的类型，他将其发表在流行的女性杂志《女士家园》

弗雷德里克·罗比住宅的起居室，芝加哥，1908年。赖特几乎设计了照片中看到的所有东西，包括装修、灯饰和彩画玻璃。

上。在这些草原住宅中，在伊利诺伊芝加哥的弗雷德里克·罗比住宅（1908年）是赖特最伟大的都市住宅设计，在局限的用地上创造了一个动感的、延续性序列相互交织的空间，以起居室和餐厅共享同一天花，用开敞的壁炉从中分隔而闻名。纽约州布法罗的达尔文·马丁住宅（1904年）是赖特最伟大的郊区住宅设计，它有着五组结构组合而成的一系列相互渗透的十字形空间，和景观融合在一起。马丁住宅的平面是形式组合的杰作，设计精致的室内空间的居住性也具有意义深刻的体验。

在赖特的草原住宅中，结实的壁炉被锚固在中心位置。视平线上，所有空间向着各个方向开放，外墙和出挑的檐口作为建筑和地面的延续，赋予这种郊区住宅一种几何秩序，于是建筑和景观无法分离地绑定在一起。这些住宅结合了对称的形式布局和动感的空间渗透，创造了开放和多功能的室内，与周围的自然环境结合，这些都成了

布法罗拉金大楼的外观，1904年。赖特形容它是一个“简单的砖悬崖”，将服务空间和楼梯放置在转角的塔里，主要工作间置于中央。

现代民用住宅最流行的特色。草原住宅清晰地诠释了现代的住宅场所，使得享受舒适体验的同时还能得到艺术灵感，同时获得遮蔽物和景致，以及自由和秩序。

在重新发明了美国住宅的基础上，赖特在草原住宅时期（1900—1920年）也同时发明了公共建筑的形式。在20世纪之初，美国公共建筑还未出现一个适合的形式，沙利文推动的钢框架摩天大楼并不足以塑造公共建筑的纪念性。赖特通过设计建造的建筑，使得公共建筑具备了恰当的纪念性，例如制造公司在纽约州布法罗拉金大楼（1904年，1950年拆毁）的办公场所，以及一个唯一神教的圣殿：伊利诺伊州橡树公园的联合教堂。这两座建筑在平面上都是简单的长方形，中央是一个多层的大空间，周围围绕着夹层楼面。建筑从高侧窗和连续的天窗采光，在视线平面上没有开窗。在外面看起来这些建筑比较封闭和坚硬，和同期其他建筑相比具有形式上的严肃性，似乎和古代纪念性建筑僵硬的直线性相关。

对于赖特来说，公共建筑始终是一种内向型的形式，从外面看上去是一组强有力的、通过共同目的联合在一起的独立实体。在实体之间的入口将人引向一个低矮的、黑暗的、水平的、旋转运动的序列，使用者先通过这些压缩的空间，然后被释放到一个高大的、明亮的、隐藏着的垂直空间。独特的中央空间通过赖特缔造的“完美的”正方形和立方几何体，融合形式、结构、材料和光线的方式，形成了深度纪念性。赖特希望人们在他的公共建筑空间中体验到神圣性，无论其功能如何，它们内向型的空间，从上方洒下的超然的光芒，为使用者制造出一种精神启发性的效果。

1909年遭遇到个人和职业的危机之后，赖特在威斯康星州的斯普林格林郊外建造了自己的住所和工作室，称作塔里埃森（1911年）。像他同时期其他住宅一样，塔里埃森围绕着一个室外的花园布局，以山脊作为框架又没有完全包含在其中。在之后的10年中，赖特设计了一系列公共庭院式建筑，与他设计的非对称庭院式住宅不同，这些平面是严格对称的。赖特利用对称性来区分公共和私密的领域。芝加哥的中途花园（1913年，1929年拆毁）是一个提供音乐和餐饮的室内外花园，这个花园兴许是赖特最为完整的整体艺术设计，他不仅设计了建筑，还设计了露天舞台、室内、家具、餐具、雕塑、装饰和景观。日本东京的帝国饭店（1914—1922年，1968年拆毁）是一个纪念性强烈，但是又巧妙考虑了尺度的建筑。它浮在一片深入松软土壤的桩基之上，这是一种革新性的抗震设计，经过了1923年东京大地震的测试，而保存完好。

材料的自然性

赖特几乎在每一个设计中都采用新的材料，但是对于他来说，钢筋混凝土一直都是一个挑战。除了早期在联合教堂用的全混凝土，赖特一直对混凝土缺少秩序的特性，以及能够被塑造成任何设计师想要的形式而抱有怀疑态度。因为与其他建筑材料不同，混凝土并不能通过展示一种“自然性”来决定其合理的用途。1906年建造联合教堂的时候，赖特发明了一种混凝土砌体系统，直到17年后他才在混凝土砌块住宅中使用，例如洛杉矶的塞缪尔·弗里曼住宅（1923年）就是用混凝土铸成定制的砌块形式来建造的。在混凝土砌块住宅中，赖特寻找到一种适于表达钢筋混凝土的方法，运用模块化的混凝土砌块赋予这种无形材料一种特性。

右页图：流水别墅，宾西法尼亚熊跑溪，1938年。坚实的砌体墙锚固在岩石上，钢筋混凝土的楼板和天花出挑至瀑布边。

在自然中居住

1932年赖特发表的《自传》带来了新的客户。他还创立了塔里埃森基金，这是一个在一间新的绘图室的学徒式学校和工作机构，学生既从事建筑设计，又可以从事农业种植。在宾夕法尼亚州熊跑溪的埃德加·考夫曼住宅（1938年），又称流水别墅，还有他自已的冬季住所和工作室，位于亚利桑那州斯科茨代尔的西塔里埃森（1940年），都证明了赖特的信念，即建筑应当具有在地性，永远不应当是自1932年被提倡“国际风格”的现代建筑。建在山溪之上的流水别墅是赖特最伟大的“自然”住宅，是一所可以让人们真正住在自然中的房子。西塔里埃森建在凤凰城东北的沙漠中，用随着季节更换的帆布屋顶表现了生命的短暂性，同时又用混凝土墙和砌筑坚实的石材，加上

上图：约翰逊制蜡大楼的“大车间”，威斯康星州拉辛市，1939年。
右页图：所罗门·R.古根海姆博物馆，纽约市，1943—1959年。艺术品展示在混凝土螺旋坡道的外侧墙面上。

原住民印第安人的雕刻，表达了场所的永恒性。

位于威斯康星州拉辛的约翰逊制蜡大楼（1939年）是赖特伟大的“工作的大教堂”。中央工作车间包裹着流线型的砖，顶上用玻璃管道像砌体一样砌筑形成高侧窗和天窗采光，革新性的薄壳混凝土柱子，底下套着小型黄铜柱础，轻巧地落在地板上。就像塔里埃森的绘图室一样，员工在林立的大树般的柱子之间工作，享受着顶部通过天窗百叶过滤的天光，感觉自己像是在森林里。虽然这是个工作场所而不是宗教场所，但赖特通过将约翰逊制蜡大楼的中央工作间塑造成神圣感的空间，展示了他对日常生活的仪式感和功能的重视。

广亩城市（1934年）是赖特的一个未来的城市设计，试图在杰弗逊式的城市网格中，以前所未有的尺度建立一种农耕和居住的秩序，为每一户居民提供一处自然的场所。规划方案在以独立住宅为基础的背景下交织着公共、商业和宗教建筑，从而为郊区生活提供一个合理并精确的空间和社会秩序。威斯康星州麦迪逊的赫伯特·雅各布斯住宅（1937年）是赖特设计的第一个所谓的“美国风”住宅，为美国快速发展的中产阶级创建的小型、经济和节能的住所。赖特根据不同的气候和建造类型设计了上百个“美国风”住宅，每个住宅都在有限的建筑面积下拥有一个精彩的大空间，可供家庭成员充分享受阳光和自然的哺育。

赖特生命的最后十年中相当多产，在塔里埃森出产了上百个设计。这个时期最好的作品是纽约中央公园对面的所罗门·R.古根海姆博物馆（1943—1959年）。这座博物馆是表达混凝土可塑性的华丽作品，同时将艺术品和观察者放置在一个顶部向天空开放、连续螺旋上升的体量中，展示了一种非凡的动态空间体验。宾夕法尼亚州埃尔金斯公园里的贝丝·沙洛姆犹太教堂（1954年）将折叠的混凝土座椅锚固在地上，半透明的帐篷屋顶向着天空，这个作品强有力地总结了人类作为大地上永久居民和持续的漂泊者的理念。加利福尼亚州圣拉斐尔马林县市政中心方案（1957—1959年）也许是赖特最出色的场地设计，虽然他去世之前并没有做完，这是一个包含一系列连接低矮山丘之间的水平建筑。

可以说赖特最伟大的成就是他在整个职业生涯中设计的上百个低调、不昂贵，但和场所结合紧密、能够丰富体验感受的居住建筑。令人惊讶的是，他甚至谦虚地宣称建筑只是日常生活的背景和框架，而他设计中的智慧和形式秩序一直是趋向于将居住者身体的舒适和精神性结合在一起。赖特的系统化概念、相互关联的空间、材料和服务于人类居住和体验的室内空间秩序，在20世纪都是无与伦比的。

卡拉·卡瓦拉·布里顿/撰

奥古斯特·佩雷

为钢筋混凝土创造美学的语言和原则

（1874—1954年）

奥古斯特·佩雷是20世纪前半叶杰出的法国建筑师和建造家，是钢筋混凝土应用的重要的倡导者。他为混凝土的设计奉献了一种独特的美学语言，并为建筑设计提供了一个综合性原则。佩雷在20世纪初期便被后一代年轻建筑师，特别是勒·科布西耶看作是具有进步性的革新家，被大多数人尊称为“建造家”。他集建造师、理论家和建筑师于一体，成为具有责任感和原则性的专业实践家的模板。奥古斯特·佩雷和他的兄弟古斯塔夫与克洛德在家族事务所佩雷兄弟公司工作，这是一个从他们父亲那里继承来的建筑工程公司。奥古斯特是全方位控制公司的企业家，从概念到建造过程，从最开始的设计到最后完成的细部。

佩雷设计过教堂、剧院、艺术家工作室、博物馆、工业厂房和大尺度城市开发项目，特别是在巴黎、亚眠、勒阿弗尔、卡萨布兰卡。佩雷赋予钢筋混凝土整体的建筑表达框架，他将这种材料带到法国公众的眼中，将它从一种主要用于工业建筑的粗糙的材料抬升到高度精细化的结构设计媒介，就像处理精细的木材和石材一样。特别是他给未来新一代提供了对于这种新材料的技术潜力的理解和建造的技艺。在20世纪中期，佩雷已经通过他的原则和实践建立了自己作为混凝土建造的带头人的声望。他经常在《今天的建筑》《前卫建筑》和《建筑技术》杂志中参与讨论关于体量、结构和材料的问题。他通过这些影响并塑造着法国的现代建筑。

现代化的古典主义

佩雷的思想植根于长期以来法国结构理性主义的理论（特别是欧仁·埃马纽埃尔·维奥莱-勒迪克、奥古斯特·舒瓦西和朱利安·加代），他在19世纪理论家的批判性立场和20世纪新建筑的需求之间寻求平衡。他将现代化的古典主义作为自己的决策系统，相信古典主义潜在的延续性能够形成一种新的建筑秩序，并且深信在法国正规的建筑传统下的历史延续性。

历史学家通常将佩雷和彼得·贝伦斯、弗兰克·劳埃德·赖特与奥托·瓦格纳组合在一组，而佩雷也被认为是这英雄一代建造者中的一分子。佩雷设计的第一个钢筋混凝土框架结构是一幢在巴黎弗兰克林路25号的公寓楼（1904年）。这个结构体系是弗朗索瓦·埃内比克1892年的专利，多层的金属结构明确地表现在立面上，工艺设计师亚历山大·比戈设计制造的饰面砖图案强化了这种表达。在庞泰路的车库设计（1906年）中，佩雷仔细地在正立面上运用了空间组合、比例和结构框架的规范原则，从而展示了他能够用普通的结构达到最大的纪念性价值。香榭丽舍剧院（1911—1913年）方案是从亨利·凡德维尔德的设计发展而来，在这里佩雷完全采用了现代化古典主义的思想。建筑结构系统经过了深思熟虑，还运用了混凝土结构框架；立面用雕塑家

奥古斯特·佩雷（留胡子和戴领结者）在巴黎雷努阿尔路51—55号工作室中，约1937年。佩雷设计的这个建筑中有一套供自己使用的公寓。

香榭丽舍剧院，巴黎。爆炸轴测图展示了钢筋混凝土结构框架，1911—1913年。

安托万·布德尔的浮雕进行装饰，室内的穹顶是莫里斯·德尼的天顶壁画。

勒赖恩塞圣母教堂（1922—1924年）昭示了佩雷作品内在的张力。他的古希腊-哥特传统的延展设计表现出他对于建筑历史的尊重。而同时他也全面探索了钢筋混凝土在建筑中的运用性能，表现了他一定的现代主义激进态度。勒赖恩塞是巴黎东北角一个工人阶级居住区，教堂完全用无饰面的混凝土建成，在展现混凝土纪念性特性的同时，又用纤细的柱子表现其内部的张力。这个项目在建造过程中曾被广泛宣传，成为20世纪重新思考传统的教堂设计的典范，特别是影响了曾在美国和日本工作过的捷克建筑师安东尼·雷蒙德。教堂的幕墙由预制的混凝土格栅组成，中间填充了由莫里斯·德尼设计、玻璃艺术家玛格丽特·于雷制作的玻璃彩画。中堂里锥形柱承载着低拱顶的拱券，形成了室内空间非比寻常的轻盈和优雅。通过对该教堂设计的统一性和建筑语言的控制，佩雷很快塑造了自己在新建筑体系中的领袖地位。

佩雷在另一个公寓建筑，巴黎的雷努阿尔路51—55号（1930—1932年）的设计中

上图：巴黎公共艺术博物馆（1936—1948年）。大厅中楼梯的建造照片。
左页图：建造中的勒赖恩塞圣母教堂，1922—1924年。显示了全部使用混凝土制造的拱形天花、承重柱子和穿孔的墙面板。

展示了他的人文情怀,例如传统的法式长窗；他自己住的阁楼公寓也表现了巴黎第16区的低调居住氛围。像弗兰克林路25号一样，雷努阿尔公寓也是在特殊的复杂地形之上建造的，是一块三角形而且高差很大的基地，但它最终成了一个出色的项目。在这里佩雷根据经济性的原则，充分利用了建筑规范所允许的所有特殊条例。

佩雷的公共艺术博物馆（1936—1948年）是在德兰纳路靠近夏约宫的一大块三角地上建造的，活灵活现地展现了他对于发展适合混凝土建造的法国建筑秩序的兴趣。他在混凝土工艺上的精工细作表现在优雅的细节处理上，比如将混凝土中的碎石染成各种颜色，或是采用剁斧石的肌理。国家家具管理委员会（1946年）就是在法国官邸的模式上设计，作为国家拥有家具的储藏仓库和修复工作室。

佩雷晚期的作品是他早期城市设计探索的延续。例如，他在负责的勒阿弗尔港的战后重建工程（1949—1956年）中，和他的追随者一起将他的原则运用到大规模项目中。佩雷自己也负责了市中心广场和圣约瑟夫教堂的设计（1952年），这座教堂像是一座灯塔一样矗立在诺曼底的海岸线上。城市规划是根据严格的要素主义模式，利用这种标准化的结构体系，城市可以根据需要进行扩展。

文化贡献

像他的同事、诗人和社会批评家保罗·瓦莱里一样，佩雷认为创造的过程是提取智慧和洞察力精华的一种能力。对他来说，他设计的构想过程和方法无异于诗歌的写作，需要一种有规则的重复和句法的修饰，受到文化习惯和文脉的束缚与控制。佩雷用简洁的格言总结了建筑作品之中的许多文化和社会的意图，以及设计方法。他在1952年出版了这些格言的集合《建筑理论的贡献》。

佩雷的文化贡献在第二次世界大战前和巴黎文化与知识圈的潮流相吻合，即在寻求对于法国古典主义传统的一种现代诠释。比如说，在瓦莱里的苏格拉底式的建筑对话作品《欧帕里诺斯，或建筑师》（1921年）中，有一个忠诚于古典主义理想的建筑师，寻求一种更稳固的表达方式，来表达法国文化和变化与转换性的现代革新之间的交集。佩雷被认为就是文中的欧帕里诺斯，他的作品被看作是复杂的，甚至是神秘的。他注重建造经济原则，同时作为一个现代主义者，他也在追求新材料的技术和美学潜力：他的作品一直在寻求着这两者之间的平衡。他就是这样一位建筑师和建造家，他的作品清晰的形式隐藏了他意图的复杂性和微妙性。

戴维·邓斯特/撰

路德维希·密斯·凡德罗

最后一个伟大的形式发明者
（1886—1969年）

1965年勒·柯布西耶去世后，雷纳·班厄姆在《建筑评论》上写了一篇题为《最后的形式塑造者》的讣告。尽管密斯·凡德罗自己并不承认（“形式并不是我们研究的对象”），但事实上1969年去世的他才是最后一个伟大的形式的创造者。密斯出生于亚琛，是一个大师级石匠的儿子。他从没上过建筑学校，而是做了彼得·贝伦斯的学徒，后来在第一次世界大战之后于柏林建立了一个小型的个人实践机构。1938年他从祖国德国移民到美国，既是为了工作，也是为了在伊利诺伊理工学院创建新的建筑学院。他放弃了早期混凝土框架的实验，以利用钢铁和玻璃设计建筑而闻名。还在欧洲时，他就曾尝试高层建筑项目、灵活性的住宅（斯图加特的威森霍夫，1927年）和家居的开放式平面（布尔诺的图根德哈特住宅，1928—1930年）。他在一封写给埃里克·门德尔松的信里说，这些实验的结果被存起来，在美国被重新启用。所以，这些建筑不是从乱涂中发明出来的。当在芝加哥建造高楼大厦的机会到来时，密斯已经有了一些清晰的想法。

发明和创新

世界上第一个钢框架公寓，860—880号湖滨公寓（1948—1951年），高26层，以其结构体系和服务体系上的发明而著称。密斯的结构工程师弗兰克·科尔纳克在对于高层的横向摇摆知之甚少的情况下将其设计成了钢结构。奥弗·阿勒普讲过一个在暴风雨天在最高的楼层里聚会的故事，当时水从浴室水槽涌流出来。当然，现在不会再准许这种危险的工程了。同样，在提升力不足时，浴室及厨房的空气处理系统也会嘈

建设中的860—880号湖滨大道公寓，芝加哥。这栋建筑完成于1951年。

杂且不平衡。密斯希望在公寓中安装空调，但开发商赫伯特·格林沃尔德负担不起。这个新项目还实验性地支持了环境标准，并被密斯运用在了后来为格林沃尔德所建的公寓中。大多数质疑是关于竖框支柱，它们很明显地没有起到支撑结构的作用，在1952年11月《建筑论坛》的一次采访中，密斯解释说："我会告诉你使用这些竖框的真

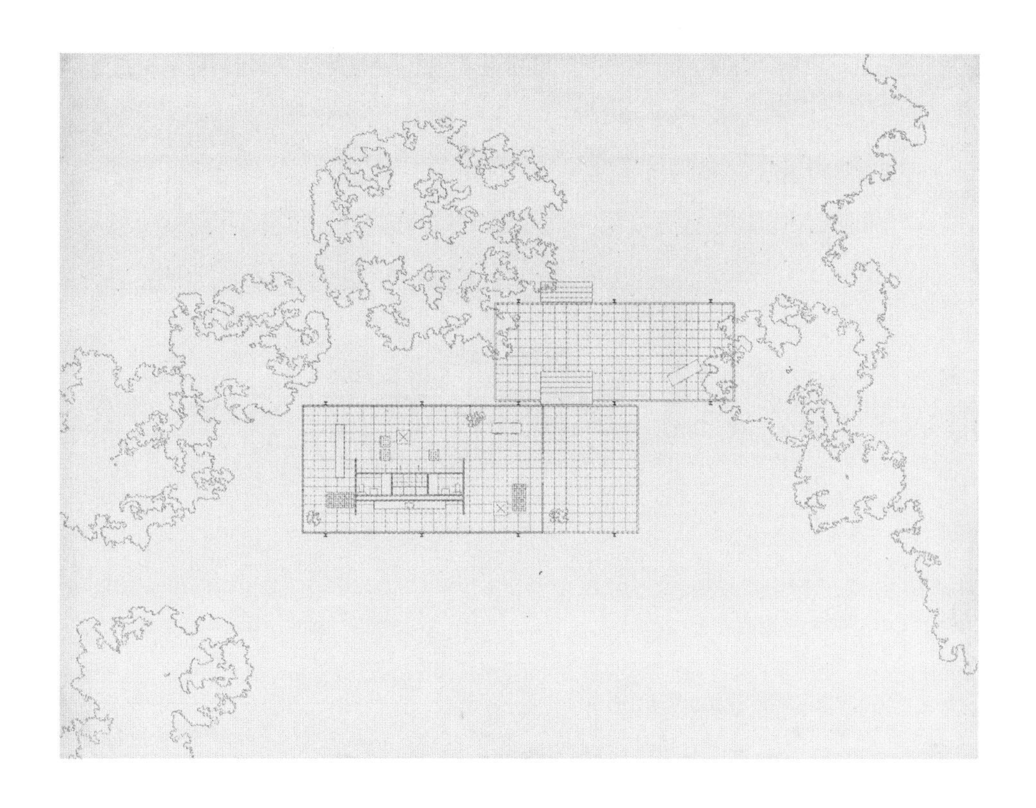

范斯沃斯住宅平面图，普莱诺，伊利诺伊州，1951年。一所与周围环境和谐共处的乡村休息寓所，已经成为20世纪最有名的住宅之一。

正原因，我也会告诉你它们所起的作用也成了一个好的理由。竖框在建筑的其余部分建立了一种节奏，保持并延续这种节奏是非常重要的。最初我们在模型上看到没有钢断面（工字钢）附着的角柱，这看起来不太对劲。这是我们加上竖框的真正的原因。现在的另一个原因是工字钢可以加强包裹角柱的钢板，使钢板不易变得弯曲。我们也需要这些部分在吊升时加强强度。当然，这是一个非常好的理由，但第一个理由才是真正的原因。”

在设计湖滨公寓的同时，密斯还在做范斯沃斯住宅（普莱诺，伊利诺伊州，1945—1950年）的设计，这是一个被抬升起来的单层净跨的周末度假别墅，建在福克斯河泛滥时会淹没的平地上。这个亭子四面玻璃，非对称地在中央核心布置了浴室和一个线性厨房，这已成为所有极简主义住宅的评判标准。紧接其后，密斯收到纽约西格拉姆

新国家美术馆，柏林，1962—1968年。密斯的无柱净跨玻璃展厅。坐落于博物馆屋顶空间，被一个由八根室外柱子所支撑的矩形钢结构屋顶覆盖。

大厦（1954—1958年）的项目委托，这座玻璃和青铜色框架的建筑坐落在公园大道一侧，为纽约提供了多年来第一个新的公共开放空间。密斯的最后主要项目标志着他回归了柏林时的设计风格：一座有着单层净跨展览空间的新国家美术馆（1962—1968年）。密斯所运用的形式——塔、大厅和展馆——使他很容易被攻击为形式主义。不过正相反，他能够非常务实地去适应建筑材料的可用性、场地的形状和客户的要求。所有这些适应都是可能导致妥协的因素，而妥协正是形式主义的敌人。他很少写东西，留下来的只是一些简略的评论，几乎无法给出什么线索。但轶事表明他是一个温和的、并不独裁的人物。他准备着去探索所有的可能性，然后也会再长时间地去思考它们。所以我们只能从建筑本身来区分“好的理由”和“真正的原因”之间的差异。

未来的愿景

直到在1969年去世之前，密斯的作品还维持着他的声誉。他被认定为所有的“玻璃和钢”结构高层建筑之父，这些建筑定义了20世纪后期新兴的城市景观，同时，有批评者指责这些城市的匿名性（无特征性），他也被认为是多元化的敌人。2001年《密斯在柏林》和《密斯在美国》两个展览在纽约举办。这两个展览与几年前曼弗雷多·塔富里的反批评言论合在一起，显示出密斯的作品实际上是静谧和有秩序的建筑。它们将表达现代主义的武器——表象功能、材料和结构——置于有序的表面之下，同化了建筑的用途与城市生活的混乱：密斯曾在20世纪20年代和30年代的柏林经历过这种混乱。这些作品尽可能不进行价值的判断，这正是为什么密斯不仅仅是20世纪，而是建筑历史上最伟大的建造者之一。就像那些伟大的建造者探索和尝试15世纪、16世纪的古代遗物，尝试复兴，并塑造成我们现在所称的古典建筑，密斯一步一个脚印地发展了一种有序建筑的词汇，从而奠定了那些被宽泛定义为理性主义的欧洲建筑师作品的基础。这个内向但是坚定的建筑师仍然提供未来的愿景，它神圣而永不过时，超越了建造他的建筑类型的时代。

蒂姆·本顿/撰

勒·柯布西耶

用混凝土、石材、木材还是金属?
(1887—1965年)

这是年轻的夏尔·爱德华·让纳雷和他的两个朋友的照片，他穿着工作服，正在为他的第一个建筑作品法莱别墅的立面上拼装松果形的图案(1907—1908年)，这大概是勒·柯布西耶(他在19世纪20年代为自己所改之名)最后一次被捕捉到直接参与建设过程。他很少到建筑工地，并经常对他设计的建筑的施工工艺质量感到失望。然而，勒·柯布西耶被认为是20世纪一位伟大的建筑师，按照他的设计建造的建筑超过70个，他还写了50多本书，其中一些被翻译成多种语言，所有这一切都为后来的建筑师们提供了新的思考方式。他的部分影响来自强化国际现代主义的要旨：结构与围护体系分离，屋顶露台的使用和大片的平板玻璃以及内部的开放空间。但影响的另一部分来自勒·柯布西耶早在1929年就发起的反现代主义的逆流。他重新发现了天然材料的使用，如石材、木材和砖，以及木模板留在钢筋混凝土表面的痕迹印象，尤其是第二次世界大战之后，他的建筑越来越具有雕塑感和色彩感。不管怎么说，在所有作品中，勒·柯布西耶都通过一种与结构过程的对话，从内到外发展着他的形式。

奥克塔夫·马泰、夏尔·爱德华·让纳雷(勒·柯布西耶)和路易·乌里耶在法雷别墅的谷仓中工作，1907年。

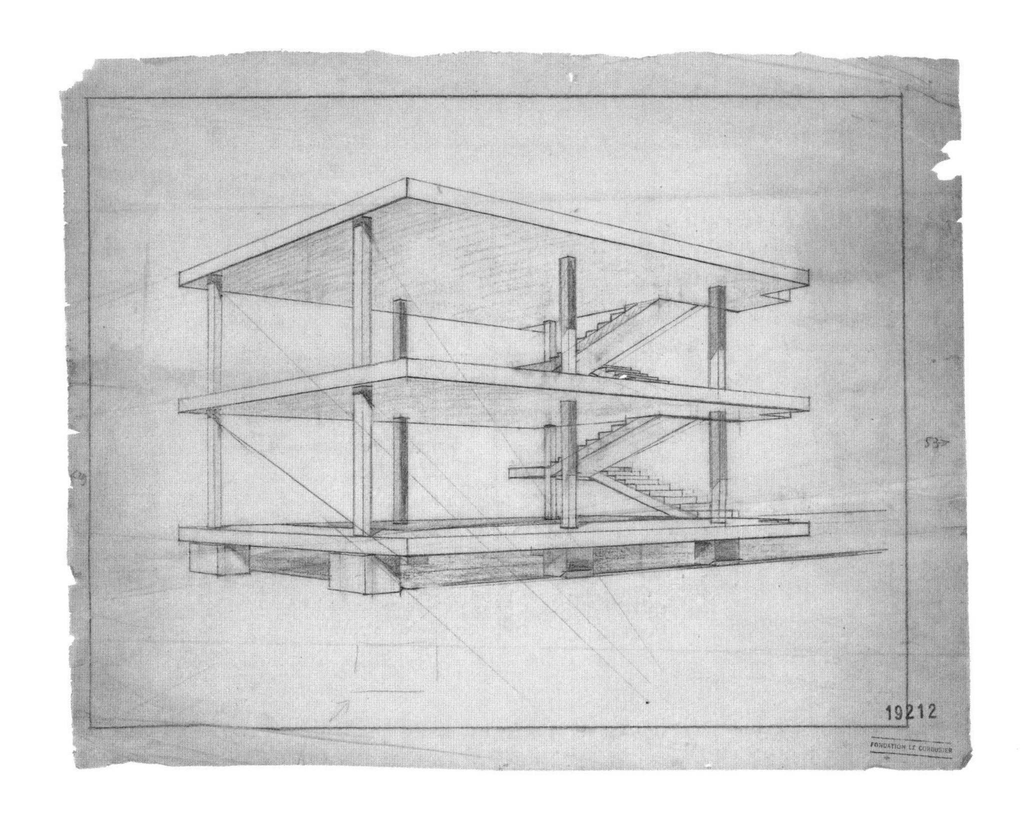

多米诺住宅项目申请专利时准备的图纸，1915年。

现代主义原则

1915年，年轻的让纳雷试图为一个全新的建设方法申请专利，但惨遭失败。他当时画的这个简图，也就是所谓的多米诺体系，完整地表达了现代主义基本原则。结构与外部围护的分离意味着墙壁的任何部分都可以用玻璃做成，并且每层内部墙壁也都可以采取任何形式。这个想法如此激进，甚至有一段时间，让纳雷也未能掌握其完全的意义，也曾按照多米诺体系设计房子却没有暴露的混凝土柱，还使用了传统的窗户。暴露的混凝土支柱——被称为“底层架空”，是勒·柯布西耶在20世纪20年代提出的概念——成了他和大多数国际现代建筑师作品的标志。

这个基本原则源自“结构理性主义”，认为建筑的形式应该由其结构决定。勒·柯布西耶将其总结为著名的“新建筑五项原则”（1926年）：“底层架空”（钢筋混凝土细

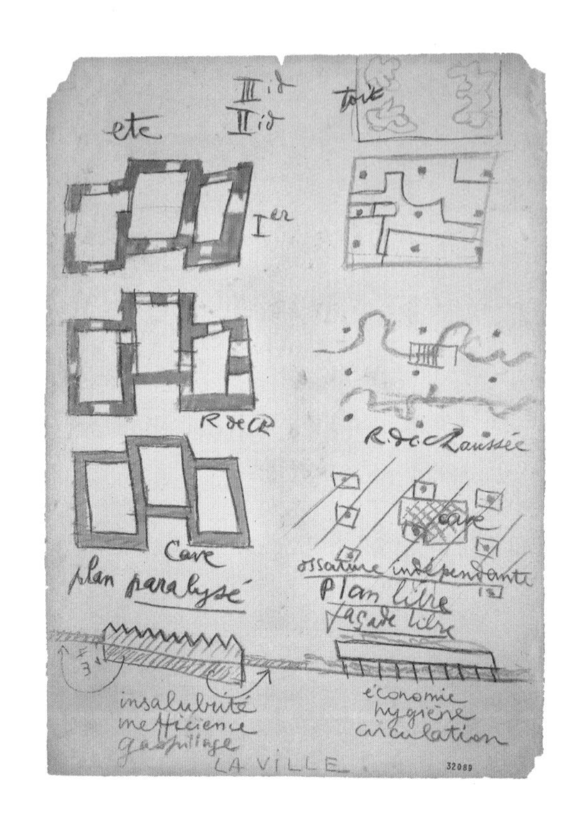

一次题为“现代住宅的平面”的演讲中所画的图，布宜诺斯艾利斯，1929年10月。

柱），将建筑抬离地面；自由平面，由于建筑底层的架空柱能够承受建筑的压力，每层可以有不同的平面布局；自由立面，因为这种结构也允许自由组合外立面；横向长窗，窗户可以延展到整个建筑的宽度，由楼板支撑；屋顶花园，可以利用平面屋顶来恢复被建筑所占的基地面积。

勒·柯布西耶在某次讲演中现场画过一个图示来演示他的五点原则。传统类型的房子是由承重墙构成，每层的格局都是一样的。此外，外墙上开的每一个洞口都会削弱其结构强度。相比之下，光线和空气可以从钢筋混凝土建筑下面穿过。他认为这对于经济、卫生和开放的交通都有好处。虽然这五点原则基于来自结构的逻辑，但它们很快成为一系列的风格修辞，被勒·柯布西耶和他的众多模仿者在20世纪20年代至30年代反复使用。与他的导师奥古斯特·佩雷不同，奥古斯特是一个坚定的结构理性主义者，而勒·柯布西耶并不热衷于在建筑外部表达其结构。钢筋混凝土施工所铸造的

勒·柯布西耶和皮埃尔·让纳雷设计的萨沃伊别墅的东南立面，普瓦西（靠近凡尔赛），1929—1931年。

马赛公寓屋顶的幼儿园，1945—1952年，展示了用混凝土建造的底层架空柱。

奇迹使得勒·柯布西耶可以如此行事，但是他是通过形式和美学进行价值衡量的，而不是根据结构理性主义的道德判断——建筑是否“诚实”地表达了它的结构。

作为西方建筑传统的一部分，在一个令人满意的形式中结构系统应该是可见的，即使需要扭曲结构逻辑也必须实现这一点。因此，希腊的梁柱支撑体系（柱支撑门梁），在罗马帝国（以及后来在文艺复兴时期）被发展为壁柱的视觉语言，而原有的结构逻辑已经不再成立。在五点原则的运用过程中，类似的形式主义逐渐渗透到了现代建筑当中，勒·柯布西耶设计的凡尔赛宫附近的萨沃伊别墅（1929—1931年）是一个明显的例子：建筑的形式占据主导地位，掩盖了任何真正的建造逻辑。东南入口立面看起来好像支撑着上面的墙体，而事实上，楼板是由底层架空柱悬臂支撑的。

后来勒·柯布西耶想用相同的原则来分离围护结构的其他功能：提供保温遮阳、通风、维护隐私或开窗欣赏美景。薄的垂直混凝土挡板可以被用于遮蔽阳光，并构成巧妙的比例的节奏，他将之称为波浪型。他还在建筑外立面上研发出了更大规模的遮阳设施，一个框架混凝土挡板，其角度可以防止强烈的阳光穿透室内，而同时又允许早晚间的光线流入。1951年9月5日他申请了一项专利，被他称为“第四墙”，用玻璃板、胶合板、铝材和通风格栅,甚至是组合橱柜和其他设备来分割立面，所有这些都基于被他称为“模数”的比例体系。

钢筋混凝土

勒·柯布西耶最常用的材料是钢筋混凝土，他费尽心思，试图找到能充分利用其工业化潜力的方法。在波尔多附近的佩萨克住宅（1925—1926年）中，他说服客户购买非常昂贵的英格索兰设备，这种设备能够在钢丝网上喷洒水泥进行加固。然而实践表明这种喷浆材料不容易控制，他很快就放弃了，回归到他20世纪20年代建造那些纯粹主义的别墅时使用的方法：手工完成煤渣砌块墙再用水泥抹面。只有这样，才能在当时的技术手段下表达出机器时代的完美精度。奇怪的是，喷浆技术后来又在朗香教堂（1950—1955年）出现，它被用于铸模建造曲面的墙壁。

钢筋混凝土是机器时代进步的象征，它激发了一场革命性的改变，在现代化来临之际发展成为人类永恒的证明。从机器到手工、从纯形式到触觉、从完美到缺陷、从几何形状到仿生形态，可以从两个方面看出混凝土的这些变化：它像现代炼金术一样，

朗香教堂，1950—1955年。

安德烈和苏珊·雅乌尔住宅的起居室，纳伊，巴黎，1951—1955年。

连接着不同的材料（如木材、石材、砖）传递；并且从一开始混凝土在理论和实践中就是非常难以被界定的。

勒·柯布西耶很快就对结构性压力应该被降至最小，并由细钢柱或混凝土框架支撑这个理念失去了兴趣。他在和他堂兄皮埃尔·让纳雷为巴黎大学瑞士学生建造的宿舍（1930—1931年）中，放弃了使用细钢柱支撑，转而建造了巨大的混凝土桥墩模块。他想以雕塑的形式表达结构的戏剧性。人们第一次在这些有机形态的柱墩表面上看到未刨光的木模板留下的印痕，也能看到他在这个建筑中使用了碎石墙，也就是皮埃尔磨石，在巴黎，这种材料从未被用于公共建筑。在为杰赛球场街设计的阁楼公寓（1931—1934年）中，皮埃尔磨石隔墙是暴露的，与红砖烟囱组合在一起，创造出了一种良好的装饰效果。勒·柯布西耶通过使用低调的皮埃尔磨石利用石头的颜色和质地，而无须加入学院派建筑师，也就是那些身着职业服装、在其古典立面上使用石材雕刻的人的阵地。

自从1928年访问巴塞罗那之后，柯布西耶放弃了五项原则中的另一个——平屋顶。

勒·柯布西耶和皮埃尔·让纳雷设计的阿尔班·佩龙住宅，鲁瓦扬附近的莱斯马泰，1935年。

勒·柯布西耶在马丁角为自己设计的小木屋，1949年。

他迷上了由薄瓷砖对边黏合砌造的加泰罗尼亚穹顶。在阁楼工作室，他就模仿厂房使用了混凝土拱顶；1935年在拉塞勒的周末小住宅中，他再次使用混凝土的拱顶，并用土和草覆盖它们。在印度艾哈迈达巴德的萨拉巴汗别墅（1951年），他又一次使用了被植被覆盖的混凝土拱顶。然而在巴黎，他回归了他对于拱顶的兴趣来源，在纳伊为安德烈·雅乌尔和他的儿子建造的两座房子（1951—1955年），使用了由钢缆张拉的真正的加泰罗尼亚砖拱顶。相比勒·柯布西耶在20世纪20年代的那些建筑，加泰罗尼亚瓷砖温暖的颜色和拱顶的封闭形式创建了一种更强烈的亲密感。两个平行的拱顶一个比另一个大一些，作为一种规则来组织不同的功能。粗糙混凝土超大横梁与红色拱顶和白墙形成鲜明对比。加建的两层高的沙龙充斥着光线，增加了惊喜。

新材料带来的乐趣

自1929年开始，勒·柯布西耶从新材料中重新发现乐趣，开始使用更丰富的材质和更复杂的形式，抛弃了仅仅于三年前由他自己创造的“新建筑五项原则”。1935年，他和皮埃尔·让纳雷为救世军指挥官阿尔班·佩龙设计了法国波尔多北部莱斯马泰夏日别墅，像是一首为夏日质朴的户外生活而作的诗。卧室与主卧室和共享客厅位于远（东）端，一楼有一个面向海景的窗，下面的餐厅也一样。天气好的时候，全家喜欢待在有顶的阳台和露台上。这房子的木构件得益于日本建筑师坂仓准三的细节设计，他后来成了勒·柯布西耶的助理。

勒·柯布西耶在1949年为自己和妻子设计的度假小木屋中最后一次表达了对木材的致敬。小屋位于马丁角的岩石上，与他最喜欢的科西嘉木匠夏尔·巴伯里合作建成。勒·柯布西耶设计了一个非常紧凑的平面格局，尺寸都基于3.66米的模块。所有东西都有特定的位置，表面由胶合板和彩色绝缘板连接而成。尽管所有的细节都有手工制作的感觉，整个小屋都是在科西嘉岛建造的，又经由铁路运到马丁角，火车正好停在房子上方卸载木板。在他生命最后的15年间，正是在这里，在一个小小的棚屋中，勒·柯布西耶完成了许多项目。1965年，他在这里的海滨游泳时去世。

安德烈·哥扎克/撰

康斯坦丁·梅尔尼科夫

向未知的飞跃

（1890—1974年）

康斯坦丁·梅尔尼科夫出生在莫斯科，从1905年到1910年他在莫斯科绘画、雕塑和建筑学校学习通识课程，之后他学习绘画到1914年，然后转到建筑学系进行四年级学习。1917年，他作为一个建筑师毕业，在俄罗斯历史上这是极为重要的一年。1920年,他被聘为弗胡捷马斯（俄罗斯高等艺术暨技术学院）的教授。这所学校于同年成立，由他的母校和斯特罗加诺夫应用艺术学院合并而成。在后来的四年内，梅尔尼科夫参加了一些莫斯科的建筑竞赛项目：劳动模范住宅（1922—1923年）、劳动宫（1923年）、阿尔科斯联合股份公司大厦和莫斯科列宁格勒真理报社（1924年）。他设计完成的第一个项目是马霍卡烟草馆，这是为1923年的一个农业展览会而专门设计的。这座木质结构建筑物以它新颖的结构吸引了媒体和建筑师同行们的注意。

“辉煌十年”

梅尔尼科夫在为莫斯科新萨哈罗夫市场（1924—1926年，后拆毁）以及1925年巴黎博览会的苏联馆的设计中进一步发展了木制的主题。巴黎馆是他的设计作品中一个明确的里程碑，为他赢得了国际性认可和成功，勒·柯布西耶宣称这是“唯一值得一看的展馆”。这些赞誉为他带来了一个巴黎的委托项目，设计一个能容纳1000个车位的出租车车库，他提交了两种不同的设计方案。虽然那座建筑从未破土动工，但这个项目引起了梅尔尼科夫对车库的兴趣，随后他在莫斯科建造了车库。他开始研究细节功能，并想出了一个无须倒车就可以驶入和驶出的停车系统。梅尔尼科夫在莫斯科设计并建造了两个车库，即巴克梅特夫斯卡亚街公共汽车车库和诺夫-雷阿赞斯卡亚街卡车

巴黎国际艺术和现代工业博览会苏联馆，梅尔尼科夫设计，1925年。

车库（1926—1929年）。

1927年是梅尔尼科夫最多产的一年。他设计了一系列的工人俱乐部，其中六座在之后的几年内开工建造，如在莫斯科的伏龙芝俱乐部（1927—1929年）、卢萨科夫俱乐部（1927—1929年）、考丘克橡胶厂俱乐部（1927—1929年）、斯沃博达工厂俱乐部（1927—1929年）和布里瓦斯尼克工厂俱乐部（1929—1931年），以及在杜勒夫的陶瓷工厂俱乐部（1927—1928年）。其中最著名的是卢萨科夫俱乐部，如需要，该俱乐部的一个系统可以使三个座位区域转换为一个大的礼堂。另外的一个未被建造的是为祖弗

左页图：梅尔尼科夫在他的家中，莫斯科克里沃阿尔巴茨基路，1927年完工。

俱乐部（1927—1929年）所做的设计。这个设计中包含了五个相交的圆柱体，这也成了他为自己在莫斯科克里沃阿尔巴茨基路住宅的设计前身。这个关于“五个相交圆柱”的创意，梅尔尼科夫后来写道：“在我们房子的奇妙二重唱中回到我身边”（这所房子有两个相交的圆柱形塔）。

1929年梅尔尼科夫参加了设计克里斯托弗·哥伦布纪念碑的国际竞赛，他想以一座在圣多明哥的灯塔参赛。除了纪念性建筑的传统技术之外，他还结合了动力学元素，将其设计成可以因风而转的建筑。20世纪30年代初是决定梅尔尼科夫和整个俄罗斯前卫派命运的几年，苏联当局的管制导致了艺术领域的全面极权主义。1923年到1933年他作为一个建筑师的“辉煌十年”走到了尽头，再没有了项目委托，并且在1937年首届全苏联建筑师协会大会上受到了严厉批评。梅尔尼科夫因此失去了他在莫斯科苏联人民代表第七建筑工作室的领导地位，他1933年就开始担任这项职务；同时他也失去了在莫斯科建筑工程学院教学的权利。

作为世界著名建筑师，1933年米兰三年展上十二个国际明星之一的梅尔尼科夫，正在被人遗忘。梅尔尼科夫的生活发生了翻天覆地的变化，他充分利用了他的美术文凭，开始寻求并承接肖像画和官方历史画的委托。那些年间他最重要的作品是为参加莫斯科红场重工业人民委员会的设计竞赛（1934年）和1937年巴黎博览会苏联馆的设计竞赛而做的设计。红场的竞赛产生了两个杰出的设计，由梅尔尼科夫和伊万·列奥尼多夫提交，他们两位都是公认的20世纪建筑大师，他们为建筑的成长和发展打开了新的视野。战后，梅尔尼科夫为了回到建筑设计事业，设法参与了几个竞赛的设计，从他在1964年为纽约世界博览会而做的苏联馆设计就能看出，他的想法仍一如既往的新颖。他最后的作品是1967年为莫斯科的阿尔巴特街的儿童电影院所做的竞赛方案。在生命的最后几年中，梅尔尼科夫完成了在他去世后出版的自传手稿《我生命中的建筑》。

发明家和发现者

我们很难按照一般20世纪的建筑分类来将梅尔尼科夫的作品列入某一个类型当中，因为它不受单一风格或趋势的狭窄界限的限制，也很难找到适合他形式语言的术语。尽管如此，大多数评论家认为这位建筑师拥有一种独特的和创造性的发明意识，与他

卢萨科夫工人俱乐部，莫斯科，1927—1929年，这是梅尔尼科夫设计的一系列首都附近的俱乐部之一。三个突出的座位区域可以变成一个大会堂。

的空间、结构和艺术思维的强大气质和锐利的矛盾性相辅相成。梅尔尼科夫确实是一个独一无二的发明家和对未知形式的发现者，能与之比肩的只有把艺术家的工作室看作是一个新形式的发明实验室的毕加索。梅尔尼科夫看重“艺术家的强大精神”高于一切，从技术功能和建造到具有美学意味的形式和艺术性的构成，他的创造力延展覆盖到了建筑事务的方方面面。他本来可以享有许多技术的发明专利，如建造自宅使用的格子状或蜂窝状砌砖墙体系、公交车车库和停车场的汽车驶入驶出系统、用于俱乐部房间大小及功能的“灵活的房间”系统、为《列宁格勒真理报》大楼及哥伦布纪念碑的齿状侧翼而设计的旋转楼层动态建筑体系。然而他在艺术和形式上的发现又要怎样申请专利？他建筑的诗意组合定义了其个人标志的唯一特征。

大多数研究过梅尔尼科夫作品的作家描述他的建筑的鲜明特征为“新颖”“动态”和“表现性”，这些品质明显存在于几乎所有的梅尔尼科夫的设计和构筑中，这是一种新奇的对比空间形式的冲突，是多角度的运动、向量和力量。他的作品充满了内在的张力，随着形式的变换，故意打破对称并使用他心爱的斜线。其互动产生的总体印象，变化无常的几何形式，机动的、接近于一种动态平衡的状态。那么如何总结这个高度复杂的图像呢？答案可能就寓于刻在建筑师自宅立面上的文字里："康斯坦丁·梅尔尼科夫，建筑师"。它们是他非比寻常的个性的见证和象征。终其一生，梅尔尼科夫是一位坚定的个人主义者，他拒绝认同任何一个建筑运动。我们可以在前辈的实验中找到他建筑的根源，不管是国内的还是国外的。但他拒绝模仿的想法，并全力捍卫他的设计和想法的自主性。梅尔尼科夫被大自然赋予了独特的创造性和大胆的想象力。正如他自己所说，与他的建筑一起，他推动了可能性的边界。他把所有的建筑的描述变成了力的动态冲突，在狂野地跃入未知之前的一瞬间冷冻。

里卡尔多·迪里丁/撰

皮埃尔·路易吉·奈尔维

工程师的角色转换

（1891—1979年）

每当谈及自己的职业，皮埃尔·路易吉·奈尔维总是忠实地将建筑的概念作为一项活动，致力于以尽可能高的性能实现既定的目标，也就是说，要用最少的手段获得最大的结果，这个原则从概念到实现被严格地应用在建造过程中的每个阶段。然而奈尔维显然也认同建筑的美学表现，他从不认为这是一个次要的价值。他给世人留下的财富远超于他严谨的技术和经济准则：一种外形的延续，是建筑师作品在精巧设计完成之时，以及在以极高理性组建的施工架构拆除之时所展现的样貌。这种对于外形的延续广泛地得到建筑评论家和历史学家的称赞，也被大众的品位所欣赏，使得这个意大利工程师在他年富力强的时候就成了传奇人物。

奈尔维出生在意大利北部小镇桑德里奥。1913年于博洛尼亚大学的工程学院毕业，1923年在罗马开始自己的专业实践，在那里成立了他第一个由两个人共同拥有的建筑公司。直到20世纪50年代，奈尔维作为设计师的活动还与他作为建筑承包商的工作密切相关，他很少将两者区分开来。相比之下，在其职业生涯的最后阶段，随着日益增长的国际名声和地位，奈尔维承接了无数项目，但是这些世界各地具有专业影响的机构只是将他看作一位结构设计师或顾问。

技术－艺术家

奈尔维从一开始就专注于钢筋混凝土结构的设计和施工。他的作品在20世纪30年代早期就声名鹊起，这要感谢国内外建筑评论家对佛罗伦萨新市政体育场的赞赏，那是由奈尔维在1930年至1932年间设计和建造的。建筑对工程的敏感性正在经历一场变

奈尔维在奥尔维耶托，奥尔贝泰罗和托雷德尔格拉戈普奇设计的机库，1939—1942年。存档照片显示了在覆盖外包材料之前的纯粹结构形式。

革，侵蚀着艺术家们19世纪在他们自己与工业时代之间树立的那道墙。随着现代主义前卫派的收缩以及它的一些基本原则开始生根，工程类的作品成了建筑界批判和干预的目标。奈尔维全面参与了这一文化现象。佛罗伦萨体育场的成功之后，新的建设项目确认并巩固了他在建筑舞台上的地位。就奈尔维而言，他通过设计和写作追求在技术和形式创造领域的双重的参与。在国际方面，奈尔维是第一位在发展事业的同时，获得技术艺术家、工程师建筑师身份的工程师。

佛罗伦萨体育馆以其著名的建筑构件（主看台上方的屋顶、马拉托纳塔，还有最重要的通向露天座位的三个螺旋状的楼梯）而闻名，在那之后，奈尔维又通过在意大利中部的两组军用飞机机库确立了自己的专业特点，第一组在奥尔维耶托（1935—1938年），第二组是从1939年到1942年，在奥尔维耶托、奥尔贝泰罗和托雷德尔格拉戈普奇（全部毁于1944年）。这些机库再一次在专业上和媒体评论界获得的成功预示着奈尔维在战后时期的高度成熟，他证实了自己作为屋顶结构权威大师的角色。此外，在第一组机库和第二组机库之间，他还迈出了决定性的一步。虽然两者都是基于短程线结构的正交拱，但第一组是现场浇筑的混凝土整体结构，而第二组机库大多数的拱是通过装配预制的桁架构件来实现的。这个建造的原则成了奈尔维未来作品的导则：预制结构成为他贯彻最大经济性的手段。

传奇性的建造者

事实上，正像奈尔维自己所指出的那样，预制生产有着量化和多样化的优势，能够克服经济阻碍和木制模板在形式上的限制。事实上，大量生产建筑构件和显著减少施工时间（通常是一个决定性因素），并获得“通过重复均等的元素，得到更加丰富的形式、精致优雅的表面，和紧凑的节奏”都是有可能的。在战后的职业生涯中，奈尔

罗马盖蒂羊毛工厂的地下仓库，1951年。

在建的罗马奥林匹克体育场的圆顶，1956—1957年。扶壁在屋顶转化成纤细的肋条以分隔预制构件。

维成了一个建筑界的传奇英雄，证实了这样的实际情况：他的大部分杰作都是由建筑过程和工地极高的组织效率而产生的（换言之，不朽之作自有其道）。

预制生产基于使用一种钢筋混凝土的变体。这是一种在第二次世界大战期间由奈尔维自己开发并获得专利的混凝土，他将之命名为“ferro-cemento”（钢筋混凝土）。这种材料是通过将由细钢丝制成的紧密重叠、多层的钢网混入混凝土灰浆而制成的。由此产生的材料具有高强度的弹性和抗开裂性。以不同的方式使用钢筋混凝土，将是奈尔维日后职业生涯中一个决定性的因素。总的来说，他的研究集中在屋顶结构内部的结构设计上，在大多数情况下是传统的类型：平板、简单的拱顶和圆顶。对于这些以及其他更少见的类型，奈尔维有三类首选的解决方案。就混凝土楼板而言，带有表达图形的钢肋条根据均衡曲线的主力矩穿过其表面。只有通过钢筋混凝土的使用才能使现浇混凝土表达出如此复杂的曲线（使用石膏模型进行建模，并在板的不同部分重用相同的模块塑造）。一个早期的例子就是罗马盖蒂羊毛工厂的地下仓库（1951年）。拱顶和穹顶主要由十字交叉的菱形结构或是波纹曲面来承载，其抵抗能力因密集起伏的皱褶而增强。在这两种情况下，屋顶都是由预制的钢筋混凝土构成的。钢筋混凝土肋条在特定部位将这些预制构件连接在一起。奈尔维设计的都灵展览会的两个大厅（1947—1948年和1949—1950年）和1960年罗马奥运会的两大体育场馆都是著名的例子。

从完工的那一刻起就同样著名的还有其他一些屋顶结构和建筑，由于种种原因构成上述同质群体的例外。包括巴黎的联合国教科文组织总部（1952—1958年，与马塞尔·布劳耶和伯纳德·泽富斯合作设计）、米兰的倍耐力塔的结构（1955—1960年，建筑设计者吉奥·庞蒂）、为罗马奥运会设计建造的佛拉米尼奥体育场和弗朗西亚大街高架桥、都灵的劳动宫（为意大利国庆而建造的建筑之一，以庆祝意大利统一百周年）和在曼图亚的布尔戈造纸厂（1961—1963年）。

标志着奈尔维职业生涯蓬勃发展的象征性的顶点在1964年，他被教皇保罗六世委托设计梵蒂冈扇形的教皇觐见大厅。奈尔维被要求在一个极具历史和艺术价值的环境中工作：施工现场位于圣彼得大教堂的附近，在一个能瞥见贝尔尼尼的柱廊和在米开朗基罗的圆顶影子里的区域。正如教皇在1971年 6月30日的就职演说中提到的，奈尔维是被选定的“建筑师”，接受激励而敢于面对现实，具有“天才和美德”。这些赞誉之辞和这个委托项目，反衬出一个强大的又容易沟通的大师。这位务实的天才，建造系统的发明者和宏伟建构工地的英雄，还是形式的创造者，几乎总是平易近人，有时散发着正统的魅力。所有这些因素赋予了奈尔维伟大的形象，同时也是这些建筑概念的本质：它们将会随着创造者的逝去而结束。

新视野

1970年，现代运动的大师都已经去世了——包括密斯·凡德罗和勒·柯布西耶（均生于19世纪80年代），还有弗兰克·劳埃德·赖特（出生于1867年并活到91岁）。至少在西方国家，很多现代主义建筑的议程和城市规划被公开质疑，但是美国的信心与能量给予现代主义建筑新的目标感。伟大的芬兰裔美国建筑师埃罗·沙里宁以及巴西的奥斯卡·尼迈耶的作品，都指向一种新的自由和表达的方式。1961年沙里宁在51岁生日后不久去世，那时，尼迈耶在新首都巴西利亚（1956—1964年）对于混凝土美学可能性的探索，在壮观的效果中被公之于世。这位巴西巨匠（出生于1907年）一直活跃到了21世纪。路易斯·康可以说是20世纪赖特之后最伟大的美国建筑师，他去世于1974年，创造了具有独特建构力量的建筑。康所定义的服务和被服务空间的理念影响了诺曼·福斯特所代表的“高技派”一代建筑师，并反映了一个日益重要的因素：如何在大型建筑中处理机械设备系统服务的空间。在日本，乌托邦的幻想城市思想影响了一个时代：支持者之一是丹下健三，他将柯布西耶的现代主义与日本的传统联姻，铸就了新的日本现代主义。

在20世纪下半叶建筑通过与工程师重新对话而再次焕发了活力，工程师们越来越多地从单纯服务性的角色中解放出来。的确，很难用合适的言语描述像奥韦·阿鲁普这样的人，他由北欧丹麦的父母在德国抚养长大，并在丹麦接受教育，创立了一 个总部在伦敦的和多个学科相关的全球设计帝国。当时还名不见经传的丹麦建筑师伍重所设计的悉尼歌剧院（1956—1973年）就是由阿鲁普实现的，阿鲁普在其中所扮演的角色重要而富有争议。建筑与工程的旧界限的模糊性随处可见，正如几位代表人物的职业生涯并不容易被归类一样。其中一位就是让·普鲁韦（1901—1984年），他是一位工程师，开创了一种新型预制建构技术，并探索了使用材料的新方法，尤其是在他非常具有创新性的玻璃外墙上。整个20世纪60年代，他作为“建造师”在巴黎国立工艺技术学院授课，启发了新一代的建筑师使用高科技模具工作的灵感。其中包括英意后裔理查德·罗杰斯（1933年生于佛罗伦萨）和伦佐·皮亚诺（1937年出生于热那亚），他们是普鲁韦主持评审的巴黎蓬皮杜文化中心（1971—1977年）竞赛的胜出者。另一个对高技派，特别是对诺曼·福斯特产生影响的人物是理查德·巴克敏斯特·富勒，他最为人所知的是他的短程线圆顶，但更重要的是，他还是一位可持续设计的倡导者和富有远见的环保主义者。福斯特本人在他的香港汇丰银行大厦（1981—1985年）的成功效应上建构了一个空前规模的全球性实践机构。他近期创作的最著名的结构工程之一，法国南部的米洛高架桥（2004年）是与法国工程师米歇尔·维洛热合作设计的。

由沙里宁和尼迈耶点燃的表现主义的火炬传递到了弗兰克·盖里手中，他高度雕塑感的建筑，包括毕尔巴鄂古根海姆美术馆和洛杉矶的迪士尼音乐厅（20世纪90年代末），都依赖于复杂的工程技术的介入，借助前代人未知的工具——电脑，而实现。尽管有时会被与解构主义设计理论联系在一起，盖里的作品本质上是一个富有想象力的关于混凝土和钢的可能性的探索。盖里，以及更年轻一代的建筑师，如美国的丹尼尔·里伯斯金（1946年生于波兰）和伊拉克的扎哈·哈迪德（1950—2016年），他们的建筑都依赖于工程师们的技术。另一位年轻一代的成员以富有雕塑感的设计方法，令狭隘的理性主义者惊愕不已，那就是西班牙建筑工程师桑迪亚哥·卡拉特拉瓦。一些令人难忘的桥梁的设计为他赢得了声誉，其后他的印记出现在世界各地的歌剧院、火车站和博物馆的设计中。在同等程度上跨越不同专业的德国建筑工程师弗雷·奥托也被认为对轻型张拉体系和膜结构的发展做出了贡献，尤其是将其运用在1972年慕尼黑奥运会体育场所展示出的壮观效果。但是奥托喜欢使用更基本的材料，包括木材，甚至纸板。20世纪末的环境危机给世界上每个从事建设的人带来新的挑战，传统的建筑方式已经被重新审视，并且在适应性、经济性和灵活性上获得了新的意义：例如隈研吾就重新诠释了新时代的日本建筑传统。使用自然材料不仅仅是一个纯粹的时尚。可持续设计的持续挑战是21世纪的建造者必须迫切讨论的议题。

罗莱塔·罗伦斯/撰

理查德·巴克敏斯特·富勒

为未来而设计

（1895—1983年）

理查德·巴克敏斯特·富勒将自己描述成一个全面的、有前瞻性的设计者：一个使用现代技术对未来预期需求进行设计的人。至于他面向未来的设计有多么成功，或许是见仁见智，但是他使用工程原理和技术作为设计工具的能力是无可争议的。他是一个成功的发明家并获得了大量的专利项目，包括整体浴室、一种新型地图、“针船”和八边桁架结构。他还是一位商人、作家、梦想家、数学家、教授和建筑师。富勒不喜欢被认为是建筑师，他摒弃建筑师是因为他觉得建筑师是传统和风格上的标准外部装饰者。然而他在1970年欣然接受了美国建筑学会的建筑设计金质奖章，这个奖章是授予那些在建筑领域做出重大贡献的人的终身成就奖。富勒获得此奖是因为在两方面的贡献，首先是他在建筑方面的工作，特别是对短程线穹顶的发展；以及他在人道主义方面的工作，尤其是想要使人类在宇宙中成功的愿望。他其他的成就包括设计了多种能大批量建设的房子、一辆三轮汽车和“世界游戏”，这些贡献关注着地球的资源并反映了富勒对未来的担忧。

富勒也不是一开始就着眼于这样的崇高目标。他在马萨诸塞州的一家私立预科学校弥尔顿学院因表现良好，而获准进入哈佛大学，但是他浪费了这个机会。1913年哈佛大学因为他逃避考试而首次开除了他。他被送往加拿大的纺织厂工作，事实证明这比惩罚更能启发灵感。也正是在那里，他开始认真对待他的设备与机器还有创造力。这本不是他应学习的课程：家人希望工厂的辛苦工作能激励他在哈佛大学顺利毕业。但这些努力都失败了，1914年他第二次被哈佛开除，家人的一位朋友随后为他在一个名为阿穆尔和康帕尼的肉类加工公司安排了一份出纳的工作。1917年他离开阿穆尔公司加入美国海军后备役，最终参加了特殊军官培训计划。这是富勒离开高中后所得到的唯一正规训练。他后来大部分的教育和培训都和在纺织厂工作时一样：在工作中凭

直觉改进现有的形式和系统。第一次世界大战后，他无所适从地过了一段时间：回到阿穆尔公司销售卡车，在工作了很短的时间后，又返回到海军后备役。在履行他后备役军人的职责后，1922年他失业了，他的岳父，建筑师詹姆斯·门罗·休利特邀请富勒和他一起创立一个新公司——斯托科特建筑公司。休利特不仅给富勒提供了一份工作，而且将他领进了工程建筑界，为他一生的工作奠定了基础。

戴梅森项目

大规模建造是富勒的住房设计背后的驱动力之一，他认为这是将工业过程与工程原理相结合的最为有效的方式，也是用来实现“取少得多”理念的最有效的方式，即用最少的资源实现最大的获益。休利特在斯托科特建筑公司成立之初就将这个概念介绍给了他的女婿，那是一个建材和工程公司，主营休利特在第一次世界大战期间发明的一种轻型、经济、坚固、可大量生产的纤维混凝土砌块。从他的第一次独立项目戴梅森住宅开始（1927—1929年），一直到戴梅森部署单元（1940年）和戴梅森居住机器（威奇托住宅，1945—1946年），再到短程线穹顶（1945—1949年），这些理念在不同程度上赋予富勒大量的生产型房屋的设计特征。

用斯托科特公司批量生产的砖块来盖房子，富勒根据大规模建造整个住宅的理念开始工作，这后来成为戴梅森住宅，甚至是在他1927年被迫离开斯托克特公司以前就有的想法。戴梅森（Dymaxion）是一个杜撰出来的词，将动态、极大、极小、离子的意思混合起来，是为了表达这个住宅背后潜在的基本哲学，这个词后来成了富勒的代名词。戴梅森住宅不同于市场上其他形式的批量建造的房子，因为它安装了完整的设备，很像一个当代的可移动的住宅或模块化的房子。更传统的模型包括霍华德·费希尔的模型，他和富勒一样希望能像制造汽车一样制造房屋；还有那些由美国西尔斯·罗巴克公司销售的住宅，他们主要是提供内部框架和外壳。戴梅森住宅从未被建造出来，也没能使它的发明者成为一个企业家，但它确实启动了富勒的事业。他利用它带来的媒体关注来吸引对他后期项目的支持。20世纪30年代初，他的影响范围主要局限在芝加哥和曼哈顿；但到了20世纪30年代末，他已经在国家舞台上名声大震；到

左页图：富勒在北卡罗莱纳州黑山学院，他于1948年到1949年在此教书。

富勒设计的实验性的戴梅森住宅的方案，1927—1929年，这是一个大规模生产单层六角形单元住宅，用钢缆从一根中央立柱延伸出来。

20世纪50年代，富勒已经成了一个国际性的重要人物。

由于错误的开端和各种问题的影响，富勒通向国际性声誉的道路是坎坷的。1937年他设计了一种一体化的金属浴室，但做了12个版本；他的三轮汽车，“戴梅森运输单元”，本是一个非常有前途的项目，然而1933年芝加哥世界博览会大门口不远处的一个不幸的事故和随后的负面新闻阻止了三轮汽车投入生产。他买下了杂志《丁字尺》并将其改名为《庇护所》，通过它来促进和推动自己的理念。他认为标准化和大规模生产应该运用到建筑中，通过发表的一系列名为“通用型建筑”的文章，他表明了自己的主张：庇护所是短暂的，在建筑中应当运用工业流程，他还在讲座中对于国际风格的美学表示了反对。例如，他称戴梅森住宅是一个“生活的机器”，而勒·柯布西耶将自己的萨沃伊别墅（1929—1931年）称为“居住的机器”。两人都寻求机器时代的表达，但富勒把机器看作为人服务的角色，而勒·柯布西耶想利用机器来实现艺术理想。具有讽刺意味的是，富勒设计的房子是与国际主义风格的建筑师们并行发展的：戴梅森住宅利用了勒·柯布西耶的“新建筑五项基本原则”（1926年），而伍兹·霍尔餐厅的短程线穹顶（1954年）就像一个半球形版本的50年代现代主义的方体金属和玻璃结构，那正是以密斯的范斯沃斯住宅（1945—1950年）为代表的。

然而，富勒的戴梅森部署单元，或者也可以叫“粮仓”，是他成功地申请专利和大批量建造的第一座房子，却并没有遵循这种模式。它以巴特勒制造公司制造圆波纹金属谷物箱为基础。或许可以诙谐地说，是美国的粮仓在20世纪早期激发了沃尔特·格罗皮乌斯。这些小型独栋住宅基本上就是将粮仓修改作为房屋，或者更恰当地说，只能算作是遮蔽所。1941年美国介入第二次世界大战之后这些房子被用作军事住房，但因为战时钢材的使用受限制，他们的生产量也是有限的。

富勒的另一个生产数量有限的住房设计是戴梅森居住机器。他在战争即将结束时着手于这个项目，希望它将能在战后维持工厂运营，为战场归来的军人提供就业机会。富勒改组了在堪萨斯州威奇托市的山毛榉飞机公司工厂，用以大规模“生产”房屋，而不再是飞机。这种房屋被大家称为威奇托住宅，是最初的戴梅森住宅的一个更新版本。像原来一样，它由金属建成，有条形窗户和非承重墙壁，由一个中央立柱支撑。但它是圆的而不是六角形，没有屋顶板，只是略高离地面，而不是通过抬升一个完整的层高来提供房屋下面的停车空间。工厂只制造了两个型号的房子：它们被空军购买，然后又卖回给富勒的公司。威廉·格雷厄姆将原型买了下来，把它们组合到一起，直接放置在地基之上。如今，复建的威奇托住宅坐落于密歇根州迪尔伯恩市的亨利·福特博物馆。至于为什么这种住宅没有投入生产，有一种解释是，富勒太害怕推进全面生产会再次失败，或者也还有资金的问题。虽然就如戴梅森住宅，威奇托住宅也只有有限的生产，但它使富勒能够继续实施其他更为成功的项目，比如短程线穹顶。

短程线穹顶

作为20世纪最为重要的建筑创新之一，短程线穹顶是一种有覆盖的、自我支撑的、能批量生产的正四面体构件组成的半球体。因为没有内部支撑，短程线穹顶建筑提供了相较于其外部面积的最大可能的内部空间。它基本上是一种没有规模限制的结构。它基于富勒对于受力的面向定向（矢量）系统的观察，这种体系以最小的结构提供最大强度，存在于一些有机化合物的晶格结构中。这个结构受到瓦尔特·鲍尔斯菲尔德

联盟油罐汽车公司穹顶，路易斯安那州巴吞鲁日，1958年（2007年拆毁）。这个不透明的一层单元封闭面积约10 770平方米。

在德国的作品的影响，他在耶拿的蔡司一世天文馆（1923年）要早于富勒的短程线穹顶概念超过25年。1954年富勒获得了他的设计专利。

富勒是在1948年夏于北卡罗莱纳的黑山学院教书的时候，开始着手研究短程线穹顶建筑的。他通过硬纸板条或者是塑料和胶合板等材料进行实验。这些通常都不是自承重结构的材料，正好用于构建他的圆顶。铝和塑料是首选材料，被用于伍兹·霍尔圆顶餐厅。富勒也尝试用灵活的节点设计了一种可折叠的穹顶，如1948年的项链穹顶。

右页图：美国馆的圆顶部分。最终结构的空间网架由钢管组成，覆盖了近2000块亚克力板。

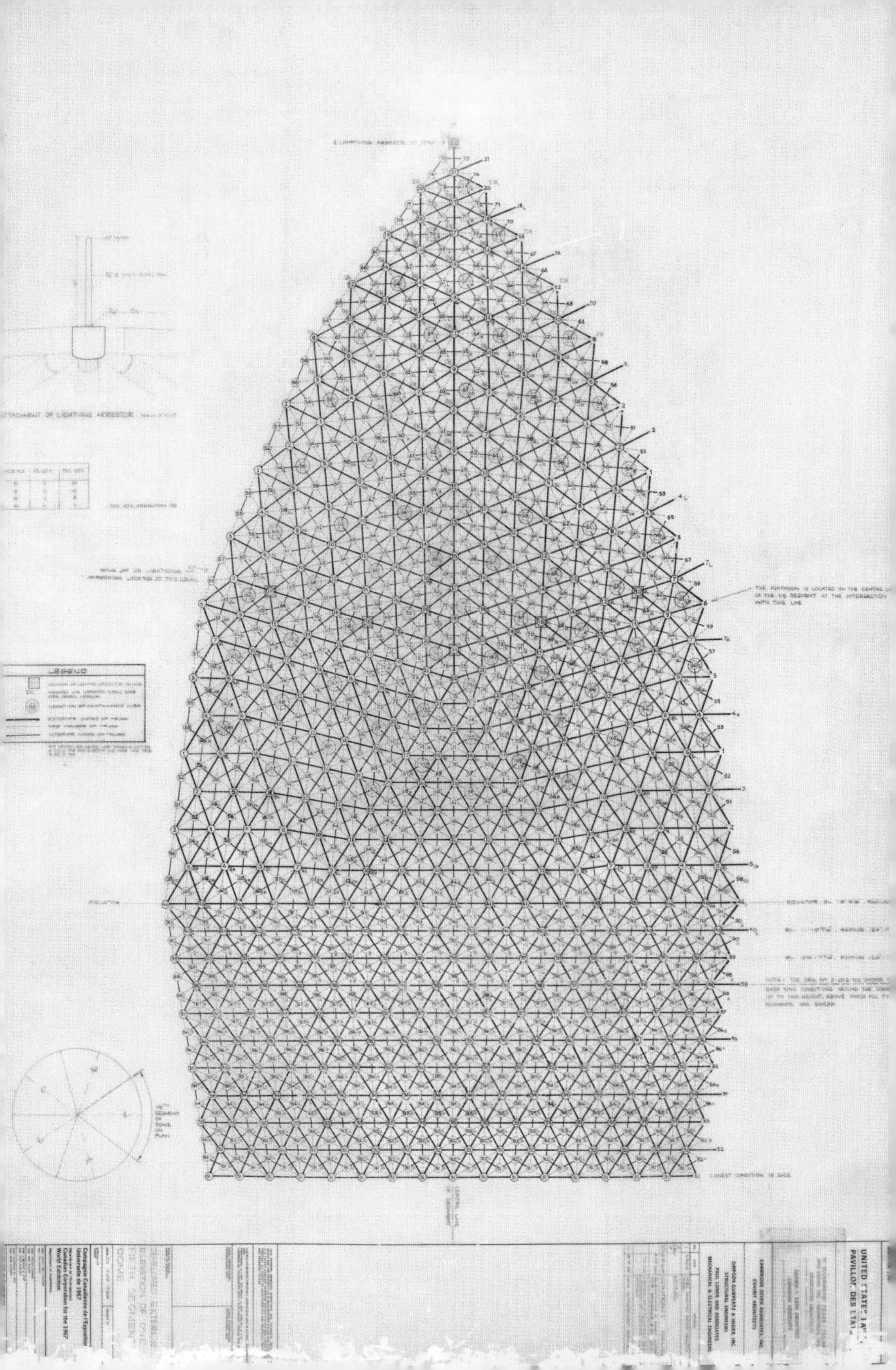
ATTACHMENT OF LIGHTNING ARRESTOR
THE PENTAGON IS LOCATED ON THE CENTRE LI
OF THE 1/5 SEGMENT AT THE INTERSECTION
WITH THIS LINE
LEGEND
EQUATOR
LOWEST CONDITION OF BASE
CENTRE LINE OF SEGMENT
1/5TH SEGMENT OF DOME ON PLAN
UNITED STATES PAV
PAVILLON DES ETAT
CAMBRIDGE SEVEN ASSOCIATES, INC.
EXHIBIT ARCHITECTS
SIMPSON GUMPERTZ & HEGER, INC.
STRUCTURAL ENGINEERS
PAUL LOWE AND ASSOCIATES
MECHANICAL & ELECTRICAL ENGINEERS
DEVELOPED EXTERIOR
ELEVATION OF ONE
FIFTH SEGMENT
DOME
Compagnie Canadienne de l'Exposition
Universelle de 1967
Canadian Corporation for the 1967
World Exhibition

短线程穹顶覆盖的1967年蒙特利尔世博会美国馆。

短程线穹顶可以覆盖巨大的室内空间，就像已经拆除了的联盟油罐汽车公司的穹顶一样，这座在路易斯安那州巴吞鲁日的一层穹顶（1958年）直径为117米，高达38.1米，覆盖着一个面积达10 770平方米的区域。其顶盖是不透明的。而已经修复的1967年在蒙特利尔世博会的美国馆展现出了透明性、开放性，表达出现代主义建筑的结构特征。

短程线穹顶有不同的变体，如蝇眼穹顶（1965年）、塑料和玻璃纤维制造的整流罩形式（1954年），但它们的结构体系是相同的。富勒也使用短程线穹顶建筑工程基本原理来开发其他结构体系。整体张拉结构的张力杆件是由膜材料通过压力结合在一起，也与短程线穹顶相关，美国雕塑家肯尼思·斯内尔森的作品就是基于这一原理。另一个例子是八面体桁架结构：一种富勒于1961年获得专利的空间构架体系。尽管有着各种优势，短程线穹顶也是有缺点的。它的半球形形状主要被应用于工业（福特圆形建筑位于美国密歇根州迪尔伯恩，1953年）以及娱乐（植物园，圣路易斯，密苏里州，1960年）。不过也有人，比如富勒自己，认为它们同样适用于住宅（富勒住宅，卡本代尔，伊利诺伊州，1960年）。

富勒八面体桁架结构的一个管状变化，1961年获得专利。这是一个基于连锁八边形和四面体的简单，但强度极高的结构体系。

哲学和社会议程

将住宅和遮蔽所设计成可以大规模建造的模式是富勒复杂的哲学思想的一个组成部分。他的作品分享了通过更好的设计让世界变得更美好的现代主义社会议程。他希望技术服务人类，实现用更少的资源做更多的事情。他也努力让人们认识到，地球是一个拥有有限资源的封闭系统。他的努力之一就是在建造建筑过程中不产生浪费：富勒认为工业流程能使建设更有效率。为了阐明他的想法，富勒到处演讲，并写了超过十五本书。他的第一本书《4D时间锁》（1928年）就是一本商业计划说明书和建筑论文，其中包括了许多他将终其一生继续发展的想法。他后来的书更为深奥，例如他在《关键路径》（1981年）中概述的世界面临的各种道德、经济和环境危机，并在其中提出了建议性解决方案。他还发展了协同学（思考的几何学），这是一种新型的基于四面体的数学，借以帮助解释宇宙是如何运行的。最后，巴克敏斯特·富勒想要重新设计建成环境，因为他认识到他不能重新设计人类。

彼得·琼斯/撰

奥韦·阿鲁普

局外人和不可能的艺术

（1895—1988年）

奥韦·阿鲁普是以一个哲学家的身份开始和结束其成年生活的：与他那个时代的同行相比，他不会像学院派哲学家那样，用不清晰的术语探索模糊的兴趣，而是作为一个不断质疑的、怀疑型的思想家，对于所有道德、社会和政治问题进行了思考。这种哲学性的质疑形成了他对工程问题、商业实践、建筑、设计、品位和环境的工作态度。50年来，阿鲁普通常每年会以不同形式发表五万字的文章。从20世纪20年代开始，他就认为建筑师和工程师都一样，必须在基础教育和实践两个方面进行彻底的改革。在基础层面，工程师必须接受制图学、设计和美学的教育；建筑师必须学会工程、哲学和自我批评的交流技巧。并且任何一个团体，从一开始他们都必须得学会团体内协作，以及与客户一起工作。他强烈批评建筑学的空洞话语，谴责戴着浪漫艺术家面具的建筑师自欺欺人式的傲慢。同样，他也谴责工程师们的庸俗迟钝和对社会的不负责任，以及在专业前景与进取心上的狭窄性。1970年他这样总结了他的观点："过去，建筑师、工程师和建造者之间深受沟通不畅的困扰，这样的情形已经不足以描述或讨论当代的场景。"因此，虽然他的一部分遗产是建立了一个成功和结构创新的工程师全球顾问公司——阿鲁普联合事务所——他的贡献也体现在教育和专业机构中逐渐出现的激进的变化中。

阿鲁普认为那些建构我们思想的概念和类别不可避免地反映了我们当前的信仰、利益和目标。但是这些概念和类别在不同的程度上都已经过时了，它们在新的语境中显得十分笨拙，或者干脆成为阻碍性的存在。我们建立的学科界限可以帮助我们关注某一样事物，但并不能扩大我们的视野。他本人反对任何形式的理论和意识形态，政治的、宗教的、艺术的或者科学的——因为它们也只是临时的工具，最终会抑制批判性思维。因为我们在任何场合都有可能犯错，唯一合理的方法是无情的自我批评。这就是为什么他宣称最不道德的行为是放弃思考。

阿鲁普在考文垂大教堂的屋顶上，他是这个项目的顾问工程师，1951—1962年。

教育和早期作品

奥韦·尼奎斯特·阿鲁普出生于英格兰纽卡斯尔。他的父亲约翰内斯·阿鲁普是来自丹麦的兽医，他的母亲是挪威人玛蒂尔德，他父亲的第二任妻子。他出生之后全家被派遣到汉堡，奥韦在那里度过了他人生最初的12年，因此他的第一语言是德语。他后来在哥本哈根大学学习了9年，最初读哲学，然后是数学，最后又学了工程学。1922年阿鲁普加入了一家主营钢筋混凝土设计和施工的丹麦公司——克里斯汀娜和尼尔森公司，他被派遣到汉堡，随后在1924年作为首席工程师又到伦敦。作为能说多种语言和非常有文化素养的知识分子，阿鲁普发现自己是一个“局外人”——一个在工程圈子里逐渐自我培养而成的角色。他在20世纪30年代早期遇到伯特霍尔德·莱伯金并与他合作，阿鲁普当时是伦敦摄政公园动物园的大猩猩房和企鹅池（1934年）的顾问工程师，还设计了北伦敦芬斯伯里医疗中心（1935—1938年）和被称为“高点1号”的海格特公寓街区（1933—1935年）。

伦敦动物园的伯特霍尔德·莱伯金企鹅池，建设中，1934年。阿鲁普是结构顾问，他在几年前遇到这位建筑师。

从1934年阿鲁普就开始尽力推广钢筋混凝土的优势，尤其是对于集中住房来说：钢筋混凝土可以从重复形式中获取生产和建设的巨大的经济效益，同时也为建筑设计提供了新的自由。他承担工人阶级居住的公寓、工业筒仓和水塔的设计工作，与伦敦的表亲建立咨询合伙人公司。随着欧洲战争的临近，1937年12月，英国政府的空袭措施法案要求当地政府在空袭中保护生命和财产，芬斯伯里的伦敦自治区委托阿鲁普设计社区避难所。他提出了双螺旋地下避难所的提案，入口和出口坡道做到足够的浅度和宽度，使其也可以在战后成为停车场。他预计建设主要反向采用他的爬升模板技术：内置的避难所是一个巨大的混凝土筒，混凝土从上向下浇筑，一步步深入地下。但政府拒绝了他的提案，他的先进的公共避难所设计一个也没有被建造。然而，阿鲁普被推荐到政府委员会进行预制房屋工作，并接受秘密委托去设计和建造哈罗附近的地下海岸司令部总部，以及设计一个在1944年诺曼底登陆时所需的浮动码头的防护挡板。此外，他还参加了丹麦的地下抵抗组织，在伦敦英国广播公司的广播大厦发表过精彩的演说。

创新性的顾问合伙人

1946年，51岁的阿鲁普建立了奥韦·阿鲁普工程咨询公司，公司建立之初只有5名员工。他们第一年的营业额仅有3000美元，而到他1988年离世的时候已经上升到了1亿美元。作为跨国集团，到2009年，公司营业额接近9亿美元，有10 000多名全职员工及位于37个国家的92间办公室。用资深结构工程师和预应力混凝土的先驱者艾伦·哈里斯爵士在1960年的话来说："那些与有着和谐精神和共同目标的建筑师合作的工程师，真的是一个新的种族，被新的建筑创造出来，也创造了一种新的建筑和……感谢上帝，一种新的建筑师。整个局面几乎是由你自己掌控。"

公司早期的建筑包括巴士车库等大型混凝土壳体，以及用钢筋混凝土建造的家庭型公寓。但推动该公司到全球舞台上的是1956年的一个国际竞赛项目——在澳大利亚悉尼建造一个集音乐厅、歌剧院和剧院于一体的多功能体。乔恩·伍重漂亮的铅笔草图赢得了竞赛，当时38岁的他是一个没有名气的丹麦建筑师，他后来证明几乎不懂数学、不了解技术，还是个音乐盲（他从未去过歌剧院）。阿鲁普看重伍重是一个概念上

奥韦设计的双螺旋防空避难所，芬斯伯里（1938年），日后可以改造成停车库。

乔恩·伍重设计的悉尼歌剧院的草图（1956—1973年）。

的天才，但他提交的建筑设计图没有尺寸、没有带比例的细节、施工方法、内部配置或建造成本。阿鲁普很快就告诉伍重，他徒手画的形式无法使用预应力混凝土来建造，还有设计顾问表示其座位数比起客户的需求低了近三分之一。伍重并没有提醒他的客户——新南威尔士州政府，结果带来了令人沮丧的多年工程延误和争吵，以及巨大成本增长。1966年伍重辞离了悉尼歌剧院项目，此时仍然几乎没有完整的建筑内部的图纸或其他细部的图纸留下，另一个同样没有经验的建筑师团队艰难地完成了建设。最终于1973年在英国女王伊丽莎白二世的主持下开放。从那时起，它就成了澳大利亚的旅游地和雕塑性标志。但尽管五十多年来多次修改，其内部功能仍有缺陷并且声音效果平庸。最终的建造成本主要由国家彩票承担，相对于最初不切实际的700万澳元的预算，共花费了1.02亿澳元。这个建筑的创新之处是阿鲁普最先广泛使用计算机来设计复杂的几何结构、绘制三维形状，以及指导现场安装。另外，使用环氧树脂胶粘剂来连接预制混凝土也是不寻常的做法。

右页图：在悉尼歌剧院肋梁上组装预制混凝土板，约1966年。阿鲁普的团队运用早期的电脑技术分析复杂的壳体结构。

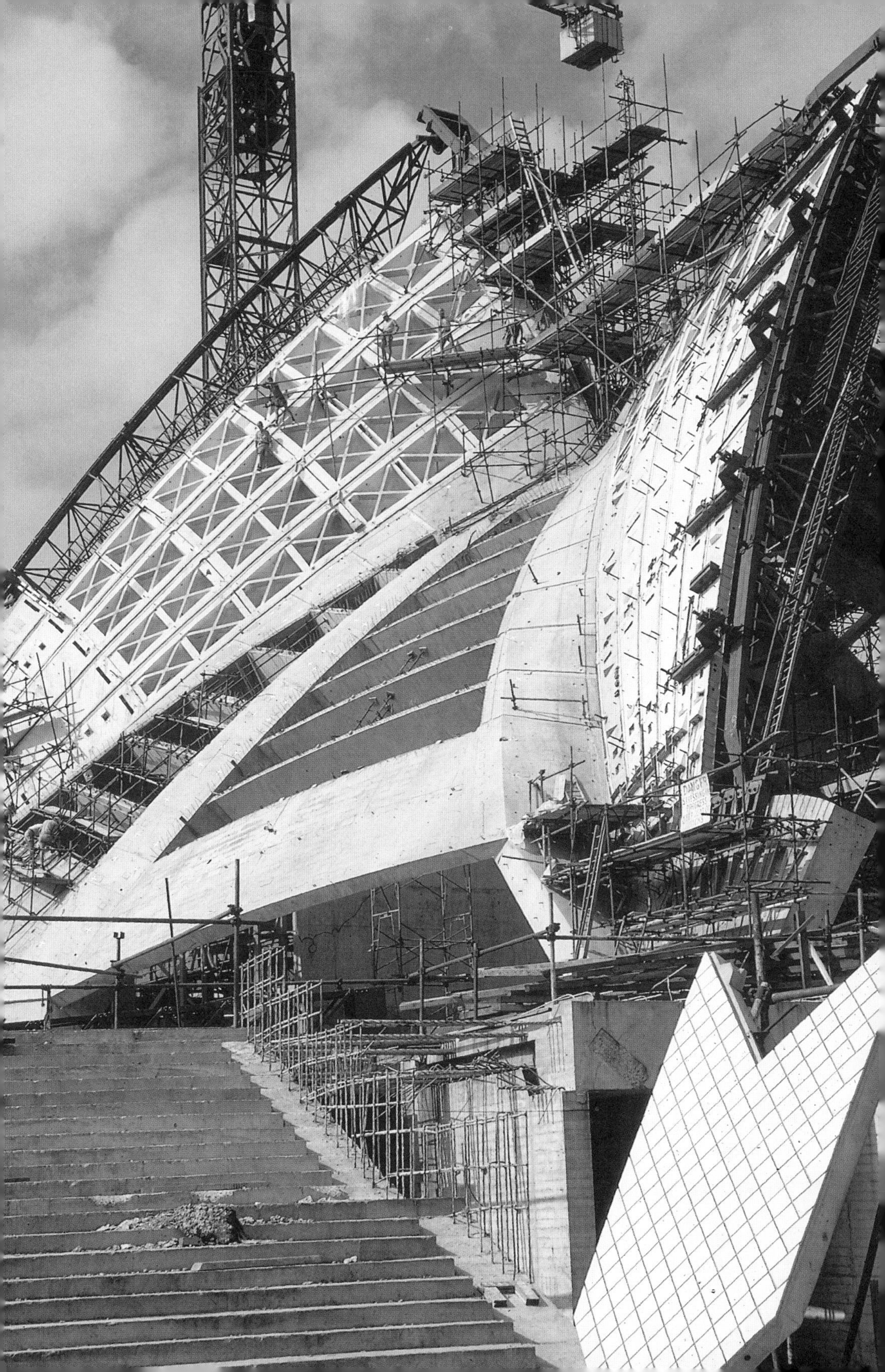
DANGER

在悉尼歌剧院传奇的时代，阿鲁普还担任了考文垂大教堂（1951—1962年）和苏塞克斯大学（20世纪60年代）的顾问工程师，两者都由巴塞尔·斯宾塞设计。但是，除了在达勒姆的人行桥（1961年）外，他本人没有直接参与任何进一步的项目。不过，他的不断扩大的公司承担了众多著名的结构——如巴黎蓬皮杜文化中心（1971—1977年）、香港汇丰银行新总部（1981—1985年）、伦敦劳埃德新总部（1978—1985年）和泰晤士河上的千禧桥（2000年，2002年重新开放）、若干座机场和火车站、连接英国和欧洲大陆的铁路通道隧道和2008年北京奥运会体育场鸟巢。在许多其他的荣誉中，阿鲁普被授予骑士身份和英国皇家建筑师学会的金质奖章，这一切都延续着他的热情并践行着“不可能的艺术”。

罗伯特·麦卡特/撰

路易斯·I. 康

建造诗学与结构的建筑师

（1901—1974年）

我们或许可以认为，路易斯·I.康的作品是20世纪后半叶对世界建筑影响最大的作品。像历史建筑一样，通过在当代建筑设计中重新建立与人类行为的相关性，并强调建造艺术的主导地位，康重新定义了现代建筑。在20世纪中期，康和许多人一样，相信现代建筑已经远离了它的出发点。然而他几乎是唯一一个重新将建筑和它的伦理必要性连接起来，并重新将空间的创造与其起源联系起来。

康出生在波罗的海萨雷马岛，现在属于爱沙尼亚。他的家人于1906年移居美国，定居费城。他在宾夕法尼亚大学保罗·克里的指导下接受了巴黎美术学院派的古典主义训练，但毕业后康投向了现代主义建筑运动的怀抱。康的早期作品几乎完全是公共住房设计，然而，第二次世界大战期间，他开始质疑反纪念性的国际风格是否能够体现当代的文化意义和社会体系的地位。康相信，建筑的宏大纪念性是一种精神质量，它传递着一种永恒的感觉——一种体现在过去伟大的纪念碑中的品质。他还指出结构的完美性和材料的特性在纪念性建筑的创造中所起的至关重要的作用。这正是康职业生涯的关键主题。

结构、实体和空间

1947年康开始在耶鲁大学教书，并于1950年获得了一个在罗马的美国学院的职位。这段短暂的历史重新发现时期对于康至关重要，使他因此成了那个时代最重要的现代主义建筑师之一。这些厚重的砌体所塑造的沉重的建构和空间的永恒质量在他身上留下了持久的印象，在一年的海外生活后，康不再采用轻钢结构，只用混凝土和砖石来

康在耶鲁大学艺术画廊，纽黑文，1951—1953年。

进行建造。自罗马回国后，他设计和建造了纽黑文的耶鲁大学艺术画廊（1951—1953年），这是他的第一个重要作品。他创新式的楼板结构灵感来源于巴克敏斯特·富勒的短程线穹顶。不过他将混凝土浇筑的三角网格梁暴露在天花板下面，使力量与厚重感并存，完全不同于富勒理想化的轻盈形态。巨大的进深中整合了各种服务,康结构清晰的天花板也与典型的国际主义风格建筑的结构截然相反。对康来说，展示建筑是如何被建造的是一种道德上的需求，暴露的材料、节点和建造的标记是现代建筑最合适的装饰。

新泽西州特伦顿犹太社区中心的浴室（1954—1958年），是一个规模很小但很重要的项目，正如康自己所说，他在这个项目中“发现了作为建筑师的自己”。十字形平面由四个亭子构成，并在中心形成庭院，向天空开放。每个亭子由四个沉重的混凝土块角柱建构，支撑一个由木材建造的轻型金字塔形屋顶。这座浴室是一个用最典型的现代材料建造的现代建筑；同时它也是古典的，是一个大地与天空交汇的地方。虽然社区中心没能继续建设，但有独立屋顶体量的网格展示了康的理念，每一项居住活动都应有明确的房间，有自己的结构和光，而这一理念与典型的具有国际主义风格的现代主义的“自由平面”完全相反。

1957年康被邀请到宾夕法尼亚大学教书，在这里他开始了与两名工程师的合作：一个是在大学里的罗伯特·勒里克莱斯，一位有远见的结构“诗人”；另一个是他自己事务所里的奥古斯特·康门丹特，一位预制和预应力混凝土专家。宾夕法尼亚大学理查德医学研究实验室（1957—1965年）的设计既表达了建造的特点，也表达了清晰的功能组织的特点。五个实验室塔楼分别都是一个方形平面，由预制的预应力混凝土悬臂结构施工建造，结构上独立，承重砌体的服务竖井位于每个边的中点部位，使每层实验室完全没有柱子和服务性空间。这座建筑通过这种方式，体现了康的“被服务空间”（主要功能）由“服务空间”（辅助功能和结构）组成的概念。

居住、建筑和光

在纽约州罗彻斯特市的第一联合派教堂（1959—1969年）的设计中，康融合了光的品质、精致的哥特大教堂的拱顶和沉重而充满光影的中世纪城堡的墙融合于一个完全现代化的建筑物中。圣所是一个中心式的、顶部采光的空间，结实的围墙由非承

重的混凝土砖建造。它的屋顶是一个平缓的预制混凝土折板，四角被抬起形成高侧窗的光线。圣所通过其周边一圈回廊相连，回廊又被教室围合，环绕内殿形成了一道厚厚的保护外层，折叠的砖砌外墙产生深深的阴影边缘。这个由产生光影的墙围合主要空间的概念，被康描述为“用废墟包围建筑”，也体现在萨尔克研究所（加州拉霍亚，1959—1965年）的设计中。未建成的会议厅是由一系列独立的建筑围绕起来的一个中心立方体大厅，由建筑的外部包裹的空心混凝土外壳为里面的房间遮光。萨尔克研究所的实验室整体由细致的混凝土构件建构，由无柱的实验室层与在混凝土桁架结构中间的服务层相互交替。在两个实验室建筑，即塔状的科学家研究室之间，康最初设想了一个庭园，但他听从了墨西哥建筑师路易斯·巴拉甘的建议以一个铺地广场代之，向天空和大海敞开。如今这个广场虽然没有任何正式的使用功能，但仍然是最强大的和感人至深的建成空间之一。

印度管理学院（艾哈迈达巴德，1962—1974年）和位于孟加拉首都达卡的国民议会大厦（1962—1983年）是康“平面是由房间组成的共同体”概念的最伟大的建成实例。房间之间的空间关系清晰地表达了它们的共同目的。加之康称为次要空间的“作为连接的建筑”，如走廊、拱廊、楼梯间和厅，对于这些建筑的整体体验来说，与其主要空间同样重要。康明白人们不是仅仅在教室里和集会厅里学习行为和做出决策，在休息室、通道、咖啡馆和庭院里也一样会产生这类行为。在构建这些建筑时，康“使砖现代化”，恰如他所说的，使用钢筋混凝土约束承重砖拱的外在推力。在他设计的菲利普斯·埃克塞特学院图书馆中（新罕布什尔州埃克塞特，1965—1972年），康将图书馆的传统功能关系（阅览室位于中央，周围是书架）反转，使之成为一个在建筑里的建筑：一个砖墙外壳包含着的阅读空间围绕着内部混凝土书架。如康所言，用这种方式人们可以“把书带向光明”，即将书从保护性黑暗中的内部书架带到外部阅览室的自然光中。图书馆的中心是这个建筑中最重要的房间：入口大厅，从地面直通天空，巨大的圆形混凝土开口露出周边的图书，因而达到赞颂这个建筑（作为图书馆）的目的。

得克萨斯州沃思堡的金贝尔美术馆（1966—1972年）一向被认为是康最伟大的建成作品。其空间由一系列混凝土拱形屋顶的形式构成，每个跨度为30.5米，在拱的中心部位分隔开让光线射入，经过铝制反射板的折射洒向拱的底部，形成一片缥缈的银色

左页图：孟加拉首都达卡的国民议会大厦的走廊，1962—1983年。左边的建筑是议会大厅，右边是办公室，中间是通高有自然光的连接空间。

金贝尔美术馆的入口画廊·沃思堡，1966—1972年。这个“完美的博物馆”包括一系列自然采光的空间，这些空间由混凝土天花拱顶和开放灵活的平面赋予精确的形状。

光线。毫无疑问是康设计的最美的空间。沃思堡金贝尔美术馆是他实现光和结构之间的关系概念的最为严谨的例子。内部空间接收自然光线的方式精确地表达了结构元素。金贝尔美术馆同时也是康最优雅的景观规划实例，通过入口，顺序带我们走过下沉雕塑庭园，在一个拱形凉廊下经过一片顺阶而下的水，通过一个碎石铺砌的种满网格状树木的院子，然后静静地进入美术馆自身最为核心的空间。实际上康设计的项目大概只有三分之一被建成，他许多伟大的作品都没有建造：其中包括特伦顿犹太社区中心、萨尔克研究所的会议室、安哥拉的美国大使馆、以色列犹太教堂净身池、多米尼加女隐修院、国会府邸和胡瓦犹太教堂。总而言之，这些未建成的设计也对20世纪建筑学构成了极为重要的贡献。

凯特琳·普鲁韦/撰

让·普鲁韦

结构的想象

（1901—1984年）

有着骨骼的强度、抵抗力和柔韧性的脊骨框架，及其外表皮就是让·普鲁韦的建筑构造概念。经过多年在工作室的设计和规划，他创造了一系列基本的“骨架”（门架、壳体、支柱、承重核心、托架）和覆盖它们的表皮（实心的或是玻璃的），以灵活、可移动的幕墙的形式，用木材、氯丁橡胶或是金属固定在结构框架上。这是在20世纪不断发展的同时，他坚持遵循的一条务实又极富个人色彩的道路。

让·普鲁韦是一个自学成才的建筑师，他出生于艺术之家，父亲维克托是一名画家和雕塑家，与埃米尔·加勒一起被称为南希学派的新艺术运动的创始人。1904年加勒去世，维克多·普鲁韦成为引导力量：他的目标是将艺术家、手工艺者和商人组织起来，创建一个艺术和产业联盟，为大众提供最好的产品。让想接受培训成为一名工程师，但健康问题和第一次世界大战阻挠了他的想法。尽管如此，他仍相信的他“一生中最幸运的事”是“很快就当了一名工人”。他先是成了巴黎埃米尔·罗伯特门下的金属学徒，然后又跟随阿达尔伯特·萨博做学徒，在那里他借住在他父亲的一个朋友，艺术评论家安德烈·方丹的家里。在方丹家，他接触到了其他熟悉南希学派理念的知识分子，他认为“人到地球上的使命是创造”，以及不应该复制其他人的作品。

以工业化为目标

让·普鲁韦工业化目标的进程有三个主要阶段。1924年，他在南希开办了自己的第一个金属工作坊，锤子、砧和熔炉是他的基本工具。很快他的兴趣转移到不锈钢，找到雇员，随后又得到了包括压力机在内的高性能设备，这样他就可以弯折薄的金属

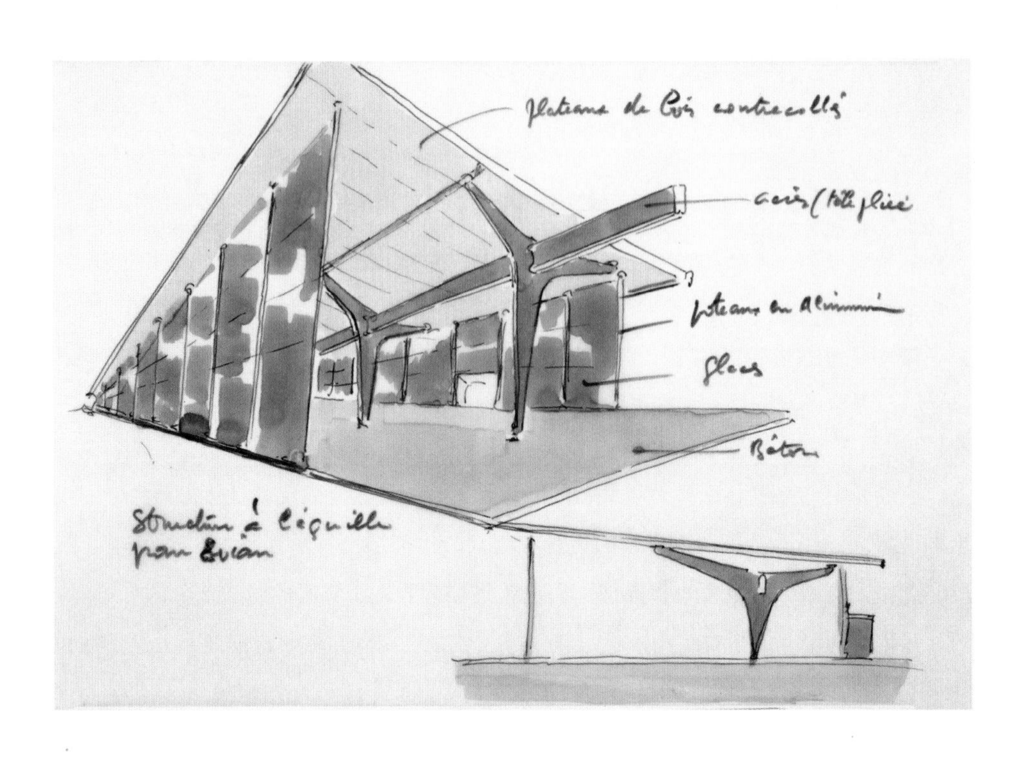

依云泵房的支撑结构，普鲁韦为建筑师莫里斯·诺瓦里纳设计，1956—1957年（图纸画于1982年）。

板以加强它的强度。他曾开玩笑说："我什么也不是，只是一台金属捻线机。"到20世纪20年代末，使用不锈钢生产如照明灯具和楼梯栏杆等物品之后，他开始制造折叠金属家具。他大胆地敲开建筑师罗伯特·马莱史蒂文斯的门，向他展示自己的图纸，然后得到了为私人豪宅的入口做格栅的委托项目（1926年）。这个项目鼓励了他放下制作艺术的金属制品而向建筑发展的想法。1931年，他意识到他的创作过程需要一种与众不同的工具。定位于产业化规模，他需要扩大他的经营场所，以适应新的机械和聘用更多的员工。为了建立能满足这些新的要求的生产结构，他用自己的名字成立了让·普鲁韦工作室。他销售了自己的设计，并获得了一些专利。依照自己的社会道德准则，他建立了一个联合管理的体系，赋予员工更多的责任，允许他们提出改进建议并给予他们进行利润分成。

让·普鲁韦热衷于一切机械化的事物，仰慕持续更新改进的汽车和飞机制造，但他也在质疑：为什么没有人对住房投入同样的关注？"我们用建造房子的方法建造飞机，它们是不会飞起来的。”他想利用工业化最好的方面来创造最好的生活环境，注重材料的使用和成本，并表现出对自然世界的尊重：当日后建筑必须被拆除时，应当对地面毫无损伤，因此他常常使用底层架空柱（支撑柱）。在整个20世纪30年代，他最重要的作品展示了他在设计和构建创新结构上的技能。其中一个是位于克里希的人民之家（1936—1939年），这座建筑是与建筑师欧仁·博杜安和马塞尔·洛兹合作完成的。他采用了金属支撑结构（将可移动的屋顶和楼板元素合并），可能是首次使用可移动的金属板来建造幕墙。1939年弗兰克·劳埃德·赖特专门来参观这栋建筑并对其表示了钦佩。

在20世纪40年代早期，让·普鲁韦使用门式框架作为承重元素建造房屋。用折叠的金属板制成的框架支撑起一个金属梁，然后用铆钉固定，也可以使用不同类型的外观面板附件，这样就可以创建出一个自由平面：承重墙壁不再是必需的。这种建造模式所需的所有构件都由普鲁韦的工作坊设计、测试和制造，再由卡车运到现场，并可以在一天内组装完成。门式框架还可以用于家具，这是普鲁韦留有浓厚兴趣的领域：“设计一件家具与设计一座300米高的塔同样有趣。”

1947年，仍使用让·普鲁韦工作室的名义，普鲁韦在南希郊区马克塞威尔建立了新的、更具产业规模的工作场所：他们很快雇用了200名员工。由于在战后几年内钢铁

人民之家的市场，克里奇，1936—1939年，用了革命性的金属板作为幕墙。

普鲁韦设计的维勒瑞弗学校的临时框架结构，1956—1957年。

的匮乏，他看中了铝材。他重新审视并改进了门式框架房屋的原理，利用工厂预制金属构件设计了预制建筑，用飞机将这些构件送往了非洲。也是在此期间，他建造了棚状屋顶，还有壳体屋顶，提供了一个类似于立面板的自支撑结构。他还创作了一些家具设计，尤其是提供给大学的建筑。

不管怎样，1952年，铝制造商占有了普鲁韦业务的多数股权。他们没有在建筑领域里的经验，只希望出售尽可能多的铝材，结果与建筑师低成本制造出好的作品的愿望相抵触。普鲁韦带着一颗沉重的心辞职离开了马克塞威尔工厂："我真的相信在我的生命中，我是非常幸运的，拥有自己的生产车间，有我自己的工具！从无到有建立起车间。我定期扩展它，直到它变成了具有相当规模的工厂，配备了现代化机械。在1952年有约200名员工，彼此都是朋友。"

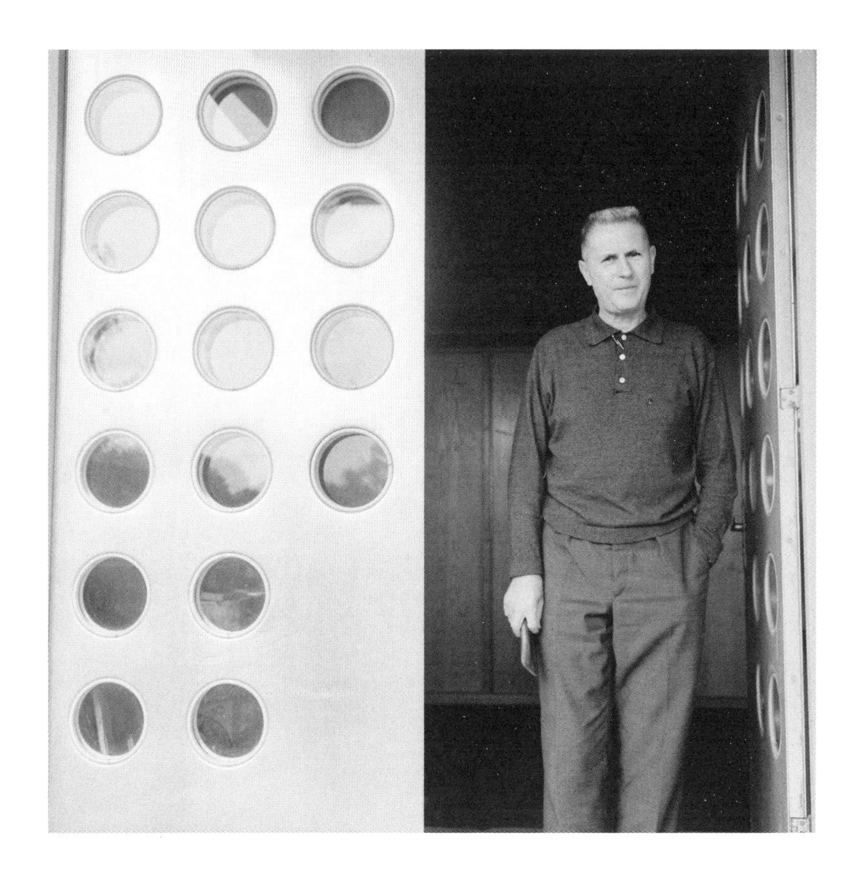

普鲁韦在他南希的奥古斯丁-艾克夸德路的住宅前，1962年。他在这个住宅中展示了金属板建造的可能性。

最后阶段

1956年让·普鲁韦开始了他职业生涯的第三个阶段——在巴黎设计办公室的工作，他对之前的损失极为后悔，不再与生产制造过程产生任何直接接触。于是他立即继续他的实验工作，并设计了使用铸铝承重结构的铝纪念馆（1954年）。紧随其后的是基于支撑结构的依云泵房（1956—1957年）和维勒瑞弗学校（1956—1957年），还有承重核心可以整体预制并运送到场地的皮埃尔神甫住宅（“好天气住宅”，1956年）。他受雇于材料运输公司（CIMT），这家公司已经预见到了铁路扩张的结束，想为自己确立在建筑行业中的位置。在CIMT，他设计了许多用于学校、大学建筑和格勒诺布尔市政厅（1964—1968年）以及那些他设计了结构的建筑物的立面饰面板，包括格勒诺布尔的展览大楼（1967年）和总服务站。他也是一些重大项目的顾问，包括巴黎工业技术中心的外立面（CNIT，1956年）、诺贝尔塔（1968年），它们都位于巴黎的拉德芳斯区，建立在核心筒原理上，并使用带有圆角的幕墙。

他在巴黎的国立巴黎工艺技术学院的讲座中详细介绍了几个建造体系，吸引了许多建筑师，包括学生和专业人士。在生命的最后阶段，普鲁韦真正地从事了工业领域的工作，这是他从最初就想做的事情，但他仍然没能再与建造过程产生直接的接触。当他被邀请录入到一本建筑师辞典里的时候，他的回答是："我不是一个建筑师，我不是一个工程师，我是一个工人。"

斯泰利恩纳·菲利普／撰

奥斯卡·尼迈耶

对现代主义正统原则的激进评论

（1907—2012年）

对现代主义建筑运动创新性的诠释，使奥斯卡·尼迈耶成为其中的杰出人物，同时他也对现代主义正统的美学规则和道德意识形态进行过激进的评价，因此他在众多伟大的建造者中占据一个独特的位置。尼迈耶在70多年的时间里一直不懈地探讨钢筋混凝土结构和形式的可能性，甚至超过百岁高龄时还依然活跃在建筑实践中。尼迈耶设计了600多座建筑，他利用巴西先进的钢筋混凝土技术，与有职业责任感的结构工程师紧密合作，发现了一种理想的混凝土运用方法，能够达到他所谓的“奇观的……自由的塑性和……发明性”的建筑。这些建筑植根于巴西的地方传统和热带景观，对他称之为“欧洲人种传统问题”造成的整洁的白墙、直线和直角的主流建筑形成了挑战。通过结合建筑、结构和地形学因素来形成最大的流动性，他将建筑体验的感官现实优先化。作为适合地方经济和技术环境的材料，混凝土的使用使得尼迈耶开始构想出在巴西文脉下的一种“新的”和“大胆的”建筑，宣扬了这个国家独特的现代性，以及它从西方模式的束缚下的脱离。

巴西的现代主义建筑

尼迈耶出生于里约热内卢，全名奥斯卡·里贝罗·德·阿尔梅达·德·尼迈耶·苏亚雷斯·菲尔霍。他强化了自己的“多元种族根源”，也就是他的巴西情结，这与国家意识形态的种族融合性相匹配。1929年到1934年他在国立美术学院学习，当时堪称巴西现代建筑之父的路西奥·科斯塔曾在那里增加了一门“功能课程”，并任命拉丁美洲现代主义运动的前锋格里高里·瓦查夫奇克为课程教授，阿丰索·艾多尔

奥斯卡·尼迈耶在他里约的工作室里，2007年12月。

多·雷迪作为助教。这个短期课程和学校大多数的巴黎美术学院课程大相径庭，但是却受到了学生的欢迎。科斯塔形容它是“一个纯粹主义的营地，献给热情学习沃尔特·格洛皮乌斯、路德维希·密斯·凡德罗，以及特别是勒·柯布西耶的学生”。1936年尼迈耶加入一个建筑师团队，设计世界上第一座国家资助的现代主义高层建筑——里约热内卢的教育和公共健康部大楼（1936—1944年）。这个团队最初由科斯塔领头，后来是尼迈耶，勒·柯布西耶于1936年作为顾问加入。这个新总部大楼的任务是塑造“新人类、巴西人和现代”，第一次完整运用了柯布西耶的“新建筑五原则”。但它也融合了历史殖民地建筑中的地方性材料和技术，例如手工绘制的瓷砖贴面表达了巴西的景观和巴洛克韵律、感性的曲线，遮阳装饰和大胆的色彩联系着葡萄牙建筑的摩尔文化传统，罗贝托·布勒·马科斯的热带花园也成为跨越平淡的功能主义愿望的典范，以及其他的巴西艺术家们特别创作的作品组合。

作为巴西现代性的象征和宣言，教育部大楼创造了一种民族主义修辞的综合形式，被美国的菲利普·L.古德温赞扬为“西半球最美丽的政府建筑”。它包含了所有被20世纪20年代巴西现代主义艺术家重新评价和强化的元素，他们的“巴西木和食人主义运动”构想出将外来的、具影响力“文明化”的文化和被看作是热带的、无理性的“土著”文化相结合的方针。这些反殖民主义“食人文化”的策略是将欧洲现代主义沾染上酒神式的“巴西的精神”，反映在科斯塔和尼迈耶为1939年纽约世界博览会的巴西馆设计中。然而等到建在贝洛奥里藏特市郊帕普哈人工湖岸边的先锋派的休闲中心（1940—1943年）落成后，《今日建筑》杂志在1946年才宣称尼迈耶已经离开“凯旋的直线”和“纪念性的笛卡尔主义”的教育部大楼及“柯布西耶学派”，用“凯旋的弧形”指向着“对自己原创性的肯定”。

跨越的曲线

尼迈耶总是反复谈到他是将从勒·柯布西耶那里学到的东西进行“热带化”：“我的建筑作品是从帕普哈开始的，我设计了感性的、无法预知的曲线。”该项目是贝洛奥里藏特市长尤塞利诺·库比契克委托的，这个综合体包括一个小教堂（巴西第一座在册的现代主义纪念碑）、一个豪华的室内整体规划的赌场、一个愉悦的舞蹈厅、一个带

阿西西的圣方济会教堂，帕普哈，贝洛奥里藏特，1940—1943年。

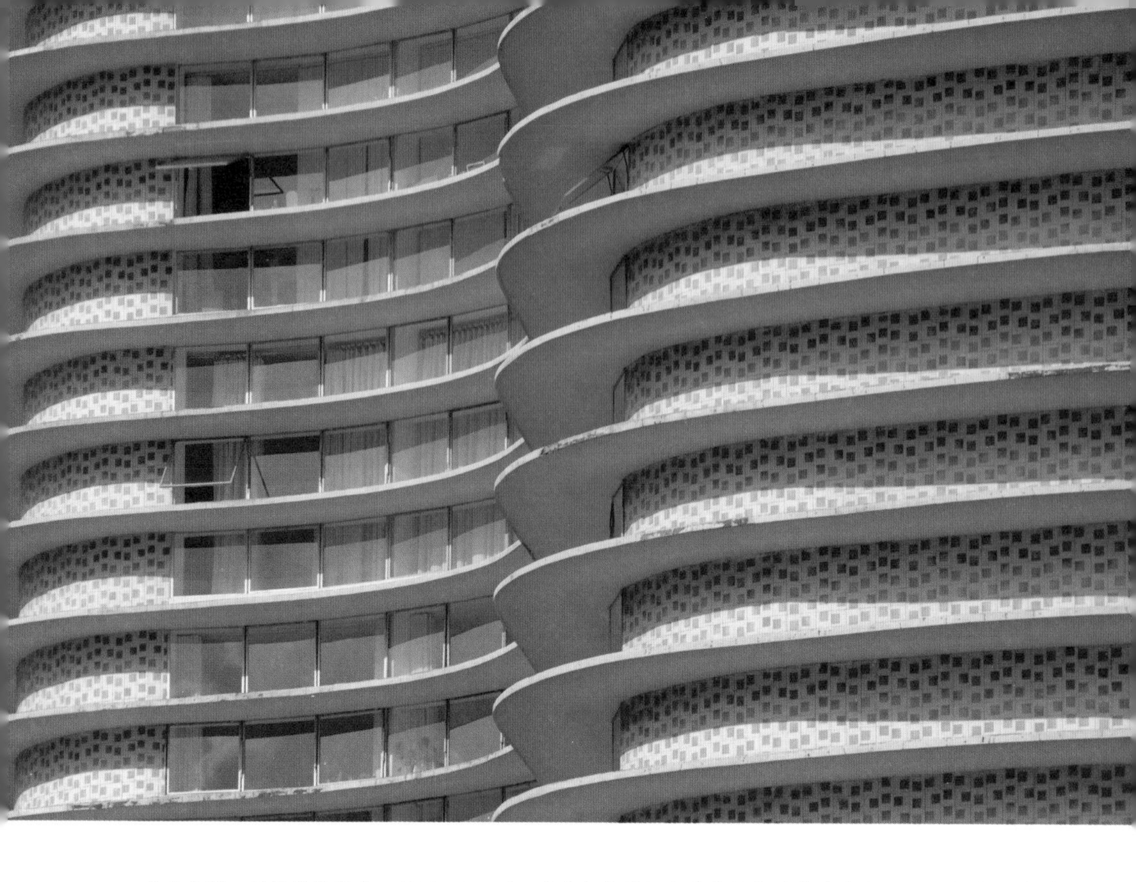

自由大厦，贝洛奥里藏特，1954—1960年。（后来为了纪念建筑师的兄弟改名为尼迈耶大厦。）实墙面上依然是连续的遮阳板，墙面上贴着阿瑟斯·布尔乔设计的黑白水泥砖。

有曲折的混凝土雨篷的餐厅、一个游艇俱乐部，还有高尔夫俱乐部和有一百个客房的酒店（未建成）。尼迈耶在帕普哈综合体的设计中充满了对奇景和对奢华、愉悦、美观和感性的追求与强调，这也是他个人的建筑宣言。利用丰富而精致的材料和技术，布勒·马科斯有意识地运用细节和装饰创作了充满深度的热带自然风景，并使之与建筑有机结合成独特的整体，其动机是他认为民族性的建筑应该拥有丰满曲线和巴西特有的热带主题。如果说英国绅士的形象体现了理性欧洲的“真正的现代风格”，那么尼迈耶就是在巴西非裔女性的性感体态中发现了混血女孩儿、酒神式的巴西的精神化身。“我的作品不是关于‘形式追随功能’，而是‘形式追随美’，或更确切的是‘形式追随女性’。”

和结构工程师乔吉恩·卡多佐的合作中，尼迈耶在帕普哈的阿西西圣方济会教堂中使用抛物线拱作为形式和空间的分隔元素。壳体结构和不同形式的垂直支撑出现在巴西20世纪50年代飞速发展的城市中心成熟的项目中。他设计的自由波浪体的40层科潘大厦（1951—1966年），可容纳5000个住户，在拉丁美洲最重要的工业和经济中心圣保罗也极为抢眼。他对常规的二分法，即建筑只能分为私密的、家庭和愉悦的女性世界，或是公共的、垂直的、边缘硬朗的、工作和权力的男性世界，提出质疑。他挑战着美洲城市的性别分隔。尼迈耶设计的贝洛奥里藏特的自由大厦（1954—1960年）与科潘大厦相似，它强调了动态的、连续的、水平的混凝土遮阳板，既可为立面开窗部分遮阳，同时又在贴砖立面上延续，将这种原来功能性的装置转化成美学。

1954年10月的《建筑评论》杂志报道了尼迈耶在里约的新房子成了1953年圣保罗艺术双年展时国外来访者的“议论中心”，他们都无法领会这个多样化建筑的同步韵律。尼迈耶设计的住宅建筑杰作是卡努斯住宅（1952—1953年），看上去仅仅是一个混凝土自由形态的雨棚和一个被热带花园围绕的游泳池，但和美妙的景观珠联璧合。1956年，精力充沛的尤塞利诺·库比契克总统就在这个房子里向尼迈耶寻求协助来实现他的雄心壮志：巴西利亚的建筑，一个将代表“巴西的新时代”的无可妥协的现代城市。

走向更加民主的建筑

1960年4月21日落成的新联邦首都被视为国家统一的象征。尼迈耶的选择代表了20

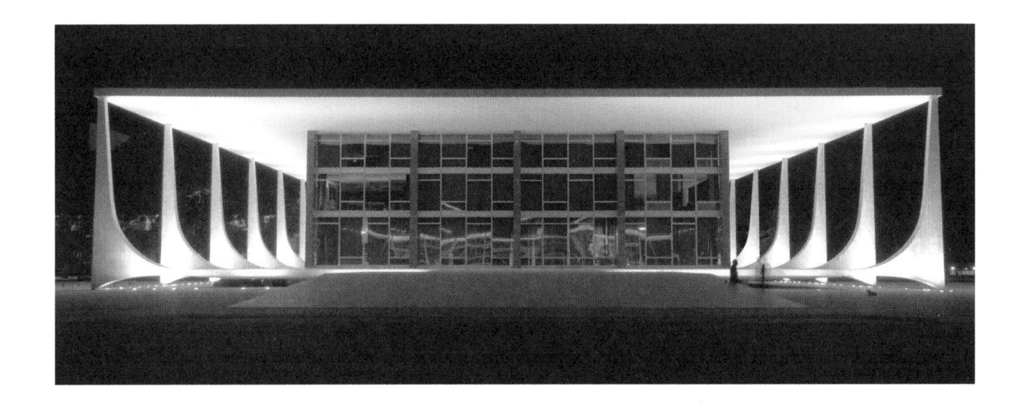

巴西利亚高级法院，1958—1960年。

当代艺术博物馆，尼特罗，1991—1996年。

世纪建筑师和政治家寻求的国家形象的风格——巴西的和现代的。在这片国土的中央平原上，远离带有欧洲传统色彩的海边热带天堂，尼迈耶在腹地为“真正的巴西”设计的建筑，展开了与历史地标性建筑的对话，以此来重申巴西建筑的自治性以及“创造……明天的过去”。科斯塔的总平面和尼迈耶为“新巴西卫城”设计的公共建筑都体现了对纪念性的诉求。但是新建筑没有传统的体量、坚实和厚重，巴西利亚带柱廊的纪念性建筑强调了它们组成部分的个性——白色大理石贴面的柱子——体现出了轻盈、优雅和优美，但又将个体的平等从属于整体的集合，代表了民主的城市。

在被1964年上台的军事独裁流放的几年中，尼迈耶利用巴西先进的工程和欧洲的技术及熟练的劳动力，建造了一些在美学和结构上都具有挑战性的建筑。米兰附近赛格拉泰的蒙达多利集团总部大楼（1968—1975年）具有精确图案的裸露混凝土柱廊，很像巴西外交部大楼的柱廊（1962—1970年），但是尼迈耶在设计中加入了一些随机的元素。在每一个立面上，22个不同宽度和弧度的抛物线拱被包容在一个参数化方程中。尼迈耶“现代版本的希腊神庙”是他最伟大的成就。

尼迈耶希望发明新的方法来阐释个体建筑和城市的关系，在法国和在后来80年代逐渐恢复民主的巴西，他慢慢从仅仅考虑建筑的美学问题，转移到认为建筑应该有意识地塑造民主性，将优先考虑城市公共空间作为公民权利的基础。在经典的尼迈耶式的反常规空间序列运用中，他后期的公共标志性建筑，例如尼特罗当代艺术博物馆（1991—1996年）和库里蒂巴的新博物馆（2001—2002年）都设计了大量的坡道用来转换功能需求，并邀请公众将其当作漫步大道。这些长长的、怠惰地展开的坡道强调了建筑的公共性，是巴西传奇海滩的建筑象征，尼迈耶认为它代表了理想的生活方式。

简恩·默克尔/撰

埃罗·沙里宁

丰富性与技术性的革新
（1910—1961年）

在短暂但多产的职业生涯中，埃罗·沙里宁设计了五六座主要的商业园区、数不清的创新性校园建筑、一个高度原创的高层建筑、一座实验剧场、两个非常规的美国使馆、几座具有影响力的教堂和三座令人称奇的机场航站楼，在所有这些设计中都采用了不同的突破性技术。1961年他因脑瘤去世时，还有十项重要的未完成设计。

沙里宁出生于赫尔辛基，1923年跟随父母移民美国，父亲是早期现代主义建筑师埃利尔·沙里宁，母亲是雕塑家和编织家欧拉·沙里宁。虽然他的第一个项目来自家庭事务所，但是由于在1947—1948年的竞赛中赢得了圣路易斯拱门的设计，埃罗一夜之间变成了美国他同代人中炙手可热的建筑师。这个抛物线拱高达192米，相当于62层楼高，截面是个三角形，是他和工程师弗雷德·塞维鲁德合作设计的。拱门的不锈钢的表面有助于支撑内部的混凝土结构和更深处用来建造拱门的钢骨架。这个拱门直到1965年才完工。

技术的发明性

在赢得拱门设计的竞赛之后，埃罗开始掌管家族事务所在底特律附近的通用汽车技术中心项目（1948—1956年），这个项目面积364公顷，有25栋楼，造价预算100万美元。受到密斯在伊利诺伊理工学院校园设计的影响，埃罗没有采用最初造价过高的

右页图：虽然沙里宁1948年赢得了圣路易斯拱门的设计竞赛，但拱门17年之后在工程师弗雷德·塞维鲁德的帮助下才建设完工。

沙里宁站在耶鲁大学莫尔斯和斯蒂尔斯学院模型的后面，1958—1962年。这个建筑的混凝土肌理与石材混在一起，与早期的建筑在校园中和谐相处。

沙里宁为耶鲁大学大卫·英格尔斯冰球馆画的草图，1956—1959年。草图表现了他畅想的悬索结构的流动性特征。

艺术装饰风格，而是以国际主义风格的主题代之，选择了更轻的框架、一个亮闪闪的不锈钢半球穹顶和一个在巨大水池里的大型水塔。他引进了许多革新技术，有些是受到汽车工业的影响，例如用氯丁橡胶封闭门窗垫圈的技术（与车窗用法类似）来将特别的薄夹胶玻璃和陶瓷珐琅固定到铝框中。这些预制的室外和室内隔墙可以防风防水，当需要改变建筑的时候，可以把玻璃或是墙板像拉链一样拆解下来。端头墙用明亮色彩的上釉砖覆盖。绘图室第一次使用特制的模塑胶盘组成的全天花的照明设备。据沙里宁后来的解释，“所有这些发展都变成了现代建筑的语言”。

技术中心在建时，沙里宁为麻省理工学院设计了一个周围有壕沟的圆筒形砖教堂，还有旁边的克瑞斯基会堂（1950—1955年）。它的薄壳混凝土穹顶是一个独立的断面——一个八分之一球体——坐落在自己的三个类似帆拱的点上，支撑基础很仔细地埋在地下，所以这个穹顶看起来像是无重量地竖立着。几年后沙里宁甚至为母校耶鲁大学创建了更加大胆的大卫·英格尔斯冰球馆（1956—1959年）。这个悬索结构有一个高高的、弧形的混凝土脊从中央向下延伸，钢索网就像晾衣绳上的毯子，表面覆盖着塑胶化的涂层，并用混凝土加以固定。另一个耶鲁大学的项目是莫尔斯和斯蒂尔斯学院宿舍楼（1958—1962年），他创造了一种新的混凝土，中间掺杂着大块的石料，给表面一种粗糙的质感，以一种新颖、现代而又经济的方式和耶鲁早期的“院落式哥特建筑”融洽共存。

沙里宁在不同的项目中探索着钢和玻璃反射的特性，但是在新泽西州赫姆德尔的贝尔电话实验室项目中（1957—1962年），他首次使用了全镜面的玻璃，使巨大的结构“消失”在景观中。在伊利诺伊州莫里尼的约翰·迪尔公司总部（1956—1964年）中，在他的合伙人，技术天才约翰·丁克洛的帮助下，他第一次用自封、防腐蚀的钢材作为建筑材料。沙里宁为纽约哥伦比亚广播公司总部设计高层建筑（1960—1965年）和当时占主导地位的密斯式的高楼正相反，这栋楼用黑色花岗岩包裹，中心和四角使用的是钢筋混凝土柱子，而非像其他纽约的摩天大楼一样采用钢骨架结构。它的外墙带着有角度和皱褶的轮廓，好像是从地里长出来一样，直接指向天空。

机场设计的杰作

沙里宁的杰作是纽约艾德威尔德机场（现在的肯尼迪机场）入口一块突出的楔形场地上的TWA航站楼（1956—1962年）；还有在华盛顿附近弗吉尼亚州尚蒂伊的展开型的杜勒斯国际机场（1958—1963年）。两者都是同阿曼和惠特尼建筑公司合作设计的，他们还和沙里宁一起合作设计了希腊的雅典机场（1960—1969年）。杜勒斯机场具戏剧性的航站大厅是一个巨大的开放空间，覆盖的屋顶用悬索拉伸，固定在两排共八根肋形混凝土柱子之间，柱子向外倾斜以平衡悬索的张力。一条弧形的檐部在端头卷曲着，形成了一个门罩，为巨大的像飞机舷窗那样带圆角的窗户遮阳。柱子的高度从前面的19.8米到后面的12.2米不等，让大厅形成了不对称的轮廓，使得室内空间更具动感。杜勒斯是第一个只为喷气式飞机设计的机场，它引入了一种新的设想：可移动的休息室可以将乘客带到相隔1公里的舱门前，省去了行走的时间。

TWA的创新对机场设计更有影响力，在入口处，出行的旅客将行李直接托运，然后站在传送带上通过抬高的筒形的隧道去往38米外像伸出的“手指”般的出发区域。所有人都身处于热闹的拱顶双层大厅，出发的人从一翼离开，而到达的人从另一翼过来，从第一个移动的转盘取回行李。这是个完全曲面的空间，地面弯起来变成墙，墙

右页图：纽约肯尼迪机场TWA航站楼大胆的室内设计，1956—1962年。它完全由曲线形式构成。

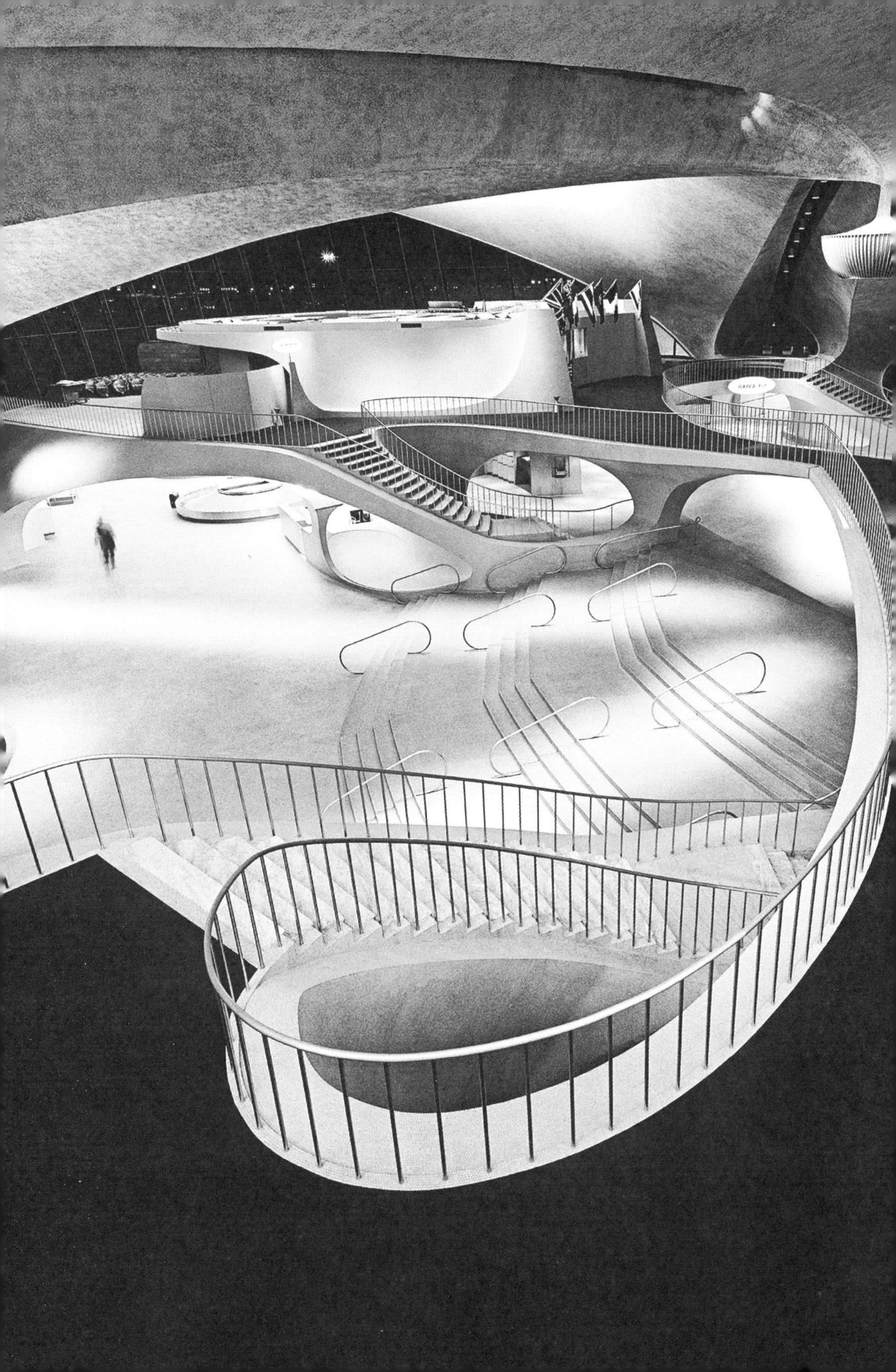

杜勒斯国际机场混凝土悬索屋顶，1958—1963年，与阿曼和惠特尼建筑公司合作设计。它悬挂在不同高度的向外倾斜的柱廊之间。

变成天花——在这个空间里有曲面的坐凳、圆形的服务台，甚至地砖也是圆形的——这些使得这个航站楼成为美国最令人激动和最受喜爱的建筑。TWA航站楼像一只飞翔的鸟，包含四个双曲面混凝土壳体结构，用三个点支撑。它们通过两个高15.5米的弧形线性扶壁连接，在中心用一个圆盘平面将应力均衡分配。两个扶壁之间的净距离从36.6米到61米，壳体端头最长的无支撑距离有95米。轻质的伞形拱的混凝土板厚度的范围从边缘的大约18厘米到翼部和混凝土交汇部分的约100厘米，差不多有1米厚。悬挑部分延伸至25米。

沙里宁通过TWA航站楼创造了一个建筑空间，表达了场所带有的旅行的兴奋而不是一个静止的围合。但是建造过程十分艰难，他的事务所花了5500个工时来绘制图纸——主要部件的轮廓地图——在每一个节点上都要和工程师阿巴·图尔协商。建造承包商需要为框架的每一根混凝土肋梁和结合点绘制图纸。有一些计算靠计算机，但是当时没有计算机辅助设计的技术，几何体型、薄壳和扶壁的结构设计都要靠人工计算。

沙里宁设计的每一个建筑都是不同的：每个都是为了特别的客户和场地而设计，所以他一直没有明显的特征风格。他的作品很难归类，这也是为什么他去世后就很快被遗忘的原因之一。另一个原因是他的作品非常贴切地表达着时代精神，当时代改变了，也就失去了一些意义。虽然他只关注于创造可以称为艺术的建筑，但他也极力致力于为客户服务，以至于常常多次重新设计方案，甚至即便建造已经开始后也还会重新设计。沙里宁对他事务所的同事也同样忠诚，60个来自全世界的出色的建筑师为他工作了很久。用他的一个雇员的话说，“简单地讲就是，他从来不会让你失望。”令人欣喜的是，最近的几年中，大家对沙里宁作品的兴趣重新浮出水面，他们所付出的非凡努力也再次得到欣赏。

温弗里德·内尔丁格尔/撰

弗雷·奥托

应力、张力和膜结构的革新家

（1925—2015年）

弗雷·奥托出生于德国萨克森，是石匠和雕塑家的儿子。他母亲给他起了一个不同寻常的名字“Frei”，意思是“自由”，这个词后来成了他一生的主题。他年轻时经历了纳粹时期，目睹了当时沉重的纪念性建筑和燃烧的城市上空的飞机。这些经历对他有重要的影响：他一生都在为民主社会创造轻盈的、自然的和可持续性的建筑。

悬挂的屋顶

作为柏林工业大学的建筑系学生，1950年奥托得到一笔去美国旅行的奖学金，在美国他参观了一些现代建筑大师的作品，包括弗兰克·劳埃德·赖特和埃里克·门德尔松。他尤其被马修·诺维克设计的北卡罗莱纳州罗利体育馆所吸引，体育馆的屋顶是用钢缆支撑的，这激发了他建造大尺度屋顶的兴趣。1954年他发表了研究论文《悬挂的屋顶》，在论文中他探讨了全新膜结构建筑的潜能，在他之前膜结构一直被看作是临时的、便宜的且不稳定的结构。他最开始在1955年卡塞尔联邦花园展会中设计了一个乐队舞台上四点支撑的天篷，两个高点和两个低点形成了一个稳定的马鞍形。奥托在后来的十年中，利用伟大的形式品质使得张拉建筑变成了一个完善而有力的建筑类型。

在奥托的用马鞍形、点阵、拱和波浪形式设计的许多张拉建筑中，他探索了这一建筑领域的可能性，确定膜结构不是被随意画出来的，但是可以在一定范围内，通过一个称为“形式发现”的自然优化过程形成自己的形式。1958年他在柏林的采伦多夫区成立了轻型结构发展中心（EL）并在这里开展研究。由于膜结构的跨度和承重有局

奥托和他的“北极城市”项目模型，1970年。他构想了一个巨大的钢索网格屋顶，可以保护一个40 000人的城市免受极端气候之苦。

限，他进一步用大型的弧形和马鞍形钢索网格发展出大跨度轻型结构。1964年他在洛桑为瑞士国家博览会设计了第一个钢索网格屋顶。同年弗里茨·莱昂哈特任命他为在斯图加特新成立的轻型结构研究学院（IL）的主任，这个职位奥托一直做到1991年成为荣誉教授为止。与世界上其他学院不同，IL是研究整个建筑和工程领域的基本原则的实验室。IL无以计数的出版物、会议和实验出产了巨大数量的材料，弗雷·奥托的想法也被许多参与者传播到世界各地。

IL也进行关于钢索格网结构技术和可能性的研究，1967年弗雷·奥托和罗尔夫·古特布罗德赢得了蒙特利尔世界博览会设计联邦德国馆的竞赛，他们在斯特加特大学校园里根据设计方案建造了钢索格网设计的实验建筑。这个建筑后来成了IL的办公室。蒙特利尔的张拉结构馆是民主的新德国的开放性的象征，为奥托赢得了国际声

建造中的联邦德国馆的钢索网格屋顶，蒙特利尔1967年世界博览会。

誉，也影响了建筑师京特·贝尼施在慕尼黑奥林匹克公园的体育场上帐篷屋顶的设计；奥托后来也参与了这个项目的建造（1968—1972年）。

可适应性的建筑

早在1959年奥托便发表了“可适应性建筑”宣言，这后来成为他的作品的中心主题。他的膜结构和钢索网格实验使他更深入地涉及轻型和适应型建筑的本质。常规的

慕尼黑奥林匹克公园体育场的帐篷屋顶，和京特·贝尼施共同设计，1968—1972年。

建造过程通常会考虑建筑的长久性和可靠性，但是建成后更改起来很困难，甚至根本不可能更改；与之相反，奥托看到需要持续地改变建筑的要求，以及能够实现它的建造方法。于是他寻求一旦使用人或使用目的改变，可以简便地改变和拆除的建筑形式。

可适应性建筑的一个中心因素是可改变的屋顶，它可以回应天气的变化，在很短的时间里创造遮蔽空间。奥托是第一批对伸缩屋顶重新产生兴趣的建筑师，这种结构形式在古代就已经存在。他建造的第一个大尺度、由电操控的可移动屋顶是在1965年坎城的一个室外剧场中，后来很快他又在黑森州的巴特黑斯费尔德的一处废墟教堂改造的剧场上设计了相似的屋顶（1967—1968年）；紧接着又在巴黎、里昂和雷根斯堡设

科隆联邦花园展览的伞形屋顶，1971年。支撑结构安装在张拉材料上面，可以充气展开。

计了游泳池上方的可伸缩膜结构覆盖。支撑结构的原理与雨伞相同。弗雷·奥托将这种装置用于新的建筑形式，直到20世纪70年代一直在探讨和扩展它的新方向。

深入发展膜结构和钢索网格结构的同时，奥托还在20世纪60年代开始研究网状壳体，利用反向原理将网格状网络变为双曲面壳体。反向原理基于这样一个事实：悬挂的钢索、链条或网格会根据重力找到它们自身的形状。将它们由于纯粹张力产生的形状反过来的时候，便形成纯粹受到自重压力的拱、拱顶和穹顶。第二个网状壳体的原理是和建造过程息息相关的：一个薄平面网格只要所有的交点都是灵活的，就可以形成一个双曲面网格。当网格形成想要的形状时，把所有节点和边缘的位置锚固住，整个结构就可以变成一个固定的壳体。奥托在加州大学伯克利分校（1962年）和1962年在德国埃森的DEUBAU建造节上制作了首批网状壳体，随后和卡尔弗里德·穆奇勒合作在曼海姆多功能展厅（1975年）建造了一个覆盖面积为9500平方米的屋顶，这个设计的震撼程度和简单的建造可以和奥托在蒙特利尔和慕尼黑的钢索网格结构媲美。

1962年，在《张拉结构》一书中，奥托指出空气是最轻的建筑材料：用空气来做支撑是轻型建筑的终极目标。他和斯特罗迈尔公司合作，1966年为科隆的一个技术公司创造了第一个空气建筑。他接连根据空气原理创作了许多设计，包括游泳池的屋顶、储运罐、飞艇和为极端气候设计的大尺度场馆，比如说和丹下健三一起设计的“北极城市”项目（1970年）。

早在现在的生态运动之前，弗雷·奥托就考虑到环境问题和人类的生存对于生态

2000年汉诺威国际博览会日本馆，坂茂和奥托合作设计。网格结构由硬质的纸筒构成。

系统的影响，也开始做这方面的研究。他在20世纪50年代早期就做过现在被称为被动式太阳能建筑设计的研究。首先他研究了只用太阳能加热建筑的可能性。在1967年和罗伯·克里尔的合作中，他为自己在沃姆伯恩设计建造的房子和工作室成为德国第一个被动太阳能式建筑。他后来还在1987年柏林动物园的国际建筑博览会上建造了“生态住宅”。对于奥托来说，生态建筑意味着改善环境，通过植入花园提升生活品质，使生活区域多样化和适应性，同时以各种形式节省能源。他希望用自然的建造来创造一种建筑，可以可持续性地满足人们的要求，对环境的影响尽可能降到最低。

弗雷·奥托一生都提倡跨学科的研究，这一点很多人都无法做到。当被问及他的专业类型时，他有一次回答说：“许多人称我为工程师，在内心我是一个设计的追寻者，有时候也是设计的探索者。我知道我做的和创造的还不完美……我试着理解自然，虽然我已经意识到一个属于自然一部分的生命永远不可能理解自然本身。‘少就是多’是我觉得很有趣的提法：需要较少的房屋、少量的材料、少量混凝土和少量的能源，但是要用手边的材料：土壤、水、空气去人性化地建造。接近自然去建造，从很少中获得许多，带批判的眼光看问题，先想清楚再动笔。什么都不建比建得太多要好！”

奥托的确建造得不太多，但是论他的作品对建筑和结构设计产生的影响力，没有几个20世纪的建筑师可以与他匹敌。

肯尼思·鲍威尔/撰

弗兰克·盖里

表达性图像建筑的设计者

（生于1929年）

20世纪最后十年和21世纪早期，所有仍在工作的主要的美国建筑师中，没有人能获得与弗兰克·盖里相媲美的全球声誉。盖里出生于加拿大，但年轻时就成为洛杉矶的居民，他将对于技术和结构创新不懈追求，与有时看似幽默但本质上严肃的对美国本土的尊重相结合，跟最伟大的美国建筑师弗兰克·劳埃德·赖特的作品形成呼应。

盖里出生于多伦多（本名弗兰克·古德博格），1947年随父母移民洛杉矶，在南加州大学学习建筑，毕业后在当地的事务所工作。1962年他在圣莫妮卡开办了自己的事务所。他的早期作品受到弗兰克·劳埃德·赖特，以及象征着加州现代建筑师的理查德·诺特拉、鲁道夫·辛德勒和拉斐尔·索连诺等人的影响。但是在20世纪60年代后期他的建筑走向了一个新的方向，表现在圣胡安卡皮斯特拉诺的奥尼尔谷仓和马里布的戴维斯住宅和工作室的设计中；后者是由画家荣·戴维斯委托，他是盖里参与的一个西岸艺术家小集团的成员。这两个建筑都用很廉价的材料组成：木材和波形钢板，其中马里布项目的平面谨慎地采用了自由平面，打破了传统的正交方式，这在盖里后来的地标项目中都有体现。盖里十分钦佩阿尔瓦·阿尔托和汉斯·夏隆作品中的表现力，他在自己的作品中为这种精神找到了出口。

使得盖里出名的是他在圣莫妮卡为自己建的房子——确切地说是改建的——他在1977—1978年间居住的自宅。引用一个评论家的话说，是“房子建造了盖里”。用盖里自己的话，这“只是一个小破房子”。这是一个典型的中产阶级住宅，长久以来被现代主义抛弃，却因罗伯特·文丘里和丹尼斯·布朗的文字被重新发掘。这座房子被戏剧性地改造，用“切除一些部分来遮挡另外一部分”。外表皮用波形金属板和铁丝围栏包裹，穿透的大玻璃开洞呈偏心的角度。内部空间被用裸露的木框架重新分隔。这个住宅引起了世界的关注。

弗兰克·盖里（左）在他洛杉矶的办公室工作，这里被他用来绘制草图和制作第一轮纸板模型。

同时盖里也在做纯粹商业性的项目：圣莫妮卡路购物中心，他认识到自己“讨好市场的兴趣是有限的”。从1978年开始，长达20多年的项目罗耀拉法学院，展现了他对洛杉矶市区环境的回应，而对古典主义建筑另类的参照也表现了他对当时流行的后现代主义风潮的赞赏。这个项目包括一些现存建筑的更新——这在盖里的作品中是一个重要的主题，他成功地将一座仓库改造成洛杉矶当代艺术博物馆的临时展馆（1983年）。20世纪80年代可以看到盖里作品向更宽泛的领域扩展：一些精彩的住宅（包括布伦特伍德的豪华施纳贝尔住宅），用桡曲木料和纸板制作的家具和鱼灯（鱼成为他作品中永久的主题），威尼斯、洛杉矶的齐亚特－戴伊广告公司总部以及阿纳海姆的迪士尼办公室。

计算机辅助设计方面的创新

盖里成了公认的西海岸新设计学派的带头人，他走出加州，1988年为维特拉家

盖里在圣莫妮卡的住宅。他在1977—1978年扩建和改装了该房子，后来它成了图像式的现代建筑的典范，也是建筑师们的朝圣之所。

具公司在德国莱茵河畔威尔设计了工作室和展示厅。尽管他早期的建筑设计喜欢并置对立的几何形体，以及利用美国城市边缘和农舍的材料。维特拉项目显示盖里成了一个有意识的雕塑型设计师，白色的建筑形体和金属饰面可以看到勒·柯布西耶的朗香教堂的影子。这个项目对盖里的业务产生了重大影响，以前他的设计过程总是依赖于大量的图纸和实物模型，但是这个建筑的新方向驱使他的实践进入一个广泛使用计算机辅助设计的领域（CAD）。他采用20世纪80年代美国发展的革新性技术，开始了新的与结构工程师和建造商合作的策略。盖里认为这个系统恢复了建筑师在设计过程中的主导性："它使建筑师更像父母，建造商更像孩子——正好与20世纪的系统相反发展。" CAD图纸可以被厂家用来绘制订制从钢框架到外饰面板这样的建筑构件。

事实上，盖里的事务所在使用电脑方面是领先的，这成为他未来的建筑发展的基本条件，使他能够自由地创造各种形式，就像伍重在20世纪中期设计悉尼歌剧院那样——但是当时的技术条件限制了形式的发展。他的实践的第一个完全用CAD设计的项目——涉及使用最早为航空工业开发的先进技术，可以用计算机做三维的建筑模型——就是为1992年巴塞罗那奥林匹克运动会设计的一个巨大的鱼形雕塑。尽管如此，对于盖里来说设计还是开始于草图和实体模型：计算机并不生成形式，它只是将它们实现出来。

“图像式”建筑的成长

20世纪90年代早期，盖里的建筑被简单地归到“解构主义”的类别里，被卷入到一个盖里自身并不首肯的、带有哲学议程的设计派别——他作为一个实用主义者和感性的设计师，并不归属于像伯纳德·屈米、丹尼尔·里伯斯金和彼得·艾森曼那样的理论型的建筑师行列。然而，他的雕塑型建筑使得他成为上升的“图像式”建筑的领

维特拉国际制造设施和设计博物馆，莱茵河畔威尔，1987—1989年。

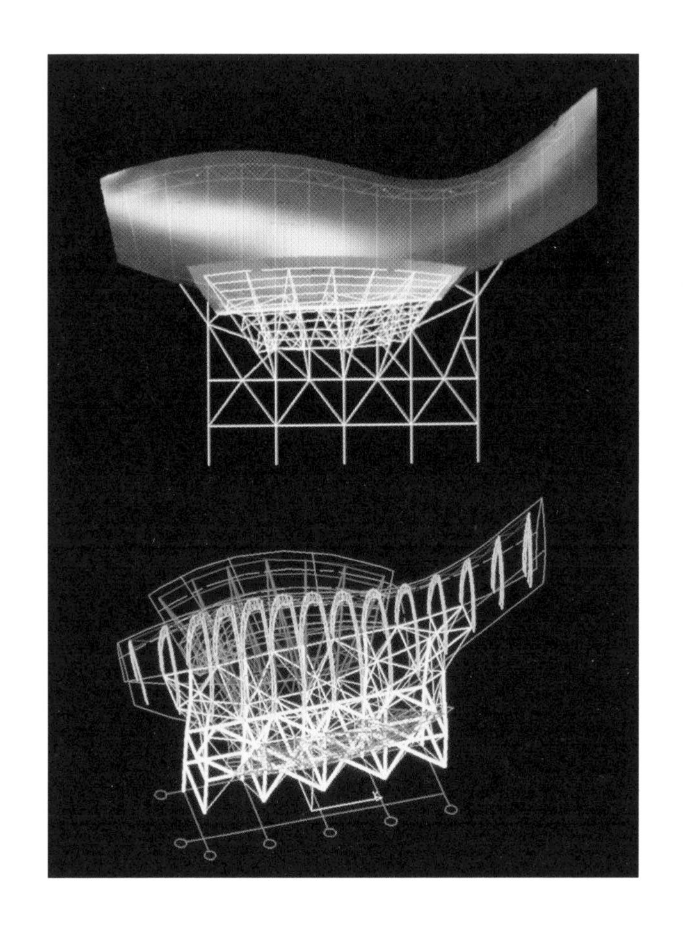

盖里对于鱼形的热衷反映在他的特殊的结构中，这座雕塑为1992年奥林匹克运动会而设计，目的是重振城市没落的港口区域，长54米，放置在巴塞罗那的水边。

头人，在理性主义者看来，这类建筑追求纪念性的形式的目的远高于对现实功能的反映。盖里幸运地找到了一系列有勇气的客户的支持，希望创造有自我认知度的空间。其中一个人是古根海姆基金会的托马斯·克伦斯，他委托盖里设计了位于毕尔巴鄂的古根海姆博物馆，这个建筑的主要任务是复兴巴斯克人的城市。博物馆自从1997年开放之后每年吸引了成百万的参观者。这个博物馆全身包裹钛合金面板，展示了当时计算机技术最大程度能达到的建筑形式的解放。中庭有50.3米高，回应了曼哈顿古根海姆博物馆赖特戏剧性的中庭。盖里在1988年设计的洛杉矶迪士尼音乐厅一直到2003年才正式开放，但也起到了振兴城市的邦克山地区的作用。这个项目的一些灵感来自夏隆

迈阿密新世界交响音乐厅，2010年。这座建筑外表面缺乏盖里标志性的结构形式，但是它的创造因素包括一个在立面上高达好几层的屏幕，与室内的表演相关联。

的柏林爱乐音乐厅（1956—1963年），但是它形体之间出色的布置，加上不锈钢的饰面板，是纯粹的盖里风格。

放弃在曼哈顿下城建设一座新的古根海姆博物馆（2002年）对盖里来说是一个很大的遗憾，同样遗憾的还有被取消了的造价10亿美元的布鲁克林体育场。然而盖里不得不知足于设计纽约最高的居住大楼：布鲁克林大桥附近76层的比克曼大厦（2011年）。另一个荣誉是他被选中设计华盛顿特区的艾森豪威尔总统纪念堂。80岁时，他依然在全世界参与着文化和教育活动。迈阿密的新世界交响音乐厅于2010年完工，似乎标志着盖里的作品更加进一步地改换了方向，从雕塑型变成更加冷静的美学——尽管

左页图：毕尔巴鄂的古根海姆博物馆，1997年开放，大概是盖里最为知名的项目。这座建筑包裹着钛合金面板，坐落于靠近历史中心区域的河岸边。

外部突出的墙仍然具有戏剧效果。毕尔巴鄂的古根海姆博物馆已经成为现代建筑中少有的对公共认知有巨大影响力的建筑：就算盖里在此之外不再设计作品，他依然会被看作是一位伟大的建筑师。然而盖里在职业生涯的50年中持续不断地在建筑设计和技术方面创新，设计了许多出类拔萃的作品。他无可非议地是美国当代最为杰出和最有影响力的建筑师。

博通德·鲍德纳/撰

丹下健三

巨型结构建筑师

（1913—2005年）

丹下健三是日本战后重建涌现的最杰出的建筑师之一，他既是建筑师又是城市设计师。1949年他赢得了广岛和平中心的设计竞赛，除整个和平公园之外，1955年他还设计并建造了著名的广岛和平纪念馆。这个设计采用粗糙的钢筋混凝土结构，可以看出勒·柯布西耶的影响，又带有一些传统日本建筑的元素。这个项目奠定了丹下在日本乃至国际上的名声和地位。广岛纪念馆大胆地展示了建构的纯粹性，为日本引进了“混凝土就是我们的”运动。钢筋混凝土的抗震和防火性能对于这块饱受其灾害的土地来说是非常合适的，随着现代建筑对于结构理性的偏好日渐发展，使得结构和工程在日本建筑中发挥了非常重要的作用。

丹下出生于大阪，1935年到1938年在东京大学工程学系接受了建筑教育，毕业后他在勒·柯布西耶的弟子前川国男的事务所工作了四年。1942年丹下又回到大学攻读硕士课程，在1946年取得学位，成为助理教授，1963年在同一学校晋升为终身教授。教学的同时，他在学校创立了一个设计实验室，就像他在前川国男的事务所获得了宝贵的经验一样，日本许多年轻的建筑师也在丹下实验室里受益匪浅。他后来在1961年重组成立了丹下健三城市建筑设计研究所，他的学生和早期的合作伙伴包括矶崎新、黑川纪章和桢文彦，都是国际知名的日本建筑师。

丹下的建筑风格受到他职业生涯初期以及成长为建筑师时周围环境的影响。战争结束后，有大量的重建需求，日本许多地方整个城市和基础设施都需要重建。战后材料和资金的短缺也决定了建筑的经济性和结构的理性。这也是宣扬克制性甚至极少化设计的现代建筑快速发展的原因。20世纪60年代日本战后经济成级数增长，现代建筑也获得了特殊的推动力。在这种无可比拟的发展速度，即所谓的“日本经济奇迹”之下，工业技术显示出了巨大的进步，并且成为建筑和城市设计的重要力量。

城市规划和设计

在还是学生的时候，丹下就对城市规划和设计充满兴趣，他所有的建筑作品都强烈地倾向于这种较大的公共区域的设计。他成名的广岛纪念馆项目就已经相当于城市设计的规模，涉及城市中心一块很大的区域。更多的例子还包括丹下设计的众多市政厅，这些都是为了促进国家的新民主政策设立的政府项目，包括东京都市政厅（1957年）、高松市香川县市政厅（1958年）和仓敷市政厅（1960年）。这些建筑除了为所在城市创造了一个有力且识别性强的中心之外，还展现了建构和空间表现在建筑中的新趋势。在带有传统的日本梁柱体系木建筑印记的同时，这些新建筑将结构的逻辑在大型尺度上（如仓敷市政厅）和增强的混凝土结构的纪念性上发展得更为深入。

国家工业化迅猛发展和经济快速增长也意味着城市爆炸式的扩张，人们纷纷涌入经济生产中心，例如东京这样的城市。没有规划的城市化带来的拥挤远远超出了日本传统的紧密街区的承载能力，并产生了恶劣的环境问题——空气、水和噪音的污染，降低了城市生活的品质。丹下健三和他的年轻同事们看到了这个困境，开始寻求创新的解决方法。他们相信，无节制的工业化会将日本的城市带到环境崩溃的边缘，但工业技术在建筑上合理的应用能够缓解很多问题。在这个观念的指导下，一群年轻建筑师在20世纪60年代，为了建筑环境的灵活性及有序扩展，发起了新陈代谢运动。丹下对这些年轻建筑师产生了很大的影响，并对他们的工作进行了鼓励，反过来他也受到了他们想法的激励。

1960年，丹下在他的几个学生帮助下，策划了一个纪念性的新都市计划，就是著名的“东京规划”。规划一部分建在原有的城市肌理上，一部分延伸到东京湾的水面上。这个规划设想中的一个巨型结构系统以线性方式伸展大约30公里。在这个线性的方案中，所有的公共设施都安置在巨大的平行的回路桥梁之间，作为城市交通的基础设施，住宅区域从这个主干分支出来。丹下将公共和居住单元都设计为巨型结构，有效地减弱了建筑和新城市的区别。丹下用一个大型的、令人震撼的模型展示了方案精彩的细部。

虽然“东京规划”最后没有建成，但丹下从中得到了不少经验，他将许多内在的想法付诸后来的建筑方案之中。丹下和矶崎新合作，将这个规划中的一些建筑利用结构井筒建造起来。这些井筒作为主要的垂直支撑并容纳了包含垂直交通的服务设施。这个新方案将圆柱形的服务井筒作为梁柱结构，以巨大的尺度支撑中空的形式，成为

香川县市政厅，1960年。钢筋混凝土建造，细部受到勒·柯布西耶的影响。这个大体量的建筑是丹下早期的巨型结构建筑的一个案例。

丹下站在自己著名的“东京规划”（1960年）前面。这个未建成的东京湾方案包含用于交通的巨型桥梁结构和底部架空的巨大建筑。

山梨县甲府市文化会馆及媒体中心。整个建筑由16个圆筒形井筒支撑，1966年建成，是巨型结构建筑的重要模型。

后来无数类似设计的参照模式。1966年设计的山梨县甲府市文化会馆和媒体中心恐怕是丹下运用这种模式最好的例子。这个纪念性的建筑由16个不同高度的垂直混凝土服务井筒抬升和支撑，这些井筒之间封闭的空间单元组成的楼层像桥一样伸展着，在整个体量中留出许多缝隙和空洞。这种多空的巨型结构系统矩阵具有相当的弹性，能够承载内部的扩张，可以视为类似“空中城市”的革新性方案。丹下也将这种模式运用在一些更小的设计上，例如1967年的静冈文化会馆及媒体中心和1970年东京的科威特大使馆和府邸。此外，这种三维结构矩阵还在适当修改之后用在了丹下最新的设计中，例如1996年东京的富士电视总部大楼。

国家重大活动的公共项目

1964年东京奥林匹克运动会的主要场馆，即著名的国家体育馆是丹下健三设计的，

丹下设计的1964年东京奥运会国家体育馆，是他设计巅峰时期的杰出代表。建筑使用巨大独特的悬索结构支撑，形成了令人震撼的室内效果。

这给了他在60年代早期探索不同的结构形式的一个机会。他在这个场馆的设计中运用了悬索结构系统，成组的钢缆支撑和组合着两个场馆的屋顶。丹下和优秀的结构工程师坪井善胜合作，设计了一个使用两个相隔126米的混凝土桥塔的运动场，两组主要的钢缆系统在桥塔之间拉伸，锚固在两端地面上。次要结构将这些主体钢缆连接到混凝土的受压“鼓座”上，成为观众席的最上沿。他将另一个稍小一些的场馆用一个独立的混凝土桥塔支撑，钢缆以螺旋形向周围发散作为钢杆支撑。这组精彩的复杂综合体，采用全新的令人印象深刻的几何形式，同时又模糊地象征着佛教寺庙优雅微妙的曲线

1970年大阪世界博览会中央广场的空间网架屋顶，巨大的尺度使人感受到“空中城市”的视觉效果。

形，这在当时世界上同类建筑中有着最大的体量，如今被认为是20世纪现代建筑最重要的标志性建筑之一。

日本又一个重大活动——1970年的大阪世界博览会，为丹下带来了建造他最大、最重要的巨型建筑的机会。他负责规划博览会场地的总平面并设计其基础设施，包括中央活动广场。博览会是日本在20世纪60年代展示其技术发展的大舞台，丹下又一次在坪井的协助下设计了一个巨大的钢结构空间网架作为“屋顶”覆盖的广场，这种无可比拟的巨大尺度是技术和工程精湛技艺的完美结合。这个网架平面有108米宽，292

米长，用6个巨大的高达30米钢构桥架支撑。这个巨型结构全部在现场组装，然后用液压起重机吊装到位。丹下设计这个巨型结构也是用来展示几个实验性的预制住宅舱体，这样就回到了他起先关于“空中城市”的设想。

肯尼思·鲍威尔/撰

诺曼·福斯特

材料和结构的发明与创新
（1935年出生）

伦敦圣保罗大教堂里著名的克里斯托弗·雷恩墓上刻着“如果你想要找他的纪念碑，看看周围”。然而对于在英国建筑历史上与雷恩和埃德温·勒琴斯齐名的诺曼·福斯特来说，很难想象他的纪念碑应该被建在何处，因为与他前面两个杰出的先辈不同的是，福斯特的影响是世界范围的：他的作品遍布30多个国家，包括中国、日本、美国、澳大利亚，还有中东地区以及欧洲各国。福斯特作品的主要特点是在发明结构、运用革新性的材料、追求纪念性的同时注重理性的形式，以及越来越多地加强对于低能耗和可持续性建筑的探索。

诺曼·福斯特出生于一个大曼彻斯特地区斯托克波特的工人家庭。他在曼彻斯特市区长大，16岁时在市政厅谋到一份书记员的工作，之后服役于皇家空军，退役后就读于曼彻斯特大学建筑学院。毕业后他申请到在耶鲁大学攻读硕士学位的奖学金，那时候才华横溢的保罗·鲁道夫担任建筑学院院长，文森特·斯库利和瑟奇·切尔马耶夫在执教。福斯特从1961年到1963年在美国的学习和工作对其有重大影响，他亲身感受到弗兰克·劳埃德·赖特、密斯·凡德罗和路易斯·康的作品，深感于美国的活力和美好前景。在耶鲁他还遇到了理查德·罗杰斯，后来他们回到英格兰一起成立了四人小组建筑师事务所（另外两个合伙人是福斯特未来的夫人温迪·奇斯曼和她的妹妹乔姬）。在事务所存在的四年中，福斯特和罗杰斯对建筑设计的倾向发生变化，从传统的“湿性”建造转为用钢和玻璃的轻型建筑。此间，美国建筑先驱，包括西海岸的案例研究住宅和密斯的作品，是他们转变的主要影响。

四人小组时期最重要的作品可能就是斯温顿的信托控股工厂（于1966年完工，1991年拆毁），这是一个具有弹性的、开放空间的容器，显示了福斯特未来建筑的方向。1967年福斯特和夫人温迪与结构工程师安东尼·亨特合作，创办了福斯特与合伙人公司，因此他在四人小组的主要项目由新的公司运作。其间主要作品有伊普斯维奇的威利斯·法波和杜马仕办公楼（1974年），以及诺里奇郊外的东安吉利安大学塞恩斯伯里视觉艺术中心（1977年）。后者是一个整体性建筑的典范，这类“光滑的架构”是他从信托控股工厂发展形成的，在后来20世纪80年代的伦敦斯坦斯泰德机场（1991年开放）项目中成熟起来。巧妙地组合服务空间是这些项目的关键，对光线的处理也是福斯特最优先考虑的因素（他自己承认“对自然光有特殊的热情”）。

走向全球化

福斯特原本主要和亨特一起合作，但是1979年赢得了汇丰银行（HSBC）香港总部的竞赛之后，他开始与奥韦·阿鲁普长期合作。阿鲁普公司是个全球化的机构，福斯

塞恩思博里艺术中心，东安吉利安大学诺里奇，1977年。它为艺术博物馆提供了一个全新的视角，即绘画、雕塑和其他媒体艺术可以在一个非正式的场所观看，同时还容纳了教育空间。

特的建筑实践通过1985年完成的，被称为“史上最昂贵的建筑”的香港项目逐渐走向全球化。福斯特公司许多合伙人都搬到了香港，而他自己则留在伦敦继续工作。虽然伦敦中央区BBC广播电视总部项目被遗憾地取消了，但是汇丰银行项目为福斯特创立了一个国际建筑师的形象。这也是他开始重新发明高层建筑的第一个阶段，例如威利斯·法波和杜马仕办公楼，弹性的工作空间垂直重叠起来，制造了近100 000平方米的办公面积，漂浮的10层高的中庭顶部带有日光罩，将自然光引导进建筑的中心。

同样具有创新性，但是内容迥异的是法兰克福商业银行塔楼，这是一个1991年赢得的竞赛项目。福斯特将“空中花园”作为一个服务性的策略，该建筑成为高层办公建筑中利用自然通风的先驱。在商业银行大楼中的一些做法后来也被用于伦敦圣玛丽斧街的瑞士再保险公司项目。这个被公众戏称为“小黄瓜”的项目完工于2004年，变成了跟大本钟和圣保罗教堂一样的伦敦标志物。虽然福斯特为东京湾和伦敦相继设计的未来式的千禧年塔都被放弃了（伦敦的场地后来建成了“小黄瓜”），但是他关于建造高层建筑的信念从未动摇。2006年他被邀请设计曼哈顿世贸中心重建项目，一个78层高的塔楼。项目被搁置了好几年，福斯特不得不退而设计了更折中的赫斯特大楼。

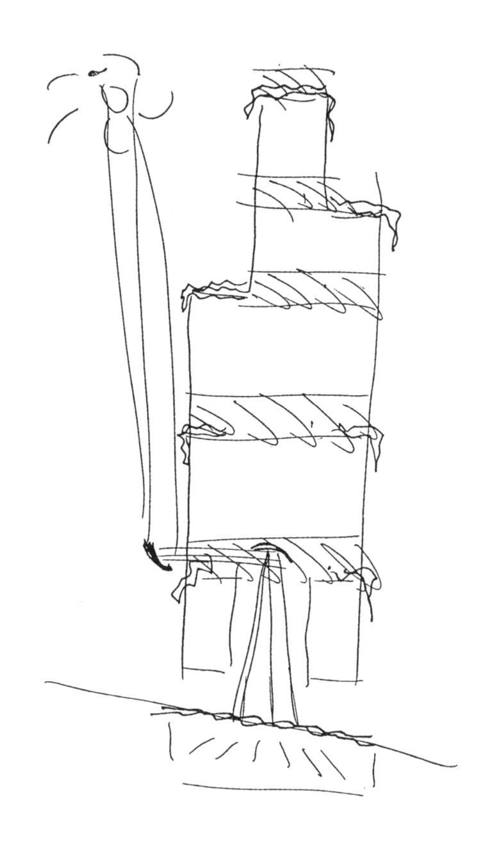

香港汇丰银行草图（1981—1985年）显示了“挂衣架”式的结构方案，使得该建筑有独特的立面效果。

虽然直到1991年之前福斯特都还没有在伦敦建成过什么主要的项目，但他的国际名声足以使他在1983年获得皇家建筑金质奖章、1990年被册封为爵士、1997年被列入杰出人士名册，以及1999年获得终生贵族荣誉。还有一系列的国际荣誉，包括1999年获得的普利策克奖。20世纪90年代初之后福斯特（现在福斯特和合伙人公司）便在伦敦承接了大量项

目，包括很多能反映其运营规模的商业性项目，2009年时他们有25家分公司遍布全球（其中有临时性公司），1400名员工。40年间，福斯特的建筑实践从前沿性的实验工作室发展成了一个国际化的企业。不可避免的是，不是所有的商业项目都反映出了领先国际的建筑师的手笔，伦敦港区金丝雀码头的汇丰银行大楼（2002年完工）就是一个令人印象深刻的项目，与它在香港的前身相比，这个项目没有任何创新点，只是比同区域其他的开发项目有更多细节设计而已。福斯特本人非常注重伦敦的公共空间转化项目，例如城市中心通往南岸的千禧年步行桥（2000年建成，2002年重新开放）、大英博物馆的中央庭院改造项目（2000年）和特拉法尔加广场改造项目（2001—2004年）。一个特殊的重点项目是皇家艺术学院的萨克勒画廊（1985—1991年），福斯特在历史建筑的空隙之间为它增加了一个新的画廊和流通空间。

改造和基础建设

福斯特建筑改造项目的经验后来在为德国改建柏林国会大厦的项目中派上了用场。对于一个外国建筑师来说，获得这个创造德意志民族象征的项目无疑是巨大的荣誉。但是福斯特为国会大楼设计的第一个方案被认为过于激进：他想将修复后的大楼放置在一个巨大的钢和玻璃的体量中，形成一个巨大的公共空间，同样也耗资巨大。最后建成的方案（完成于1999年）恢复了国会大厦曾经拥有的穹顶，这可以被看作是对那些希望尽量恢复大楼在1945年毁坏之前样貌的意见的让步。然而福斯特改造的穹顶（他喜欢称之为“小穹顶”）不仅仅是一个空洞的标志物：他论证这“象征了一些改变”。这个穹顶里有一条让人登顶的路径，后来成了柏林最受欢迎的旅游点。穹顶内部还包含一个日光罩，将自然光有意地导向下面的空间。扩建、改造并重新恢复历史建筑的活力成为福斯特作品的一个重要部分：皇家学会和大英博物馆的案例也是基于这种主题。凭借大英博物馆和德国国会大楼的项目，他又为波士顿美术馆和华盛顿特区的美国国立博物馆改建项目进行设计。福斯特作品的轻盈和极简风格与历史建筑十分协调，你可以看到尼斯的加里艺术中心（1993年）和谐地矗立在被严格保护的梅森卡

左页图：虽然现在该银行周围竖起了许多高层建筑，它依然是香港天际线重要的一笔，也是20世纪世界建筑重要的地标。

雷罗马神庙旁。

无论是在环境可持续性设计方面，例如在杜伊斯堡的一系列办公建筑（1991—2003年），还是在基础设施方面，德国都是福斯特工作的重点。德累斯顿中央火车站主体部分在战火中被摧毁，它的改造工程（2005年完成）是福斯特此类设计的代表作，同类建筑还有伦敦金丝雀码头的地铁车站（2000年完成）和毕尔巴鄂的地铁车站（1988—1997年），它们都带有“福斯特式”入口雨棚。福斯特对飞行一直怀有热情，因此在斯坦斯泰德机场之后又设计了几个重要的机场航站楼，如香港国际机场（与阿鲁普合作，1998年启用）。它巨大的屋盖由122个钢网格壳体构成，每一块覆盖1300平方米——“小构件组成”的大尺度结构无疑是福斯特最好的机场设计。北京首都国际机场T3航站楼，依靠50 000个人工在两年内完工，赶在2008年北京奥运会之前启用。这是世界上最大的机场航站楼（也许是世界上最大的建筑），但它不仅仅以尺度闻名，同时也以精细与结构优雅著称。新的约旦艾莉亚王后机场也正在建设当中。

福斯特半个多世纪的职业生涯成功的核心是他的创造性以及与工程师真诚的合作关系，最初是与安东尼·亨特，然后是与职业领军人物阿鲁普公司的多年合作。将建筑师和工程师对于建筑的贡献分离开来通常很难、也是无意义的。福斯特项目中许多结构的创新方法其实都始于福斯特自己对于形式的效率与美观的要求。福斯特最新的项目是法国南部米约高架桥（2004年完工），以270米的跨度横跨在塔恩河上方，承载着A75公路。这座世界上最高的桥的结构工程师是法国工程师米歇尔·维洛热，然而它的结构及其优雅的造型来自福斯特的贡献。

继续创新

福斯特公司不仅仅是一个极为成功的全球性商业机构，也是研究和创新的中心。福斯特本人通常拒绝接受平淡无奇的项目。20世纪70年代的他在塞恩思伯里艺术中心招标的时候就放弃了这个方案。几年后，他在说服客户支持他的想法的时候，突然放弃新温布利球场（2007年完成）的立柱屋顶，改成从一个大拱上悬挂屋顶。近几年，

左页图：福斯特设计的伦敦圣玛丽斧街的瑞士再保险大楼，完工于2004年。它不仅仅具有独特的外形，也以低能耗设计著称。

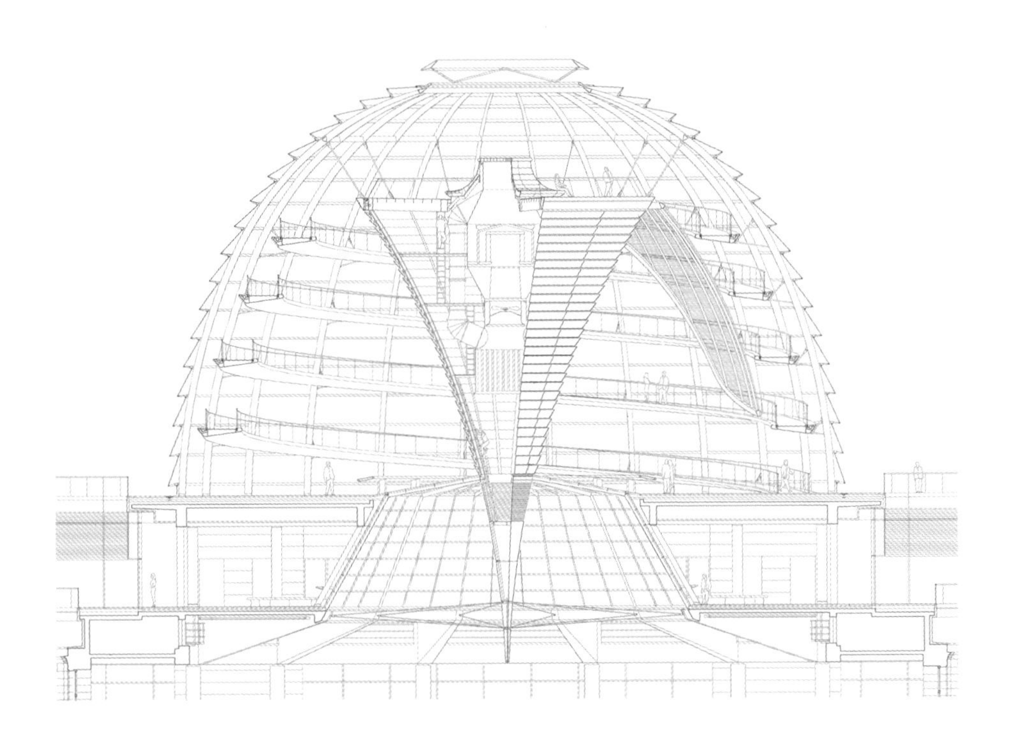

香港国际机场，1998年完工。干净整洁的室内空间，充足的自然光，是福斯特众多成功的机场设计之一。

在20世纪70年代之后的项目中，福斯特对于可持续性的关注超过了建筑本身。近期最重要的是阿布扎比的马斯达尔新城（正在建设），福斯特公司将其设计成了一个零能耗的城市。这个项目覆盖6平方公里，未来人口预计达50 000人。

2010年福斯特庆祝了他的75岁生日，虽然他经常在国外居住，他依然是伦敦总部事务所名义上的一把手，他所取得的成就，尤其是他在使伦敦成为全球建筑中心上发

左页上图：福斯特在研究柏林国会大楼改造方案，1995年。这个项目确立了他的国际地位。
左页下图：柏林国会大厦穹顶剖面图。该项目展现了新与旧的经典结合。

福斯特为阿布扎比设计的马斯达尔新城规划是一个未来可持续性城市的蓝图。这个城市将利用可更新能源，预计容纳50 000人。

挥的作用，都是无可争议的。在公司20世纪60年代之后设计的上千个项目中，他也负责不少出色的项目，包括将近250座已建成的建筑。福斯特本人的个性和他对于国际项目的持续性使得他的实践和其他同代人有所不同，但也印证了他在建筑历史上的地位。

亚历山大·楚尼斯/撰

桑迪亚哥·卡拉特拉瓦

全能的设计师

（生于1951年）

如今是专业化和知识碎片化主导的时代，几乎没有设计师可以被称为全能性的，但桑迪亚哥·卡拉特拉瓦就是少数的几个全能者之一。他设计过各种大大小小的项目，从桥梁、房屋和城市综合体到家具、瓷砖和雕塑，看似行云流水。他运用最前沿的技术和科学分析方法制作带有梦幻般感受与视觉比喻的作品。卡拉特拉瓦根据自己全方位的设计倾向，成功地证明了新建的基础设施并不总是使人感觉沉闷的、昂贵的必需品，或环境的破坏物。他同时也展示了这些结构也能够成为重要的文化产物，甚至富有诗意，还可以加强自我身份和社区的认同感。

桑迪亚哥·卡拉特拉瓦1951年出生于瓦伦西亚的贝尼马米特村。他的童年经历了佛朗哥高压政治时期阴影下没落的农业经济，但那也是充满自然之美、拥有丰富建筑遗产的环境。他曾在瓦伦西亚艺术与手工艺学校的建筑学院学习，1975年毕业后，他到了苏黎世的瑞士联邦理工学院（ETH）学习工程学。他的博士论文《论空间网架的可折叠性》（1981年）是一个跨学科的研究，涉及拓扑学、机械和土木工程。他想要解

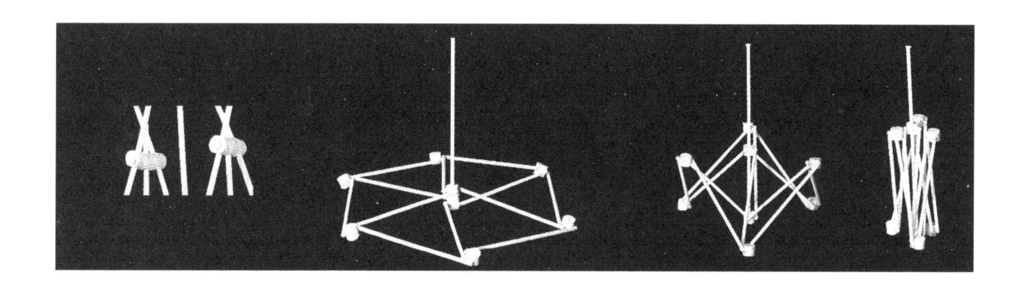

可折叠结构构架，出自卡拉特拉瓦的论文《论空间网架的可折叠性》，1981年。

决一个问题：怎样折叠一个伞形的、三维的空间结构，使之最终能够用来覆盖一个大的面积。他的灵感和启发显然是技术性的，通过先将它们转换成平面，或者甚至转换成一个线性的“棍状物”，就像一把收起的伞。美国宇航局也在研究这个问题：如何将复杂的空间设备折叠放进空间舱中，然后在外太空打开。从建筑的角度来看，这个方案可以运用到需要随时开关的屋顶结构上，提供有弹性的分隔。同样还有美学的因素，未来主义者和结构主义者已经讨论过关于如何捕捉动态的概念，以及用标志性的结构形式展现空间连续的动态感。卡拉特拉瓦在他的论文中试图通过分析解答这个问题，他开发了一种系统性的方法来构造从简单到复杂的结构。他在作品中的实践应用有限，但是这种实用性的意义是巨大的，这赋予他强大的设计新结构的能力，这些新结构可以移动、适应运动，或代表运动。

在瑞士联邦理工学院最后的几年，以及毕业后在苏黎世设立自己的实践工作室的最初几年中，卡拉特拉瓦参与了一系列理论性的桥梁设计。这些桥梁以其地理位置被命名为阿尔卑斯山桥。他的想法是运用理性的思考来研究桥梁的形式和功能这些基本因素，并探寻另类的方法组合它们。在设计过程中，卡拉特拉瓦开始意识到仅有分析的方法是不够的，必须以生长的植物、飞翔的鸟类或移动的人体为基础，用想象力、比较和隐喻来进行补充。他开始将这种新的设计方法运用于多种多样的建筑设计和结构局部的方案中：折叠的屋顶，运动中的门和可移动的围合墙体、梁、柱子、阳台以及小尺度的建筑。“卡拉特拉瓦风格”逐渐形成，这是一种思考方式，而不是形式语言。

“卡拉特拉瓦风格”

卡拉特拉瓦在1983年受委托设计德国科斯菲尔德的厄恩斯汀仓库，这是一座休闲服装零售批发中心。他计划在新建筑表面覆盖一层未经过加工的铝板，铝板塑性后会产生不同的质感和光线效果，创造出一种暗示着布料皱褶效果的图像。这个方案中效果最好的是装货区的门，垂直的金属条沿曲线铰接，然后在底部连接在可升降的水平框架上。当底部框架升起，垂直金属条离开直立的平面，由于连接每个U形截面的三重铰接均不相同，门会模拟窗帘和折叠的布匹，演变成一个优雅的悬挑雨棚。虽然有专利的保护，这项设计后来在全球范围内被多次使用。

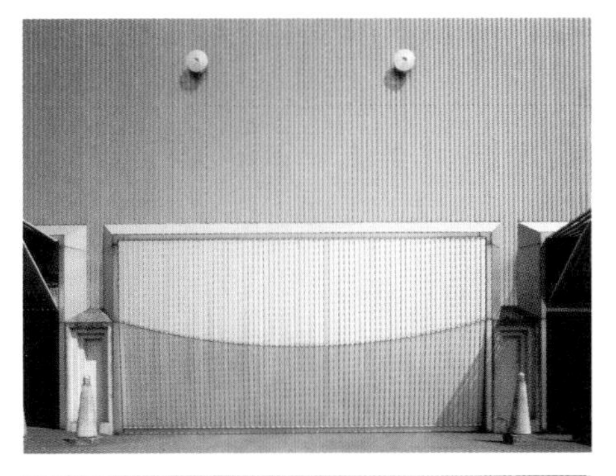

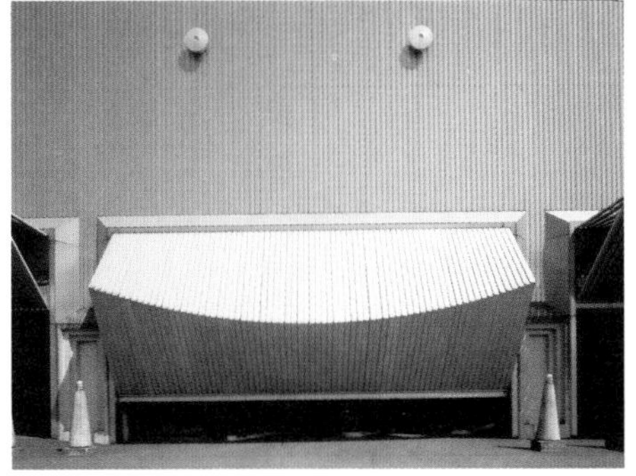

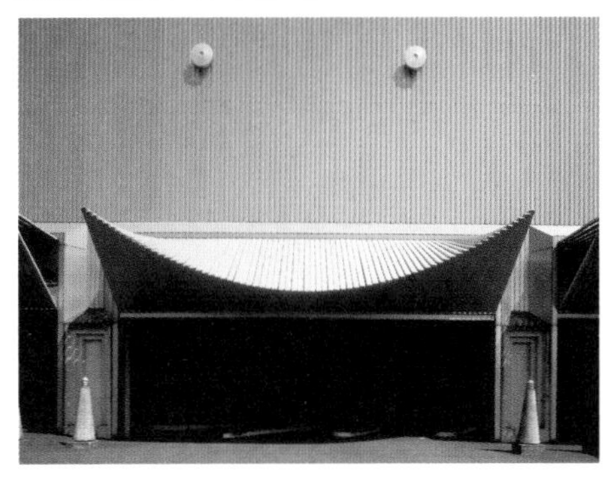

科斯菲尔德的厄恩斯汀仓库（1983—1985年）的装货区用弯曲的铝板条建造。

卡拉特拉瓦在他第一个主要项目，苏黎世的施塔德尔霍芬火车站（1983—1990年）中对结构和运动的关系进行了更加深入的探讨，这个项目是他在竞赛中赢得的。这个项目非常具有挑战性，场地挤在稠密的市区，临着山边，山上还有旧的防御堡垒。卡拉特拉瓦在尊重原有地形的基础上切出了一个平台，用混凝土箱形梁挡住山坡。在箱型梁上面是一条步道，使用绿篱棚架做出了一道透明的绿色“雨棚”，软化了车站对自然环境的侵犯，和后面的绿色背景相协调。乘客可以在这条步道上通过楼梯和电梯进入站台，或是通过跨铁轨的天桥到达较低的一侧。在运动的表达驱动之下，整个方案呈现为一个紧凑的、“精编组织”的管道复合体，由多个层次、不同咬合比例与极佳的动感组合而成：光线透过玻璃屋顶和步行道的玻璃砖穿过各个层次，增强了这一效果。

结构中运动的诗学

同样具有结构中运动的诗学的项目还有为塞维利亚博览会建造的阿拉米罗大桥和卡特尔高架桥（1987—1992年）。与苏黎世火车站紧密而复杂的主题相对比，塞维利亚的桥更加宁静和纤细，但同样不是静态的。根据场地的特点和内容的复杂性，桥的动态表达既符合功能性，又具有微妙性。阿拉米罗大桥通过定义对称和刚性，计算完全的压力和张力使得它能够用最少的材料达到最大的跨度，挑战了桥梁是静态结构的预设。相比之下，它表明桥梁可以被看作是面对不规律和无法判断的限制时，承载多项功能的复合体。桥梁必须能够抵御风力、降雨和地震，很多情况下它们都处在不平衡的土壤和不规则的场地之上。除了作为交通的要素，桥梁也可以成为观景、思考和会面的社交场所。

在设计阿拉米罗大桥的时候，卡拉特拉瓦关注所有要求的整体性，包括从人的角度发现的小而重要的细节，例如供给步行者的遮阳和光照。这个桥梁复杂的主题——奇怪的构成，倾斜的、非对称的塔架，用悬挑的钢制侧翼支撑的六边形的箱型钢梁和桥板，前无古人地去除了支撑倾斜塔架的后拉索（桥板的重量足以平衡塔架的应力）——这些都来自期望容纳、丰富和融合所有功能，使其成为一个独立的“完美形式整体”，以及拒绝任何妥协和折中的愿望。此外，矛盾的形状使这个结构看起来似乎在一开始就会随时崩溃，暗示了所谓的“孕育时刻”：一种运动、灾难和重生的叙事。这个向后倾斜的塔架的基本概念可以追溯到卡拉特拉瓦早期做的一个雕塑：一组倾斜放置的大理石方体，用一根拉伸钢索保持平衡。他的雕塑是科学实验，而不是独立的行为。不同于他论文中的对于折叠框架的抽象探讨，这种对于混凝土建造空间—感知性的假设对于设计思维的整体性是一个贡献。尽管这种雕塑式的造型有点儿极端和矛盾，这也在他的雕塑作品“悬挂的空洞”或是“洞察之眼”（1993年）中有所表现，它们依然对于结构发展具有指导性的潜在意义。

虽然卡拉特拉瓦的大多数项目都和特殊的事件和场所有关联，但他的全部能力并不限于那些“明星”情景。与阿拉米罗大桥悬索的宁静相对照的是西班牙翁达洛阿的波多桥（1989—1995年），这个大桥地处一片巨大的开阔地带，既复杂又有戏剧性，但是并不带有冒犯性和过分展示的欲望。除了象征性的造型，这个大桥和周围环境联系紧密，反映了场地的特性。它的弧形造型服帖地和港口的弧线配合在一起，映衬了停泊的船只和周围山丘的缓坡，而它强烈的白色和突出的几何体形又强调了场所的独特性质以及它的可识别性。

危机和冲突的场所

卡拉特拉瓦的许多基础建筑项目，特别是桥梁，都位于在社会意义上具有挑战性的地区，例如项目周围存在具有危机性的环境、有经济困境的邻里，还有被遗忘的社区、过气的工业场所，或者是被紧张和冲突摧毁的著名的地点。新耶路撒冷轻轨线路

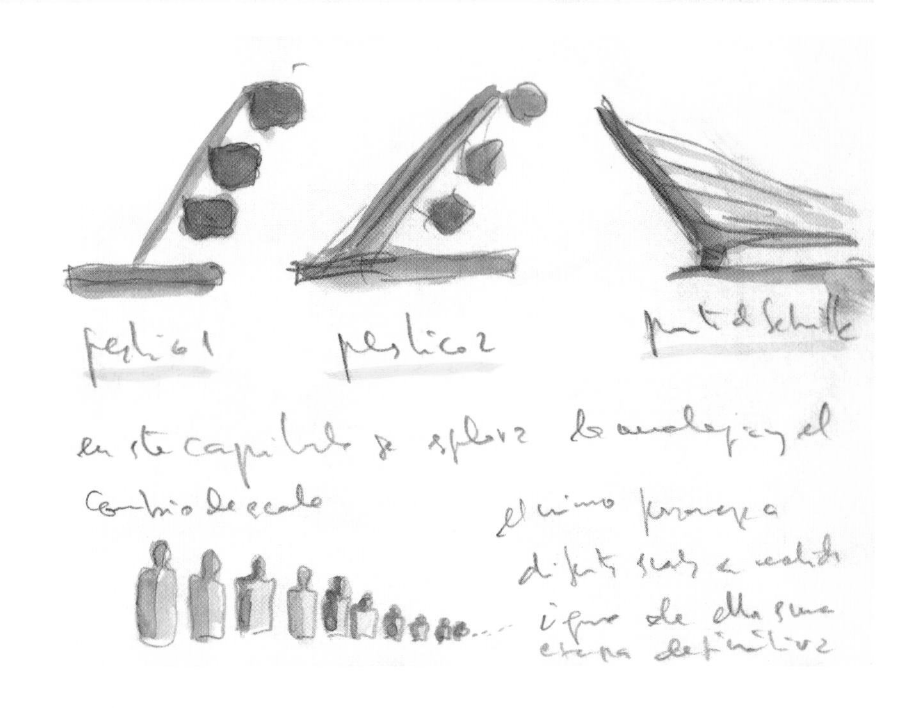

卡拉特拉瓦为阿拉米罗大桥画出的初步草图，为塞维利亚博览会设计建造，1987—1992年。

的琴弦大桥（2002—2011年）位于雅法路的路口，那是个混乱而堕落的场所。但是它在历史上非比寻常：在古代，这是雅法连接旧城耶路撒冷和地中海的大道，如今仍然连接着耶路撒冷到本-古里安机场和特拉维夫。卡拉特拉瓦设计的斜索桥方案包括一个倾斜的塔架和曲线形的桥板，希冀其能成为新的城市大门和现代地标。倾斜的塔架包括一个三角形的钢筒，截面向上逐渐变小。钢缆反向布置形成一个三维的抛物线形，而塔架就好像从这些形状中跳出来，像一团被沙漠风吹过的火焰，或者是一个巨大的倾斜的桅杆，昭示着耶路撒冷是“通向永恒之岸的港口”，是“上帝的威尼斯”。

卡拉特拉瓦另一个功能和意义同样重要的项目是最近完成的纽约世贸中心交通枢纽，于2016年启用。该项目由纽约新泽西港务局委托，为短途火车及地铁服务，日后

耶路撒冷轻轨轨道的琴弦大桥，2002—2011年。

卡拉特拉瓦设计的世贸中心交通枢纽设计，纽约市2003年开工。

计划与机场的轨道交通联通，也是2001年“9·11”恐怖袭击世贸大楼重建项目的一部分。项目不仅仅要替换被“9·11”袭击摧毁的设施，还要作为一个催化剂，快速将都市生活和新的希望带回到这个遭受巨大灾难的区域。通过建设这个枢纽不但要找回“9·11”之前该地区的活力，还要找到纽约自从20世纪30年代就丢失的精神：建造大规模的公共城市建筑和基础设施的承诺，像宾西法尼亚火车站、中央火车站、布鲁克林大桥和中央公园那样赞颂城市社区生活。卡拉特拉瓦的方案又一次明确展现了运动的主题，以及真实和虚拟的交替。除了流动的几何形式，实体和虚空间的动态地相互穿插，自然光从特殊设计的设施洒向地下设施的各个层面，直到街道以下约21米深处的地铁站台上。夜晚光线以相反的方向投射出来，地下区域的光源成为地面上街道区域的“灯笼”。此外，一个鸟形的可移动结构标志着地下设施的入口。

卡拉特拉瓦的第一个美国项目也采用了类似的结构，密尔沃基艺术博物馆的夸特

夸特希展馆的可移动遮阳格栅，密尔沃基艺术博物馆，1994—2001年。

希展馆（1994—2001年）。这个展馆像一个能够张开或是闭合翅膀的巨大的鸟，在密歇根湖边优雅地展翅欲飞。它可以用于遮阳，也标志着博物馆的活动。当翅膀张开时，它们与后倾斜的塔架平行。这个塔架悬挂着一座连接室内的步行桥，象征着艺术与日常生活的联系。在世贸中心交通枢纽中，带翅膀的结构象征着白鸽和凤凰，意味着浴火重生和战胜恶势力的智慧。交通枢纽可以说是汇总了卡拉特拉瓦的全部作品和背后的思想——将曾经是自然或人为造成的屏障打开，展开在物质层面和象征层面的对话和贡献，创造需要自由，反之亦然。

博通德·鲍德纳/撰

隈研吾

材料性与非材料性的建筑
（1954年生）

20世纪90年代，隈研吾成为“后泡沫”时代涌现的代表日本建筑的重要成员之一。1990年他在东京成立自己的事务所（隈研吾与合伙人事务所），自此飞快地出品了为数众多的主要项目，吸引了广泛的注意和仰慕，包括公众、同行建筑师和评论家，以及全世界的客户。他的作品赢得了不少闻名遐迩的奖项，并得以在日本、中国、法国、意大利、德国、波兰、芬兰、英国和美国等地著名的画廊和博物馆展出。当他的作品得到越来越多的关注后，隈研吾开始寻求在日本和日本之外的发展：他一半以上的项目来自海外，在巴黎和北京都设有分公司，并曾在法国、中国、韩国、意大利、德国、英国和美国完成项目。

隈研吾出生于横滨，1979年在东京大学获得建筑硕士学位，他从1985年到1986年在纽约的哥伦比亚大学建筑学院做访问学者。隈研吾对于建筑的理解和想法来自多方位的经历和影响。首先是日本传统木构住宅，他从小便居住在这种很阴郁的室内。后来丹下健三设计的东京国家体育馆给当时十岁的隈研吾留下极深的印象，让他决心成为一名建筑师。20世纪70年代晚期，隈研吾在东京大学的原广司门下学习，导师对于世俗和乡土建筑的兴趣使他也将兴趣转向这个方向，尽管当时这个领域不是大多数建筑师的灵感来源。他被原广司感性设计中的“浮世”所吸引，现实和幻觉在其中无缝地衔接在一起。然而与他导师不同的是，隈研吾倾向于较少对传统模式进行装饰性的演绎。他还在1979年作为原广司的大学研究团队成员，到非洲深入旅行，在日本以外，看到了许多非洲传统建筑的案例。

将建筑融合在环境中

在简短地尝试并不成功的后现代古典主义风格后，20世纪90年代隈研吾很快地转变了建筑设计方向。他重新定义了自己的工作模式，以更好地达成目标。用他的精彩箴言就是："我要让建筑消失。"带着这种强烈地要将建筑融入环境的愿望，他最初的策略是将建筑掩埋于地下，越深越好。这些项目包括著名的小型龟老山观景台（爱媛县，大岛，1994年）和北上市运河博物馆（石卷市，1999年）。然而，设计这类项目的机会比较有限，所以他将建筑风格扩展至对材料的特别关注，从传统日本建筑技术中学习，将建筑作为周围环境整体的一部分，而不是像独立的纪念碑。从经典的茶室风格住宅中学到的经验也促使他形成了生态和环保型的建筑概念。由于20世纪90年代中期重大经济衰退造成的紧缩和能源减少，这种生态和环保的风格变得愈来愈重要。然而隈研吾的建筑还不仅仅限于实用的考虑。

隈研吾的极简主义设计回应了日本和世界各处令人清醒的现实，但并没有剥夺人

广茂艺术博物馆入口，中川町马头，2000年。这个建筑是一个简单的玻璃空间，周围用纤细的木条组成的密集屏障包裹起来。

的重要性。相反，它以精致的、宁静的美和强烈的“少就是多”的感觉加倍地给使用者和敏锐的观察者回报。他的设计低调，建筑形式和体量简单，展示了一种友好的无名性。比如说，广茂艺术博物馆（中川町马头，2000年）是一个简单延展性的一层建筑，玻璃墙面，坡屋顶完全由密集的木条构成。塑料住宅（东京，2002年）及路易威登集团总部（大阪心斋桥，2004年），甚至巨大的长崎县艺术博物馆（2005年）和朝日广播公司大楼（大阪，2008年），也都是直截了当的几何形体组合，安抚而非增添了周围都市环境的纷闹与嘈杂。

在日本对于建造环境的新感性潮流引导下，隈研吾明确拒绝了过于炫耀和过分装饰的形式设计，日本在20世纪80年代和20世纪90年代的“泡沫经济时期”建造的很多建筑都是那种炫耀的风格。他同样拒绝参与当下流行的时尚风潮：那种受到弗兰克·盖里的“毕尔巴鄂效应”的感召，设计扭曲的、皱褶的和具有诱惑性的——然而通常也是空洞的——建筑形象。正如建筑历史学家威廉·柯蒂斯所观察到的：“如今建筑的危险在于它衰退成了一种游戏，即过于复杂的形式和电脑生成的图像……（这展示了）一种由于对图像化的迷恋、过度的视觉修辞和为自我的原因制造的乏味的形式”。

催眠式的和感性的建筑

事实上，隈研吾的目标不是创造强烈的象征性形式或是视觉奇观的建筑，所以他并不依赖独断的结构或技术的虚张声势。相反，他始终专注于建筑的整体体验。他通过将体验扩展到人类所有的感知能力，特别是触觉与运动性，从而使建筑超越了视觉属性。在飞速发展的商品化和提供即刻满足感的时代，隈研吾几乎催眠式的感性建筑，微妙的细部和转换的光与半透明性的模式，提升了我们感知的敏感性，邀请我们慢下来在其中细细品味。只有通过这种与建筑的亲密互动，观察者才能发现并且完全地欣赏隈研吾建筑的价值。

隈研吾设计中的许多品质来自他对材料、建造的工艺以及建构的精确性的注重。隈研吾实验了尽可能广泛的材料，包括自然的：例如木材、竹子、纸、蔓藤和其他植物与石材；或是人工的：例如塑胶、合成织物、乙烯基、金属和玻璃。然而，他并不依赖于这些材料的坚固性、轻巧性和重量。隈研吾将它们“分解”，或是在“无限”循环的矩阵、轻盈的纹理和精致的障幕中反复使用它们的最小单元，将它们渲染成空灵

银山温泉滕屋旅馆大堂，尾花泽，2006年。这道高高的屏幕是由4毫米宽的竹条构成。

的物质。他将这种方法称为“粒子化”，当使用的材料为块状或十分沉重时（例如木材或石材），他一定会使用这种策略，例如石头博物馆（那须，2000年）。无论什么材料，隈研吾都能找到将它变成可渗透的薄膜和障幕的方法，不是坚实和明确地分界，而是轻柔地、模糊地包裹着他的建筑和空间的边界，将光线和环境过滤融合进入建筑的领域。

虽然隈研吾的设计显然是属于当代的，甚至是现代的，但是它们始终与传统日

上图：长崎花园露台旅馆的屋顶平台，2009年。
下图：莲花别墅，豆子市，2005年。带孔的石材屏障隔开了私密空间，并且形成空间与花园的亲密关系。

本建筑有着紧密的联系。就像它们所对应的历史上的案例，他的作品（他经常称之为“弱建筑”）是轻盈和脆弱的，看上去像是温柔地“溶解”在周围的自然或是都市中，莲花别墅（豆子市，2005年）、银山温泉滕屋旅馆（尾花泽，2006年）、Chokkura广场和仓库（高根泽，2006年）、Yien East别墅/列岛（京都，2007年）以及花园露台（长崎，2009年）都是这样的建筑。他的数量递增的茶室项目也符合这种策略，每个小结构都采用不同的材料和创新的技术，一如既往地使用各种“软性技术”。隈研吾重新定义了这种著名的历史建筑类型的本质。隈研吾的作品表明，他致力于现代化，也致力于日本传统，但没有模仿其中任何一种。

撰稿人

苏珊·巴贝尔是一名专注研究伊斯兰文化的艺术史学家，特别是17世纪和18世纪的波斯建筑及文献著作。她曾在慕尼黑的路德维西·马克西米利安大学和密歇根大学执教，是洛杉矶盖蒂研究学院的访问学者。她的作品包括 *Isfahan and its Palaces: Statecraft, Shi' ism and the Architecture of Conviviality in Early Modern Iran*（2008）。

蒂姆·本顿是英格兰开放大学（荣誉退休）的艺术史教授。他的作品包括*The Villas of Le Corbusier and Pierre Jeanneret: 1920-1930*（新版 2007）和 *Le Corbusier conférencier*（2007）。他写过许多关于现代主义建筑，勒·柯布西耶以及20世纪20到30年代的意大利建筑的论文和书籍章节。他也合作策划了一些关于"二战"前艺术和建筑的展览，例如*Art and Power: Europe Under the Dictators 1930-1945*（1995），*Art Deco* (2003) 和 *Modernism: Designing a New World*（2006）。

博通德·鲍德纳是伊利诺伊大学香槟分校的埃德加·A.塔菲尔教席的教授。他在过去的35年中一直专注于研究日本建筑和城市，出版了大量书籍、论文和文章。最新的作品包括 *Beyond the Bubble: The New Japanese Architecture*（2008）和*Material Immaterial: The New Work of Kengo Kuma*（2009）。

马丁·布雷桑尼是一名建筑师和建筑历史学家，执教于蒙特利尔的麦吉尔大学建筑学院。他在一些建筑评论的杂志中发表了许多主题评论文章，这些杂志包括*Assemblage*，*Any Magazine*和*Log*。他也为许多书籍和学术期刊撰写文章，擅长领域是法国19世纪建筑。他最近即将完成一部法国建筑师和建筑理论家尤金-伊曼纽尔·维奥莱-勒迪克的个人专辑。

史蒂文·布林德尔是英国文化遗产协会物质遗产部门的历史学家，曾担任过古代文物监察员。他发表过大量的关于建筑工程历史的作品，包括*Paddington Station: Its History and Architecture*（2004），*Brunel: The Man Who Built the World*（2005） 和*Shot from Above: Aerial Aspects of London*（2006）。

蒂莫西·布里顿-卡特琳是*The English Parsonage in the Early Nineteenth Century*（2008）和*Leonard Manasseh and Partners*（2010）的作者。他是一名建筑师，在*The World of Interiors*杂志担任了20年

的常任编辑。他也是肯特大学肯特建筑学院的资深讲师，普金基金会的期刊True Principles的编辑。

卡拉·卡瓦拉·布里顿是耶鲁大学建筑学院的讲师，教授建筑与城市历史。她的著作有*Auguste Perret*（2001），与迪恩·萨卡莫图合作的著作Hawaiian Modern: The Architecture of Vladimir Ossipoff (2007)。她也编纂了Constructing the Ineffable: Contemporary Sacred Architecture（2010）一书。

詹姆士·坎贝尔是剑桥皇后学院的建筑和艺术史教授，文物协会的会员。他是建筑师和建筑历史学家，著有Building St Paul's（2007），并为学术杂志撰写了许多关于雷恩的文章。

麦克·克赖姆斯在伦敦土木工程学会担任了30多年图书管理员。在监管主要的数字项目同时，他利用自己对于历史的兴趣，完善了学会的历史收藏，从而促进了对英国的土木工程历史更加深入的理解。他的著作包括*Civil Engineering 1839-1889: A Photographic History*（1991），编纂了Biographical Dictionary of Civil Engineers in Great Britain and Ireland（2002, 2007）的前两卷。

格温尼·德吕莫是建筑历史学家，在凡尔赛的国立高等建筑学校执教。他专注于研究技术生产对于革新的材料和制造商、承包商和发明家的技艺所起的作用。他的论文*L' invention du béton armé: Hennebique 1890-1914*（1999）发表于1999年并获得了建筑书籍大奖。

爱德华·迪斯特尔坎普是英国国家信托基金的建筑设计顾问，建筑委员会的秘书。他负责对英格兰、威尔士和北爱尔兰的基金会财产的保护、改造和设计提出专业的建议。他发表的文章侧重于建筑工业的技术历史，特别是18世纪和19世纪铁在房屋建造中的应用。

里卡尔多·迪里丁在佛罗伦萨大学取得建筑历史和城镇规划的博士学位，目前在博洛尼亚大学视觉艺术系执教。他的研究专注于现代主义，特别是技术、娱乐和空间的问题。他是*stile dell' ingegneria: Architettura e identità della tecnica tra il primo modernismo e Pier Luigi Nervi* (2010) 的作者。

戴维·邓斯特是前利物浦大学罗斯克教席的建筑学教授，他曾执教于金斯顿大学、伦敦城市学院大学和莱斯大学。他在世界各地演讲，撰写了有关建筑和城市的主题宽泛的文章。他的作品包括*Key Buildings of the Twentieth Century: Volume 1, Houses 1900-1944*和*Volume 2: Houses 1945-1989*（1985, 1990）。

萨比娜·弗罗梅尔是巴黎索邦高等研究所的文艺复兴艺术历史部门主任。她的研究方向是15世纪到19世纪初法国和意大利的建筑历史。她撰写和编纂了许多书籍和文章，包括关于塞巴斯蒂安诺·塞里奥和普里马蒂乔的个人专辑。

卡罗尔·盖尔是伊利诺伊州森林湖学院的历史教授。她与马格特·盖尔合著了*Cast-Iron Architecture in*

America: The Significance of James Bogardus（1998）。她也在学术期刊上出版了大量有关铸铁建筑的文章。

安德烈·哥扎克是在莫斯科的一名建筑师、建筑作家和教师。他在莫斯科建筑学院常任讲师，也在世界各地讲座。他的作品包括阿尔瓦·阿尔托和伊万·列奥尼诺夫的个人专辑，以及关于梅尔尼科夫的莫斯科住宅的书籍。

里哈·居内依是一名建筑历史学家，在伊斯坦布尔的米玛·锡南艺术大学和叶迪特佩大学执教。他主要研究历史建筑保护和建筑摄影。他的著作涵盖土耳其建筑和锡南设计的建筑，包括*Sinan: The Architect and his Works* (2002)和*A Guide to the Works of Sinan the Architect in Istanbul* (2006)。

彼得·琼斯是爱丁堡大学的哲学荣誉教授，前高级人文研究所的主任。他的研究专注于苏格兰启蒙运动。他根据奥雅纳的独家私人档案撰写了*Ove Arup: Masterbuilder of the Twentieth Century* (2006)。

埃巴·科克是维也纳大学艺术史研究所的亚洲艺术教授，奥地利科学院的资深研究员。从2001年起她即担任泰姬·玛哈尔保护协会的建筑顾问。她的研究侧重于莫卧儿艺术和建筑，莫卧儿艺术与邻国和欧洲的关联。她的著作包括*Mughal Architecture* (1991), *Mughal Art and Imperial Ideology* (2001)和*The Complete Taj Mahal* (2006)。

杰拉尔德·R.拉森是辛辛那提大学的建筑教授，他特别侧重研究摩天大楼的历史，为此做了很多讲座，并撰写了许多著作。他目前刚刚完成了一部完整的研究著作*Chicago and the Skyscraper, 1832-1891*。

贝特朗·勒穆瓦纳是一名建筑师和工程师，目前是巴黎国家科学研究中心的研究主任，大巴黎国际工作室的主任。他发表了超过40部有关建筑和建造历史的著作和文章，特别是像埃菲尔铁塔这类的钢铁结构。

罗莱塔·罗伦斯是纽约视觉艺术学校的建筑历史教授，她最近的作品*Becoming Bucky Fuller* (2009)审视了富勒这位建筑师早期的职业，描述了他是如何自我构筑个人的前瞻性和视野。

罗伯特·麦卡特是建筑师和作家，圣路易斯华盛顿大学的鲁斯与诺曼·莫尔教席的建筑学教授。他出版了众多书籍，其中有*Fallingwater: Frank Lloyd Wright* (1994), *Frank Lloyd Wright* (1997), *Louis I. Kahn* (2005)和*Frank Lloyd Wright: Critical Lives* (2006)。他目前正在准备撰写关于阿尔瓦·阿尔托和卡罗·斯卡帕的书籍，以及与尤哈尼·帕拉斯马合作出版的*Architecture as Experience*。

简恩·默克尔是建筑历史学家和评论家，是*Eero Saarinen*（2005）的作者。她也是《建筑设计》

和《建筑实录》杂志的协约编辑。她的文章也大量发表于Art in America, Artforum, Harvard Design Magazine 和 Journal of the Society of Architectural Historians 等专业期刊上。

温弗里德·内尔丁格是慕尼黑技术大学的建筑历史教授，建筑博物馆的主任。他策划了一系列展览，撰写了大量关于19世纪到20世纪建筑的书籍，包括戈特弗里德·桑佩尔和沃尔特·格罗庇乌斯的个人专辑，魏玛时期和纳粹时期的建筑的调研。他是*Frei Otto Complete Works: Lightweight Construction, Natural Design* (2005)的作者。

若尔迪·奥利维亚斯在加泰罗尼亚理工大学教授建筑历史理论和评论，他是纽约哥伦比亚大学，加州大学洛杉矶分校和墨尔本皇家理工的客座教授。他最新研究的主题是现代建筑作为实践的概念与思想。

斯泰利恩纳·菲利普是建筑师和建筑历史学家，她在雅典、爱丁堡、伦敦和巴黎都有实践项目，同时也在爱丁堡和普利茅斯的大学教授建筑设计、历史和理论。她在世界各地讲授巴西现代主义建筑，在2008年出版了Oscar Niemeyer: Curves of Irreverence。

皮埃尔·皮农是建筑师和建筑历史学家。他目前执教于巴黎贝尔维尔的国立高等建筑学校，兼任巴黎国立艺术史研究所的研究员。他撰写了关于巴黎历史的书籍，包括Paris: Biographie d'une capitale (1999) 和 Atlas du Paris haussmannien (2002)。他的研究主题是18世纪和19世纪的建筑历史。

肯尼思·鲍威尔是以伦敦为背景的建筑历史学家、评论家和建筑顾问。他撰写了大量的关于20世纪和当代英国建筑的文章和书籍，以及有关诺曼·福斯特，理查德·罗杰斯和其他英国建筑师作品的书籍。他是英国皇家建筑师协会的荣誉会员，曾担任伦敦建筑联盟学校的董事会成员。

菲利普·普罗斯特是建筑师和规划师，执教于巴黎贝尔维尔的国立高等建筑学校。他发表了大量关于军事建筑的文章和书籍，包括*Vauban, le style de l'intelligence: Une œuvre source pour l'architecture contemporaine* (2008)。此外，他还直接指导了一些沃邦建造的堡垒修复工程，目前正在承担巴黎货币博物馆的改造设计项目。

凯特琳·德劳因-普鲁韦是一名作家和艺术史学家，她和其他家庭成员一起担任简·普鲁韦学会的主任，监督管理她父亲的档案修复。她为期刊和展览手册撰写了大量关于普鲁韦的文章。

弗兰西斯科·撒宁是一名职业建筑师，目前也是纽约州雪城大学的建筑学教授和研究生课程主任。他的研究侧重于建筑和城市形态的关系。他曾在普林斯顿大学、伦敦建筑联盟、金斯顿大学以及世界各地的其他研究机构担任过客座教授。

奥尔内拉·塞尔瓦弗尔塔是米兰理工学院的建筑历史教授，学术方向是18世纪到20世纪的景观、工程、建筑和应用艺术历史。她在这些主题基础上组织过多次展览，参与国际论坛以及发表过大量文章。她最近的出版包括 *'Milano e la Lombardia', in Storia dell'architettura italiana. L'Ottocento* (2005) 和 *Milano 1906: L'Esposizione Internazionale del Sempione e le arti decorative* (2009)。

马丁·斯特芬斯是以柏林为背景的一名艺术史学者、作家和策展人。他曾担任几个建筑历史和科学出版物的主编和协编，策划了艺术与文化史的展览。自2008年起他负责管理柏林最大的艺术节之一48 Stunden Neukölln。他撰写的关于辛克尔的书籍 *Karl Friedrich Schinkel: An Architect in the Service of Beauty* 出版于2003年。

罗伯特·通布利在纽约城市大学教授建筑历史。他著有Louis Sullivan: His Life and Work (1987)，编纂了 *Louis Sullivan: The Public Papers* (1988)，并与纳西索·梅诺卡尔一起编辑了 *Louis Sullivan: The Poetry of Architecture* (2000)。

亚历山大·楚尼斯是北京清华大学的建筑理论教授，荣誉退休前曾任荷兰代尔夫特技术大学的教授。他受教于耶鲁大学，曾执教于哈佛大学，也曾担任世界各地许多大学的客座教授。他的众多作品中相关的有 *Santiago Calatrava: The Poetics of Movement* (1999), *Le Corbusier: The Poetics of Machine and Metaphor* (2001), 以及 *Santiago Calatrava: The Complete Works* (2004)。

参考文献

结构的先驱

菲利浚·布鲁内莱斯基

Bartoli, Lando, *La Rete Magica di Filippo Brunelleschi* (Florence: 1977)

Battisti, Eugenio, *Filippo Brunelleschi* (Milan: 1976)

Boraso, Stefano, *Brunelleschi* 1420*, Il Paradigma prospetico di Filippo di ser Brunellesco: Il caso delle tavole sperimentali ottico-prospettiche* (Padua: 1999)

Fanelli, Giovanni, *Brunelleschi* (Florence: 1980)

Filippo Brunelleschi nella Firenze del ' 3–' 400 (Florence: 1977)

Filippo Brunelleschi, La sua opera e il suo tempo (Florence: 1977, 1980)

Klotz, Henrich, *Filippo Brunelleschi: The Early Works and the Medieval Tradition* (New York: 1990)

Manetti, Antonio di Tucci, *The Life of Brunelleschi*, intro. Howard Saalman (University Park, PA: 1970)

Ruschi, Pietro, Bomby, Carla and Tarassi, Massimo, *La Città del Brunelleschi* (Florence: 1979–1980)

Saalman, Howard, *Filippo Brunelleschi: The Buildings* (London and University Park, PA: 1993)

Saalman, Howard, *Filippo Brunelleschi: The Cupola of Santa Maria del Fiore* (London: 1980)

Trachtenberg, Marvin, *The Dominion of the Eye* (Cambridge: 1997)

Vasari, G., *Lives of the Most Eminent Painters, Sculptors and Architects*, trans. G. du C. de Vere, 10 vols (London: 1912–15; rev edn New York: 1979)

Vescovini, Graziella Federici, 'La Prospettiva del Brunelleschi, Alhazen e Biagio Pelacani a Firenze', in *Filippo Brunelleschi, La sua opera e il suo tempo* (Florence: 1977, 1980), 333–48

盖瓦姆尔丁·谢拉兹

Golombek, Lisa, *The Timurid Shrine at Gazur Gah* (Toronto: 1969)

Golombek, Lisa and Wilber, Donald, *The Timurid Architecture of Iran and Turan*, 2 vols (Princeton: 1988)

O'Kane, Bernard, *Timurid Architecture in Khurasan* (Costa Mesa, CA: 1987)

Wilber, Donald, 'Qavam al-Din ibn Zayn al-Din Shirazi: A Fifteenth Century Timurid Architect', *Architectural History* 30 (1987), 31–44

锡南

Günay, Reha, *Sinan: The Architect and his Works* (Istanbul: 2009)

Kuran, Abdullah, *Mimar Sinan* (Istanbul: 1986)

Necipoglu, Gülru, *The Age of Sinan: Architectural Culture in the Ottoman Empire* (Princeton and

London: 2005)

沙·贾汗

Begley, Wayne and Desai, Z. A., *Taj Mahal: The Illumined Tomb: An Anthology of Seventeenth-Century Mughal and European*
Documentary Sources (Cambridge, MA: 1989)

Begley, Wayne and Desai, Z. A., 'Ustad Ahmad', in *Macmillan Encyclopedia of Architects* (London: 1982), vol. 1, 39–42

Koch, Ebba, *The Complete Taj Mahal and the Riverfront Gardens of Agra* (London: 2006)

Koch, Ebba, *Mughal Architecture: An Outline of Its History and Development (*1526–1858*)* (Munich: 1991; 2nd edn New Delhi: 2002)

Nicoll, Fergus, *Shah Jahan: Rise and Fall of the Mughal Emperor* (London: 2009)

Qaisar, A. J., *Building Construction in Mughal India, The Evidence from Painting* (New Delhi: 1988)

克里斯托弗·雷恩

Campbell, James W. P., *Building St Paul's* (London: 2007)

Colvin, Sir Howard, *A Biographical Dictionary of British Architects 1600-1840* (London: 4th edn 2008)

Davies, C. S. L., 'The Youth and Education of Christopher Wren', *English Historical Review*, vol. CXXIII, no. 501 (2008), 300–301

Geraghty, Anthony, *The Architectural Drawings of Sir Christopher Wren at All Souls College, Oxford: A Complete Catalogue* (London: 2007)

Jardine, Lisa, *On a Grander Scale* (London: 2002)

Summerson, John, 'Christopher Wren: Why architecture', in *The Unromantic Castle* (London: 1990), 63–68

塞巴斯蒂安·勒普雷斯特雷·德·沃邦

Blanchard, Anne, *Vauban* (Paris: 1996)

Faucherre, Nicolas and Prost, Philippe (eds), *Le Triomphe de la méthode: le traité de l'attaque des places de M. de Vauban ingénieur du roi* (Paris: 1992)

Monsaingeon, Guillaume, *Vauban un militaire très civil, lettres* (Tours: 2007)

Prost, Philippe, *Vauban le style de l'intelligence* (Paris: 2007)

Virol, Michèle (ed.), *Les Oisivetés de M. de Vauban* (Seyssel: 2007)

铁的时代

托马斯·特尔福德

Gibb, A., *The Story of Telford* (London: 1935)
Hadfield, C., *Thomas Telford's Temptation* (Cleobury Mortimer: 1993)

Institution of Civil Engineers, *A Collection of Works of Art and Objects of Historical Interest* (London: 1950)

Maclean, A., *Telford's Highland Churches* (Argyll: 1989)

Paxton, R. A., 'The early development of the long span suspension bridge in Britain', in *Proceedings of an International Conference on Historic Bridges* (Wheeling, wv: 1999)

Paxton, R. A., 'Review of *Thomas Telford's Temptation*', *The Institution of Civil Engineers Panel for Historical Engineering Works Newsletter*, no. 60 (December 1993), 6–7

Penfold, A. E. (ed.), *Thomas Telford: Engineer* (London: 1980)

Rolt, L. T. C., *Thomas Telford* (London: 1958)

Ruddock, T., *Arch Bridges and their Builders, 1735-1835* (Cambridge: 1979)

Smiles, S., *Lives of the Engineers*, vol. II (London: 1861)

Southey, R., *Journal of a Tour in Scotland in 1819* (London: 1929)

Southey, R., 'Review of *The Life of Thomas Telford*',

Quarterly Review, January-March 1839
Telford, T., *The Life of Thomas Telford, Civil Engineer, Written by Himself*, ed. J. Rickman (London: 1838)

卡尔·弗里德里希·申克尔

Bergdoll, Barry, *Karl Friedrich Schinkel: An Architect for Prussia* (New York: 1991)
Haupt, Andreas, *Karl Friedrich Schinkel als Künstler. Annäherung und Kommentar* (Munich and Berlin: 2001)
Schinkel, Karl Friedrich, *Sammlung architektonischer Entwürfe (Collection of Architectural Designs)* (Chicago: repr. 1981)
Snodin, Michael (ed.), *Karl Friedrich Schinkel: A Universal Man* (New Haven: 1991)
Steffens, Martin, *Karl Friedrich Schinkel 1781-1841: An Architect in the Service of Beauty* (Cologne: 2003)

詹姆斯·博加德斯

Badger's Illustrated Catalogue of Cast-Iron Architecture [1865], intro. Margot Gayle (New York: 1981)
Bannister, Turpin, 'Bogardus Revisited', Parts I and II, *Journal of the Society of Architectural Historians*, vol. 15, no. 4 (Winter 1956), 12–22, and vol. 16, no. 1 (March 1957), 11–19
Bogardus, James [with Thomson, John W.], *Cast Iron Buildings: Their Construction and Advantages* (New York: 1856, repr. 1858); repr. in Gifford, Don (ed.), *The Literature of Architecture* (New York: 1966), 359–70, and in *The Origins of Cast Iron Architecture in America*, intro. W. Knight Sturges (New York: 1970) [n.p.]
Gayle, Margot and Gayle, Carol, *Cast-Iron Architecture in America: The Significance of James Bogardus* (New York: 1998)
Waite, John G., 'The Edgar Laing Stores (1849)', in Waite, John G. (ed.), *Iron Architecture in New York City* (Albany, ny: 1972), 1–21
Wright, David G., 'The Sun Iron Building', in Dilts, James D. and Black, Catharine G. (eds), *Baltimore's Cast-iron Buildings and Architectural Ironwork* (Centreville, md: 1991), 22–32

约瑟夫·帕克斯顿

Bird, Anthony, *Paxton's Palace* (London: 1976)
Chadwick, George F., *The Works of Sir Joseph Paxton* 1803–1865 (London: 1961)
Colquhoun, Kate, *A Thing in Disguise: The Visionary Life of Joseph Paxton* (London and New York: 2003)
McKean, John, *The Crystal Palace, Joseph Paxton and Charles Fox* (London: 1994)
Piggott, Jan, *Palace of the People: The Crystal Palace of Sydenham 1854-1936* (London: 2004)
Thorne, Robert, 'Paxton and Prefabrication', in Walker, D. (ed.), *The Great Engineers: The Art of British Engineers 1837-1937* (London: 1987), pp. 52–69

维克托·巴尔塔

Delaborde, H., 'Architectes contemporains: Victor Baltard', *Revue des Deux-Mondes*, n. s. 2, II (15 April 1874), 788–811
Garnier, C., 'Notice sur Victor Baltard', *Séance publique annuelle de l'Institut de France* (Paris: 1874)
Lemoine, Bertrand, *Les Halles de Paris. L'histoire d'un lieu, les péripéties d'une reconstruction, la succession des projets, l'architecture d'un monument, l'enjeu d'une cité* (Paris: 1980)
Magne, A., ' "Nécrologie" de V. Baltard', *Revue Générale de lA'rchitecture*, XXXI (1874), columns 86–88
Pinon, Pierre, *Louis-Pierre et Victor Baltard* (Paris: 2005)

Sédille, P., 'Victor Baltard, architecte', *Gazette des Beaux-Arts*, IX (May 1874), 484–96

伊桑巴德·金德姆·布律内尔

Brindle, Steven, *Brunel-the Man who Built the World* (London: 2005)

Brunel, Isambard, *The Life of Isambard Kingdom Brunel, Civil Engineer* (London: 1870; new edn Stroud: 2006)

Buchanan, Angus, *The Life and Times of Isambard Kingdom Brunel* (London: 2002)

Rolt, L. T. C., *Isambard Kingdom Brunel* (London: 1957)

A.W.N. 皮金

Atterbury, Paul (ed.), *Pugin: Master of Gothic Revival* (New Haven and London: 1995)

Atterbury, Paul and Wainwright, Clive (eds), *Pugin: A gothic passion* (New Haven and London: 1994)

Hill, Rosemary, *God's Architect* (London: 2007)

Pugin, A. W. N., *Contrasts* (Salisbury: 1836; London: 1841; facsimile edn Reading: 2003)

Pugin, A. W. N., *True Principles* (London: 1841; facsimile edn Reading: 2003)

Stanton, Phoebe, *Pugin* (London: 1971)

欧仁-埃马纽埃尔·维奥莱-勒迪克

Auzas, Pierre-Marie (ed.), *Actes du colloque international Viollet-le-Duc, Paris 1980* (Paris: 1980)

Baridon, Laurent, *L'imaginaire scientifique de Viollet- le-Duc* (Paris: 1996)

Bergdoll, Barry (intro.), *The Foundations of Architecture: Selections from the 'Dictionnaire raisonné'* (New York: 1990)

Camille, Michael, *The Gargoyles of Notre-Dame: Medievalism and the Monsters of Modernity* (Chicago and London: 2009)

Damish, Hubert (intro.), *L'architecture raisonnée, extraits du Dictionnaire de l'architecture française* (Paris: 1964), 9–26

Foucart, Bruno (ed.), *Viollet-le-Duc* (Paris: 1980)

Leniaud, Jean-Michel, *Viollet-le-Duc ou les délires du système* (Paris: 1994)

Summerson, John, 'Viollet-le-Duc and the Rational Point of View' [1947], in *Heavenly Mansions and other Essays* (New York: 1998), 135–58

约翰·福勒

Chrimes, M. M., 'Sir John Fowler-engineer or manager', *Institution of Civil Engineers Proceedings: Civil Engineering*, 97 (1993), 135–43

Engineering, 4 (1867), 556–59

Humber, W. (ed.), *A Record of the Progress of Modern Engineering*, 4 (1866)

Lee, R., *Colonial Engineer: John Whitton 1819–1898 and the Building of Australia's Railways* (Sydney: 2000)

Mackay, T., *Life of Sir John Fowler* (London: 1900)

Paxton, R. A. (ed.), *100 Years of the Forth Bridge* (London: 1990)

Westhofen, W., *The Forth Bridge* (London: 1890), 64–69

混凝土和钢

朱塞佩·门戈尼

Chizzolini, Gerolamo and Poggi, Felice, 'Piazza del Duomo e Galleria Vittorio Emanuele', in *Milano tecnica dal 1859 al 1884* (Milan: 1885), 195–220

Flory, Massimiliano Finazzer and Paoli, Silvia, *La Galleria di Milano: lo spazio e l'immagine* (Milan: 2003)

Fontana, Vincenzo and Pirazzoli, Nullo, *Giuseppe Mengoni, 1829-1877: un architetto di successo* (Ravenna: 1987)

Gioeni, Laura, *L'affaire Mengoni. La piazza Duomo*

e la Galleria Vittorio Emanuele di Milano. I concorsi, la realizzazione, i restauri (Milan: 1995)

Guadet, Julien, *Eléments et théorie de l'architecture*, vol. IV, *Les éléments de la composition* (Paris: 1880), 85–87

Guccini, Anna Maria, 'Giuseppe Mengoni: formazione e professione dai disegni dell'Archivio di Fontanelice', in Guccini, Anna Maria (ed.), *La memoria disegnata, Atti delle Giornate di Studi Mengoniani* (Bologna: 2004), 145–56

Jorini, F. A., 'La cupola della Galleria Vittorio Emanuele', *L'Edilizia Moderna* (1892), 4–6

Ricci, Giulio, *La vita e le opere dell'architetto Giuseppe Mengoni* (Bologna: 1930)

Selvafolta, Ornella, 'Il contratto di costruzione della Galleria Vittorio Emanuele II', in *Il modo di costruire* (Rome: 1990), 433–46

Selvafolta, Ornella, 'La Galleria Vittorio Emanuele II di Milano', in Castellano, Aldo and Selvafolta, Ornella (eds), *Costruire in Lombardia. Aspetti e problemi di storia edilizia* (Milan: 1983), 221–65

威廉·勒巴伦·詹尼

Condit, Carl, *The Chicago School of Architecture* (Chicago: 1975)

Larson, Gerald R., 'Toward a Better Understanding of the Evolution of the Iron Skeleton Frame in Chicago', *Journal of the Society of Architectural Historians*, vol. xlvi (March 1987), 39–48

Turak, Theodore, *William Le Baron Jenney: A Pioneer of Modern Architecture* (Ann Arbor, mi: 1986)

Zukowski, John (ed.), *Birth of a Metropolis* (Chicago: 1987)

古斯塔夫·埃菲尔

Bermond, D., *Gustave Eiffel* (Paris: 2002)

Carmona, M., *Eiffel* (Paris: 2002)

Deschodt, E., *Gustave Eiffel: Un illustre inconnu* (Paris: 2003)

Eiffel, G., *La Tour de trois cents metres* (Paris: 1900; rev edn, 2 vols, ed. B. Lemoine, Cologne: 2006)

Lemoine, B., *Gustave Eiffel* (Paris: 1984)

Lemoine, B., *La Tour de Monsieur Eiffel* (Paris: 1989)

Loyrette, H., *Gustave Eiffel* (Paris: 1986)

Marrey, B., *La Vie et l'œuvre extraordinaire de Monsieur Gustave Eiffel ingénieur* (Paris: 1984)

Mathieu, C. (ed.), *Gustave Eiffel: Le Magicien du fer* (Paris: 2009)

Poncetton, F., *Eiffel: Le Magicien du fer* (Paris: 1939)

弗朗索瓦·埃内比克

Collins, P., *Concrete: The Vision of a New Architecture* (London: 1959)

Cusack, P., 'Architects and the reinforced concrete specialist in Britain, 1905–08', *Architectural History*, vol. XXIX (1986), pp. 183–96

Delhumeau, Gwenaël, *L'invention du Béton Armé: Hennebique, 1890-1914* (Paris: 1999)

Gubler, J., 'Les beautés du béton armé', in Gubler, J., *Motion, emotions: Thèmes d'histoire et d'architecture* (Gollion: 2003)

Simonnet, Cyrille, *Le Béton: Histoire d'un matériau* (Marseilles: 2005)

安东尼·高迪

Collins, G. R., *Antonio Gaudí* (New York: 1960)

Collins, G. R., Bassegoda i Nonell, J. and Alex, W., *Antonio Gaudí: Designs and Drawings* (New York: 1968)

De Solà-Morales, I. and Català Roca, F., *Gaudí* (Stuttgart: 1983)

Lahuerta, J. J., *Antoni Gaudí 1852-1926: Architecture, Ideology and Politics* (Milan: 2003)

Martinell, C., *Gaudí: His Life, His Theories, His*

Work (Barcelona: 1975)

Sert, J. L. and Sweeney, J. J., *Antoni Gaudí* (London: 1960)

路易斯·H. 沙利文

De Wit, Wim (ed.), *Louis H. Sullivan: The Function of Ornament* (New York: 1986)

Schmitt, Ronald E., *Sullivanesque: Urban Architecture and Ornamentation* (Chicago: 2002)

Twombly, Robert, *Louis Sullivan: His Life and Works* (New York: 1986)

Twombly, Robert (ed.), *Louis Sullivan: The Public Papers* (Chicago: 1988)

Weingarden, Lauren S., *Louis H. Sullivan: The Banks* (Cambridge, MA: 1987)

弗兰克·劳埃德·赖特

Levine, Neil, *Frank Lloyd Wright, Architect* (Princeton: 1997)

Lipman, Jonathan, *Frank Lloyd Wright and the Johnson Wax Buildings* (New York: 1986)

McCarter, Robert, *Frank Lloyd Wright* (London: 1997)

McCarter, Robert (ed.), *On and By Frank Lloyd Wright: A Primer of Architectural Principles* (London: 2005)

Riley, Terrence (ed.), *Frank Lloyd Wright, Architect* (New York: 1994)

Sergeant, John, *Frank Lloyd Wright's Usonian Houses* (New York: 1976)

奥古斯特·佩雷

Britton, Karla, *Auguste Perret* (London: 2001)

Cohen, Jean-Louis, Abram, Joseph and Lambert, Guy, *Encyclopédie Perret* (Paris: 2002)

Collins, Peter, *Concrete: The Vision of a New Architecture* (London: 1959)

Culot, Maurice et al., *Les Frères Perret: L'oeuvre complete* (Paris: 2000)

Frampton, Kenneth, *Studies in Tectonic Culture* (Cambridge, MA: 1995)

Gargiani, Roberto, *Auguste Perret, 1874-1954* (Milan: 1993)

路德维希·密斯·凡德罗

Banham, Reyner, *Design by Choice* (London: 1981)

Carter, Peter, *Mies van der Rohe at Work* (London: 1999)

Mertins, Detlef (ed.), *The Presence of Mies* (Princeton: 1996)

Neumeyer, Fritz, *The Artless Word: Mies van der Rohe on the Building Art*, trans. Mark Jarzombek (Cambridge, MA: 1994)

Oechslin, Werner et al., *Mies van der Rohe in America* (New York: 2001)

Schulze, Franz, *Mies van der Rohe: A Critical Biography* (Chicago: 1995)

Spaeth, David, *Mies van der Rohe* (London and New York: 1985)

勒·柯布西耶

Benton, T., *The Villas of Le Corbusier and Pierre Jeanneret 1920-1930* (Basel and Boston: 2007)

Curtis, W., *Le Corbusier: Ideas and Forms* (London: 1986)

Le Corbusier, Cohen, J.-L. et al., *Toward an Architecture* (Los Angeles: 2007)

Moos, S. von, *Le Corbusier: Elements of a synthesis* (Rotterdam: 2009)

Samuel, F., *Le Corbusier in Detail* (Amsterdam, Boston and London: 2007)

康斯坦丁·梅尔尼科夫

Khan-Magomedov, S., *Konstantin Melnikov* (Stroyizdat: 1990)

Lukhmanov, N., *Club Architecture* (Moscow: 1930) Pallasmaa, Juhani with Gozak, Andrei,

The Melnikov House (London: 1996)

Starr, F., *Melnikov: Solo Architect in a Mass Society* (Princeton: 1978)
Strigalev, A. and Kokkinaki, I., *Konstantin Stepanovich Melnikov: World of the Artist* (Moscow: 1985)

皮埃尔·路易吉·奈尔维

Dirindin, Riccardo, *Lo stile dell'ingegneria. Architettura e identità della tecnica tra il primo modernismo e Pier Luigi Nervi* (Venice: 2010)
Huxtable, Ada Louise, *Pier Luigi Nervi* (New York, London and Milan: 1960)
Nervi, Pier Luigi, *Aesthetics and Technology in Building* (Cambridge, MA: 1965)
Nervi, Pier Luigi, *Costruire correttamente. Caratteristiche e possibilità delle strutture cementizie armate* (Milan: 1955, 2nd edn 1965; New York: 1956)
Olmo, Carlo and Chiorino, Cristiana (eds), *Pier Luigi Nervi. Architecture as Challenge* (Cinisello Balsamo [Milan]: 2010)

新视野

理查德·巴克敏斯特·富勒

Baldwin, J., *BuckyWorks* (New York: 1997)
Chu, Hsiao-Yun and Trujillo, Roberto, *New Views on Buckminster Fuller* (Stanford, CA: 2009)
Fuller, R. B. with Marks, R. W., *The Dymaxion World of Buckminster Fuller* (New York: 1963, repr. 1973)
Gorman, Michael John, *Designing for Mobility* (Milan and New York: 2005)
Lorance, Loretta, *Becoming Bucky Fuller* (Cambridge, MA: 2009)
Zung, Thomas T. K., *Buckminster Fuller: Anthology for a New Millennium* (New York: 2002)

奥韦·阿鲁普

Drew, Philip, *The Masterpiece: Jorn Utzon, A Secret Life* (Melbourne: 1999)
Francis, A. J., *The Cement Industry, 1796-1914: A History* (Newton Abbot: 1977)
Hoggett, Peter (ed.), 'Ove Arup's 90th Birthday Issue', *The Arup Journal*, vol. 20, i (Spring 1985)
Jones, Peter, *Ove Arup, Masterbuilder of the Twentieth Century* (New Haven and London: 2006)
Morreau, Patrick (ed.), *Ove Arup 1895-1988* (London: 1988)
Saint, Andrew, *Architect and Engineer: A Study in Sibling Rivalry* (New Haven and London: 2007)
Sommer, Degenhard, Stöcher, Herbert and Weisser, Lutz, *Ove Arup & Partners* (Basel: 1994)

路易斯·I.康

Brownlee, David and De Long, David, *Louis I. Kahn: In the Realm of Architecture* (New York: 1991)
Gast, Klaus-Peter, *Louis I. Kahn: The Idea of Order* (Basel: 1998)
Giurgola, R., *Louis I. Kahn* (Boulder, co: 1975)
Latour, Alessandra (ed.), *Louis I. Kahn: Writings, Lectures, Interviews* (New York: 1991)
Leslie, Thomas, *Louis. I. Kahn: Building Art, Building Science* (New York: 2005)
McCarter, Robert, *Louis I. Kahn* (London: 2005)

让·普鲁韦

Archieri, Jean-François and Levasseur, Jean-Pierre, *Jean Prouvé, cours du CNAM/1957-1970* (Liège: 1990)
Jean Prouvé, La poétique de l'objet technique (Weil am Rhein: 2004)
Lavalou, Armelle (ed.), *Jean Prouvé par lui-même* (Paris: 2001)
Peters, Nils, *Jean Prouvé* (Cologne: 2006)
Sulzer, Peter, *Jean Prouvé, Œuvre complète*, 4 vols (Basel: 1995–2008)

奥斯卡·尼迈耶

Deckker, Zilah Quezado, *Brazil Built: The Architecture of the Modern Movement in Brazil* (New York: 2001)

Evenson, Norma, *Two Brazilian Capitals: Architecture and Urbanism in Rio de Janeiro and Brasília* (New Haven and London: 1973)

Niemeyer, Oscar, *The Curves of Time: The Memoirs of Oscar Niemeyer* (London: 2000)

Philippou, Styliane, *Oscar Niemeyer: Curves of Irreverence* (New Haven and London: 2008)

Schwartz, Jorge (ed.), *Brasil 1920–1950: De la Antropofagia a Brasília* (Valencia: 2000)

Vidal, Laurent, *De Nova Lisboa à Brasília: l'invention d'une capitale (XIXe–XXe siècles)* (Paris: 2002)

埃罗·沙里宁

De Long, David G. and Peatross, C. Ford (eds), *Eero Saarinen: Buildings from the Balthazar Korab Archive* (New York: 2008)

Merkel, Jayne, *Eero Saarinen* (New York: 2005)

Nakamura, Toshio (ed.), 'Eero Saarinen', *Architecture and Urbanism*, extra edn, no. A+U E8404 (April 1984)

Pelkonen, Eeva-Liisa and Albrecht, Donald (eds), *Eero Saarinen: Shaping the Future* (New Haven: 2006)

Román, Antonio, *Eero Saarinen: An Architecture of Multiplicity* (New York: 2003)

Saarinen, Aline (ed.), *Eero Saarinen on His Work* (London and New Haven: 1962)

Temko, Allan, *Eero Saarinen* (New York: 1962)

弗雷·奥托

Burkhardt, Berthold (ed.), *Frei Otto: Schriften und Reden 1951-1983* (Braunschweig and Wiesbaden: 1984)

Mitteilungen des Instituts für Leichte Flächentragwerke, Universität Stuttgart, 40 vols (German and English) (Stuttgart: 1969–2004)

Nerdinger, Winfried (ed.), *Frei Otto Complete Works: Lightweight Construction, Natural Design* (Basel, Boston and Berlin: 2005)

Otto, Frei, *Das hängende Dach* (Berlin: 1954)

Otto, Frei and Rasch, Bodo, *Finding Form: Towards an Architecture of the Minimal* (Stuttgart: 1995)

Roland, Conrad, *Frei Otto Structures* (London: 1970)

Wilhelm, Karin, *Architekten heute: Portrait Frei Otto* (Berlin: 1985)

弗兰克·盖里

Dal Co, Francesco and Forster, Kurt W., *Frank O. Gehry: The Complete Works* (New York: 1998)

Friedman, Mildred, *Gehry Talks* (London: 2003)

Ragheb, J. Fiona (ed.), *Frank Gehry, Architect* (New York: 2001)

丹下健三

Bettinotti, Massimo (ed.), *Kenzo Tange 1946-1996: Architecture and Urban Design* (Milan: 1996)

Bognar, Botond, *Contemporary Japanese Architecture* (New York: 1985)

Boyd, Robin, *Kenzo Tange* (New York: 1962)

Kulterman, Udo (ed.), *Kenzo Tange 1946–1969: Architecture and Urban Design* (London: 1970)

Sharp, Dennis, 'Kenzo Tange (1913–2005)', *The Architectural Review*, vol. 217 (May 2005), p. 36.

Stewart, David, *The Making of a Modern Japanese Architecture* (Tokyo and New York: 1987)

诺曼·福斯特

Jenkins, David, *Foster Catalogue* (Munich, New York and London: 2008)

Jenkins, David (ed.), *Norman Foster, Works*, 5 vols (Munich, New York and London: 2003–)

Pawley, Martin, *Norman Foster: A Global Architecture* (London: 1999)

Sudjic, Deyan, *Norman Foster: A Life in Architecture* (London: 2010)

桑迪亚哥・卡拉特拉瓦

Kent, Cheryl, *Santiago Calatrava* (New York: 2005)

Levin, Michael, *Santiago Calatrava: Artworks* (Basel: 2003)

Tzonis, Alexander, *Santiago Calatrava: The Complete Works* (New York: 2004, 2nd edn 2007)

Tzonis, Alexander, *Santiago Calatrava: The Poetics of Movement* (New York and London: 1999)

Tzonis, Alexander and Caso Donadei, Rebecca, *Calatrava: The Bridges* (New York and London: 2005)

Tzonis, Alexander and Lefaivre, Liane, *Santiago Calatrava: Creative Process*, 2 vols (Basel: 2001)

隈研吾

Alini, Luigi, *Kengo Kuma: Works and Projects* (Milan: 2005)

Bognar, Botond, *Kengo Kuma: Selected Works* (New York: 2005)

Bognar, Botond, *Material Immaterial: The New Work of Kengo Kuma* (New York: 2009)

Futagawa, Yukio (ed.), *Kengo Kuma: Recent Projects* (Tokyo: 2009)

Houdart, Sophie and Chihiro, Minato, *Kuma Kengo. An unconventional monograph* (Paris: 2009)

Yoshida, Nobuyuki (ed.), ‘Kengo Kuma’, *The Japan Architect*, no. 38, special issue (Winter 2000)

图片来源

引言对页 Photo Will Pryce © Thames & Hudson Ltd, London; 2 Erich Lessing/akg-images; 4-5 British Library, London; 6 Photo Angelo Hornak; 7 British Library/akg-images; 8 Courtesy the Institution of Civil Engineers, London; 9 From *Dictionnaire raisonné de l'architecture française du XIe au XVIe siècle*, vol. 4 (Paris: 1859); 10 Chicago Architectural Photographing Company; 17 Time Life Pictures/Getty Images; 12 © Arcaid/Alamy; 13 © Edmund Sumner/VIEW; 18 Photo Scala, Florence-courtesy of Musei Civici Fiorentini; 20 Photo Scala, Florence-courtesy of the Ministero Beni e Att. Culturali; 22 Brancacci Chapel, Santa Maria del Carmine, Florence; 25 Alinari Archives, Florence; 26 © B. O'Kane/Alamy; 27 © Corbis; 29 © Sheila Blair and Jonathan Bloom. Courtesy of the Aga Khan Visual Archive, MIT; 31 Rijksmuseum, Amsterdam; 32 Photo Scala, Florence; 33 Museo Nazionale del Bargello, on loan to the Piccolo Museo, Palazzo Strozzi, Florence; 34 Alinari Archives, Florence; 35 Photo Scala, Florence-courtesy of the Ministero Beni e Att. Culturali; 38 Jon Arnold/awl-images; 39 © Reha Günay; 40 Gérard Degeorge/akg-images; 41 © Reha Günay; 44 Freer Gallery of Art, Washington, DC (39.49);; 45, 47 © Ebba Koch; 50 From *Royal Society Register Book Original*, II, pp. 321–22, dated 4 December 1663; 51, 52 The Warden and Fellows of All Souls College, Oxford; 53 Sir John Soane's Museum, London; 54 © Chris Andrews/Oxford Picture Library; 56 Master and Fellows of Trinity College, Cambridge; 57 Bodleian Library, Oxford; 60 Guillo/Archives CDA/akg-images; 61 École Supérieure et d'Application du Génie, Angers/Giraudon/Bridgeman Art Library; 62 Guillo/Archives CDA/akg-images; 63 Georg Gerster/Panos Pictures; 64 Collection du ministère de la défense, Service Historique de la Défense, Département de l'armée de terre, France; 69, 70, 71 Courtesy the Institution of Civil Engineers, London; 72 Photo Stefan Schaffer; 73, 74 Courtesy the Institution of Civil Engineers, London; 77, 78 Nationalgalerie, Staatliche Museen zu Berlin; 79 SSG Potsdam-Sanssouci; 82 Nationalgalerie, Staatliche Museen zu Berlin; 85 Courtesy the Newington-Cropsey Foundation; 86 Mary Evans Picture Library; 87 Courtesy the Baltimore Sun Company, Inc. All Rights Reserved; 88 from Bogardus, J., *Cast Iron Buildings* (1856). Courtesy Peabody Essex Museum, Salem, Massachusetts; 89 Collection of Wayne Colwell; 92 RIBA Drawings Photographs Collection, London; 93 Liverpool Record Office, Liverpool Libraries; 94 © Country Life; 95 RIBA Library Drawings Collection, London; 96-97 V&A Images, Victoria and Albert Museum, London; 98 RIBA Library Drawings Collection, London; 100 Bibliothèque nationale de France, Paris; 101 Bibliothèque de l'Ecole nationale supérieure des beaux arts, Paris; 102 Patrick Müller © Centre des monuments nationaux; 103, 104 Bibliothèque historique de la Ville de Paris; 106 Science Museum

Pictorial/Science and Society Picture Library; 107 © Robert Harding Picture Library Ltd/Alamy; 108 National Railway Museum/Science and Society Picture Library; 109 NRM-Pictorial Collection/Science and Society Picture Library; 110 Science and Society Picture Library; 111 With the permission of the University of Bristol Library Special Collections (ref. DM162/8/1/1/Sketchbook 1852–1854/f. 18); 113 Palace of Westminster, London; 114 V&A Images, Victoria and Albert Museum, London; 115 © Martin Charles; 116 RIBA Library Drawings Collection; 118 Courtesy The Landmark Trust; 119 From *Dictionnaire raisonné de l'architecture Française du XIe au XVIe siècle*, vol. 4 (Paris: 1859); 120 © Ministère de la Culture-Médiathèque de l'Architecture et du Patrimoine, Dist. RMN/photo RMN; 115 Alinari/Bridgeman Art Library; 122, 123 From *Entretiens sur l'architecture*, Paris, first issued in 1868; 118 © Ministère de la Culture-Médiathèque du Patrimoine, Dist. RMN/photo RMN; 126 from Mackay, T., *Life of J. Fowler* (London: 1900); 127, 130, 131 Courtesy The Institution of Civil Engineers, London; 132 PLA collection/Museum of London; 138 © Bettmann/Corbis; 139, 140 Achille Bertarelli Print Collection, Milan; 141 Biblioteca Trivulziana and Archivio Storico Civico, Milan; 142 Civico Archivio Fotografico, Milan; 143 Ryerson and Burnham Libraries Book Collection, Ryerson and Burnham Archives, The Art Institute of Chicago. Digital File No. DFRWCE. Port_Jenney; 144 Photo J.W. Taylor (Chicago), *c.* 1890s. HALIC, The Art Institute of Chicago. Digital File No. 16473; 145 From *Industrial Chicago* (Chicago: 1891); 146 Photo J. W. Taylor (Chicago), 1913. HALIC, The Art Institute of Chicago; 147 Library of Congress, Washington, DC; 148 Photo C. D. Arnold. World's Columbian Exposition Photographs by C. D. Arnold, The Art Institute of Chicago. Digital File No. 198902.03_067-104; 151 ND/Roger-Viollet/Topfoto; 152 © David Bagnall/Alamy; 154-155 Musée Carnavalet/Roger-Viollet/Topfoto; 156, 157 Roger-Viollet/Topfoto; 159 From Mollins, S. de, 'Le béton de ciment armé, procédé Hennebique', *Bulletin de la Société vaudoise des ingénieurs et des architectes*, 1893, pl. 22; 160 CNAM/SIAF/Cité de l'architecture et du patrimoine /Archives d'architecture du XXe siècle; 161 Courtesy Gwenaël Delhumeau; 162 CNAM/SIAF/Cité de l'architecture et du patrimoine/Archives d'architecture du XXe siècle; 165 Iberfoto/AISA; 166 Cátedra Gaudí Archives ETSAB-UPC; 167 J. Bedmar/ Iberfoto/AISA; 169 Cátedra Gaudí Archives ETSAB-UPC; 170 Private collection; 171 © Jordi Camí/Alamy; 172 Ricatto/Iberfoto/AISA; 174 Sullivaniana Collection, The Art Institute of Chicago. Digital File No. 193101.080623-01; 175 J. W. Taylor (Chicago), *c.* 1890s. HALIC, The Art Institute of Chicago. Digital File No. 49666; 177 Photo Richard Nickel, courtesy John Vinci; 178 Chicago Architectural Photographing Company; 180, 181 Photo courtesy Robert Twombly; 184 Courtesy Special Collections Research Center, University of Chicago Library; 185 From *Frank Lloyd Wright: Ausgeführte Bauten* (Berlin: 1911); 187 © Richard A. Cooke/Corbis; 188 RIBA Library Photographs Collection; 189 Photograph David Heald © The Solomon R. Guggenheim Foundation, New York; 192 © Albert Harlingue/Roger-Viollet/Topfoto; 193, 194, 195 CNAM/SIAF/CAPA, Archives d'architecture du XXe siècle/Auguste Perret/UFSE/SAIF/année; 199 Digital image Mies van der Rohe/Gift of the Arch./MoMA/Scala. © 2011 The Museum of Modern Art, New York; 200 © Klaus Frahm/artur; 202 Bibliothèque de la Ville, La Chaux-de-Fonds, Switzerland, Fonds Le Corbusier; 203, 204 © FLC/ADAGP, Paris and DACS, London 2011; 205上 © Bildarchiv Monheim GmbH/ Alamy; 205下 © Peter Cook/VIEW; 207 Franz Hubmann/Imagno/akg-images; 208, 209下 Photo Tim Benton; 209下 © Olivier Martin Gambier/Artedia/VIEW; 198 Hedrich Blessing/arcaidimages.com; 212 © Martine

Franck/Magnum Photos; 213 RIBA Library Photographs Collection, London; 215 Canadian Centre for Architecture, Montreal; 213 Centro archivi MAXXI architettura, Rome; 220 RIBA Library Photographs Collection, London; 226, 228, 230, 231, 232, 233 Courtesy the Estate of R. Buckminster Fuller; 235, 236 © Arup; 237 RIBA Library Drawings Collection, London; 238 State Library of New South Wales. Courtesy Jan Utzon; 239 © Arup; 242 Louis I. Kahn Collection, The University of Pennsylvania and the Pennsylvania Historical and Museum Commission. Photo Lionel Freedman; 244 © Peter Cook/VIEW; 246 © Michel Denance/Artedia/VIEW; 248 © Collection Centre Pompidou, Dist. RMN/Jean-Claude Planchet/Georges Meguerditchian/photo RMN; 249 Fonds J. Prouvé. Bibliothèque Kandinsky, Centre Pompidou, MNAM, Paris; 250 © Lucien Hervé/Artedia/VIEW; 257 Fonds J. Prouvé. Bibliothèque Kandinsky, Centre Pompidou, MNAM, Paris; 254 © Marcelo Sayao/epa/Corbis; 255, 256, 257 © Styliane Philippou; 239 © Alan Weintraub/Arcaid/Corbis; 261 © Charles E. Rotkin/Corbis; 262, 263 Manuscripts and Archives, Yale University Library, New Haven; 265, 266 © Balthazar Korab Ltd; 269 © Bettmann/Corbis; 270 Architectural Press Archive/RIBA Library Photographs Collection; 271 Photolibrary; 272 RIBA Library Photographs Collection; 273 © Roland Halbe/artur; 276 © Douglas Kirkland/Corbis; 277 Photo T. Kitajima; 278 © Marie Velasco; 279 Image courtesy Gehry Partners, LLP; 280 © Luc Boegly/Artedia/VIEW; 281 www.studiom-miami.com; 285 Courtesy Tange Associates; 286 Photo Akio Kawasumi. Courtesy Tange Associates; 281 Photo courtesy Shinkenchiku-sha Co., Ltd; 288 Photo by Osamu Murai; 289 Photo courtesy Shinkenchiku-sha Co., Ltd; 292 Photo Will Pryce © Thames & Hudson Ltd, London; 293 © Norman Foster; 294 © Ian Lambot; 296 © Construction Photography/Corbis; 298上 Photo © Rudi Meisel, Berlin; 298下 Foster + Partners; 299 Photo Will Pryce © Thames & Hudson Ltd, London; 300 Foster + Partners; 301 Santiago Calatrava, Architect & Engineer; 303 Palladium Photodesign/Oliver Schuh-Barbara Burg. Courtesy Santiago Calatrava, Architect & Engineer; 305 Santiago Calatrava, Architect & Engineer; 306 Palladium Photodesign/Oliver Schuh-Barbara Burg. Courtesy Santiago Calatrava, Architect & Engineer; 307 Santiago Calatrava, Architect & Engineer; 308 Alan Karchmer. Courtesy Santiago Calatrava, Architect & Engineer; 310, 312, 313 © Botond Bognar

索　引

斜体页码表示出现在插图中

C

D

E

F

G

H

I

J

K

L

M

N

O

P

Q

R

S

T

U

V

W

Y

Z

图书在版编目（CIP）数据

伟大的建筑师 /（英）肯尼思·鲍威尔编；何可人，周宇舫译. — 北京：商务印书馆，2019
ISBN 978 - 7 - 100 - 17253 - 0

Ⅰ.①伟… Ⅱ.①肯… ②何… ③周… Ⅲ.①建筑师 — 介绍 — 世界②建筑物 — 介绍 — 世界 Ⅳ.①K816.16②TU-091

中国版本图书馆 CIP 数据核字（2019）第060815号

权利保留，侵权必究。

伟 大 的 建 筑 师

〔英〕肯尼思·鲍威尔 编

何可人 周宇舫 译

商 务 印 书 馆 出 版
（北京王府井大街36号 邮政编码 100710）
商 务 印 书 馆 发 行
山东临沂新华印刷物流
集团有限责任公司印刷
ISBN 978 - 7 - 100 - 17253 - 0

2021年1月第1版 开本 720×1020 1/16
2021年1月第1次印刷 印张 22¾

定价：85.00元